ОБ ЭДУАРДЕ ТОПОЛЕ И ЕГО КНИГАХ

«Тополь пишет с таким знанием российской жизни, которого не могут достичь ни Ле Карре, ни Дейтон. Головокружительные тайники информации...» — «Нью сосайети», Великобритания

«Тополь использует вся и всё, что делает бестселлер, — убийство, интригу, секс, любовь, юмор — и, самое главное, не разочаровывает в конце...» — «Бирмингем ньюс», США

«Тополь держит сюжет в напряжении и интригует тайной, разворачивая блистательную панораму российской жизни» — «Цинциннати пост», США

«Тополевские книги читаются запоем, от них трудно оторваться» — «Комсомольская правда», Москва

«Эдуард Тополь, по определению парижан, "самый крутой мастер современной прозы"» — «Общая газета», Москва

«Все романы Эдуарда Тополя — это большой захватывающий сценарий, который издается массовыми тиражами не только в России, но и в США, Европе, Японии... А все потому, что Тополь не лукавит с читателем, не морочит ему голову, не играет с ним в литературные игры, а прямым текстом излагает, что думает» — Ирина ИВАНОВА, газета «Версия»

«"Красная площадь" — смесь реальности и авторской выдумки, написана в стиле типичного американского триллера в соединении с глубиной и сложностью русского романа» — «Файнэншл таймс», Великобритания

«"Журналист для Брежнева" — высшая оценка за правдоподобие!» — «Таймс», Великобритания

Эдуард
ТОПОЛЬ

Братство
Маргариты

ИЗДАТЕЛЬСТВО · Астрель
МОСКВА

УДК 821.161.1
ББК 84 (2Рос=Рус)6-44
Т58

Оформление А.А. Кудрявцева

Компьютерный дизайн Г.В. Смирновой

Подписано в печать с готовых диапозитивов заказчика 29.03.10.
Формат 84×108$^1/_{32}$. Бумага офсетная. Печать высокая с ФПФ.
Усл. печ. л. 18,48. Тираж 4000 экз. Заказ 479.

Тополь Э.
Т58   Братство Маргариты : [повести] / Эдуард Тополь. — М.: АСТ:
Астрель, 2010. — 346, [6] с.

ISBN 978-5-17-062527-7 (ООО «Изд-во АСТ»)
ISBN 978-5-271-26885-4 (ООО «Изд-во Астрель»)

Тридцать первая книга знаменитого Эдуарда Тополя — прославленного драматурга и сценариста, но прежде всего — известного и любимого во всем мире писателя, романы и повести которого изданы во всех европейских странах, в США, Японии и, конечно, в России!

Пять новых произведений, написанных в разных жанрах — от лирики до социальной сатиры. Пять увлекательных повестей о любви, мужестве и борьбе за справедливость.

УДК 821.161.1
ББК 84 (2Рос=Рус)6-44

ISBN 978-985-16-8339-6
(ООО «Харвест»)

Братство Маргариты

Смешная история

— Алло! Сергей Альбертович! Это Маргарита. Ну Маргарита, из Воронежа. Помните, вы к нам приезжали три года назад? Вы еще в «Радуге» останавливались, а я там по соседству жила, на Плеханова. Вспомнили? Ну я, я — Рита-Маргарита, ага. Да, в Москве. Нет, не проездом, я уже два года тут! Чем занимаюсь? Ой, Сергей Альбертович, чем я тут токо не занималась!

А теперь я в ма́ркетинге, ага! Ну или в марке́тинге, не знаю, как правильно. Нет, работа есть, не беспокойтесь, я не потому эсэмэску кинула. Я что хочу сказать? У меня дочке семь лет, ей через два дня в школу, и я вот тут, в Ясенево, квартиру сняла рядом со школой, на Айвазовского. То есть место хорошее, но квартира в таком состоянии!

И я чё подумала, Сергей Альбертович? Может, вы мне с ремонтом поможете, а? Ну там с обоями или еще чем. Нет, сегодня, у меня до школы два дня осталось. Сегодня не сможете? Ну извините. Да, я понимаю — вот так, с бухты-барахты, в тот же день... А раньше я не могла, раньше этой квартиры не было, она ж только утром освободилась. Дочка? Нет, дочка еще в Воронеже, мама мне ее завтра привезет, а мне тут нужно — ну, я не знаю, хоть обои поклеить, чё-то из мебели прикупить... Подумаете? Пожалуйста, Сергей Альбертович!.. Я понимаю... Но если получится... Спасибо...

Дав отбой, Маргарита на ходу спрятала в карман старенькую «Нокию» и сказала вслух:

— Хрена он поможет, засранец!

Кто-то из покупателей супермаркета оглянулся на нее с недоумением или даже с осуждением за ругань, но Маргарите было на это наплевать, ей в этот день было не до политесов. Раздосадованная, она свернула от полок «фрукты-овощи» к полкам с рисовыми, овсяными и гречневыми кашами. Хотела взять две коробки с овсянкой, но тут ее «Нокия» запела голосом Баскова, и Маргарита опять достала трубку.

— Ой, Илюша!! Ты? Как я рада тебя слышать! Получил мою эсэмэску? Значит, ты в Москве? Ну да, я теперь тоже в Москве! А ты думал! Все сюда, а куда еще? В Москве теперь москвичей — как динозавров, можно отлавливать, да и то для музея. Они ж сами ничё уже делать не умеют, квартиры сдают и живут за наш счет. Ну да фиг с ними! Ты-то как? Я, честно говоря, тебе просто так написала, даже не думала. Думала, ты уже давно там, ну в этом, как его, в Израйле... А ты тут. Ну понимаешь, даже не знаю, как тебе сказать, ведь ты не по этому делу. Ладно, все равно скажу. Ты мою Катю помнишь? Ну ты ей еще сказки читал, ага, когда ей два года было. Так вот, ей уже семь, представляешь? Большая девушка, через два дня в школу. Ну а какие у нас там школы — сам понимаешь. Короче, я тут квартиру сняла — ну тут, в Ясенево, на Айвазовского, я тебе в эсэмэске адрес написала. И мне ее надо в порядок привести — обои поклеить, дверь переставить, починить кой-чего. Ты мог бы приехать? Дак сегодня... Ну да, сёдня суббота. Почему не можешь? В смысле в субботу евреям нельзя уже и выйти из дома? Ах дети! А сколько их у тебя? Трое? Ну ты даешь! А где жена? На работе? Ну понятно. Нет, завтра уже поздно, завтра дочка приезжает. Ну, ничё, я сама... Справлюсь, конечно... Я понимаю... Пока!

Дав отбой, Маргарита вздохнула — блин! И, щелкая джостиком мобилы, глянула на экранчик «Нокии» — так, сколько их осталось? Вот когда им приспичит, так сразу! А когда нам...

Бросив в тележку по две пачки овсянки, гречки и дикого риса, Маргарита двинулась к мясному ряду, но тут снова запел Басков. Интересно, кто это?

— Алло. Да, я Рита. Арсен? Гм... Что-то я не... Ах, брат Георгия! А Георгий? За границей? И когда будет? В каком смысле не будет? А, ну понятно. То есть если ему звонки или эсэмэски, то на вас переадресация. Ну ясно. Нет, что вы! Ему-то я просто написала, как знакомая. А вас-то я не могу просить. Что? У армян брат отвечает за брата? А вы какой брат — старший или младший? Да? Намного? Ну это не очень намного. Короче, Армен... Ой, извините, Арсен. У вас какая профессия? Повар? Ну не знаю... Короче, у меня такая ситуация. Я сегодня сняла квартиру в Ясенево, мне нужно срочно привести ее в порядок. Ну, обои поклеить, дверь навесить, замки поменять. Адрес? А что — вы прямо счас приедете? Гм, интересно. Вы же меня не видели ни разу. От брата слышали? А что слышали? Ну ладно, тогда пишите: Айвазовского, 5, квартира 230. Никакого кода, просто поднимаетесь на девятый этаж. Почему пешком? Лифтом. Хорошо, я жду.

Ну-ну! Интересно...

Постояв у мясной витрины, Маргарита обиженно поджала губы и, отбросив волосы за плечо, направилась к кассе.

Однако — опять Басков. И на экранчике — знакомый номер. Гм, неужели?

— Алло, Сергей Альбертович? Что??? Через двадцать минут на Айвазовского?? Ничего себе скорости у вас! Нет, я помню, конечно, еще бы мне вашу скорость не помнить! Дак пожалуйста, конечно, — Айвазовского, 5, квартира 230. Я жду.

Елки-палки!

Маргарита подбежала к кассе — благо тут не было очереди, быстро расплатилась за каши, подсолнечное масло, хлеб, соль, сахар и все остальное, что успела купить себе на новоселье, и, выскочив на улицу с двумя тяжелыми сумками, метнулась за угол дома, к своему восьмому подъезду.

Лифтом на девятый этаж, и вот она — ее новая двухкомнатная малогабаритка, ужасно запущенная, без мебели, с отлипающими обоями, стоптанным линолеумом и пятнами на стенах от снятых фотографий. В углу несколько чемоданов, узлов и картонных ящиков с вещами. На подоконнике — старая магнитола передает какую-то музычку. На балконе — свернутый в рулон прогнивший ковер и ящики с пустыми бутылками (все оставлено бывшими квартирантами), а под ними кухонная дверь.

Сбросив босоножки, Маргарита пробежала на кухню, но не успела и сумки толком распаковать — звонок в дверь.

— Иду! Открыто! — И Маргарита открыла дверь.

Пятидесятилетний Сергей Альбертович вошел спиной и, пятясь, вкатил магазинную тележку, доверху заполненную замызганными банками с краской, свернутыми в рулон кусками линолеума, валиком и прочим ремонтным скарбом. Повернувшись к Маргарите, широко распахнул руки:

— Здравствуй, Рита-Маргарита!

Но Маргарита от объятий уклонилась:

— Здравствуйте...

— Ну, дай я тебя обниму, блин! — возмутился Сергей Альбертович. — Мы с тобой уже сколько не обнимались, ё-моё! Иди сюда! Ты чё?

Маргарита, однако, опять уклонилась:

— Сергей Альбертович, подождите. При чем тут... Я ж не для этого...

— Так одно другому не мешает! Я ж тут, видишь, краску привез. Я вообще-то уже на дачу ехал, когда ты позвонила. — И Сергей Альбертович огляделся по сторонам. — Квартирка у тебя ничего, но маленькая, конечно. Но мы ее красками осветлим, она больше станет.

— Я хотела обои... — заметила Маргарита.

— Хотела-свистела. У меня краски с моего ремонта остались — люксовые!

Маргарита подошла к тележке:

— Так они же разные.

— Ну и хорошо. — Сергей Альбертович опять попытался приблизиться к Маргарите. — Мы одну стенку накатим зеленой, будет как у Тургенева, писателя такого знаешь? «Муму» написал. Или это Достоевский? Ну не важно! А другую стенку розовой...

Но Маргарита успешно увернулась и на этот раз.

— А ты, я смотрю, такая фифа стала — не подойти, блин! — констатировал Сергей Альбертович. — Нет, хороша, хороша! Причесочка, попочка — супер! Ладно. — Он порылся в тележке и достал из-под банок бутылку текилы. — Во, видала! Помнишь, как я тебя учил текилу пить? Давай, посуда тут есть?

— Сергей Альбертович, ну, честное слово, нам нужно ремонтом...

— Так мы и ремонтом, и всем займемся. Какие проблемы?

— Но время уже смотрите сколько...

— Минуту! — возмутился Сергей Альбертович. — Новоселье обмыть надо или не надо? Ё-моё! Это ж святое! — Он прошел на кухню, стал открывать пустые шкафчики. — Хоть один-то стакан есть у тебя?

— Ну есть, конечно, — принужденно сказала Маргарита.

Между тем магнитола передала прогноз погоды — в Москве к вечеру гроза и дожди. А Маргарита разложила на полу один из чемоданов и нагнулась, открывая его. В чемодане была вся ее посуда — кастрюли, тарелки, сковородки и вилки-ложки. Маргарита стала рыться, доставая завернутые в газету стаканы.

А Сергей Альбертович, воспользовавшись ее позой, зашел сзади, взял ее за ягодицы.

Маргарита отскочила:

— Сергей Альбертович, прекратите!

— Нет, хороша, хороша! — сказал Сергей Альбертович. — Первый класс! Давай стаканы! А грудки как торчат! Счас откушу, гад буду! — И зубами откусил пленку на горлышке бутылки. — Штопор давай. — Взяв у Маргариты штопор, он откупорил бутылку и стал плескать текилу в углы: — Чтоб еб... Ой, извини! Чтоб спалось и жилось! Чтоб жилось и спалось! — И налил в два стакана. — Ну, Рита-Маргарита, держи! А соль тут есть?

Маргарита подала ему только что купленную пачку соли. Он вспорол ее ногтем, насыпал соль ей и себе на край стаканов.

— Вот так. Токо, если хочешь тут жить, пей до дна, поняла? — И звонко чокнулся. — Ну здравствуй, Рита-Маргарита! С новосельем! Давай, давай! Залпом!

Маргарита послушно выпила залпом.

— Очень хорошо, моя школа! — заметил Сергей Альбертович. — Поехали!

Выпил, зажмурился и занюхал кулаком.

— Ох, идет! Ох, как идет! — восхитился он и распахнул руки для объятий. — Ну, иди сюда, лапуля моя! Пока я горячий...

Маргарита хотела ускользнуть, но он схватил ее, прижал к себе.

— Да ладно тебе! Чё там! Свои же люди...

— Сергей Альбер... — придушенно сказала Маргарита.

Договорить не вышло, поскольку он уже вздернул на Маргарите юбку и поднял ее за ягодицы.

— Тихо! Спокойно!

— Пустите... — пискнула Маргарита, пытаясь вырваться.

Но Альбертович держал крепко.

— Тсс! Не дергайся! Сама снимешь? Или порвать?

— Да уже порвали, прошлый раз. Пустите!

Он оглянулся по сторонам:

— Блин, даже завалить некуда...

Не выпуская Маргариту, он попытался лечь с ней на пол, но тут раздался звонок в дверь.

— Это еще кто? — спросил Сергей Альбертович.

— Пустите, — сказала Маргарита.

— Тихо, не отвечай.

— Иду! — крикнула Маргарита. — Открыто!

Альбертович принужденно выпустил Маргариту, она оправила юбку и пошла к двери.

— Открыто!

Роняя рулоны обоев, вошел тридцатилетний Илья, увешанный сумками.

— Здравствуй, Маргарита.

— Ой, Илюша! — обрадовалась Маргарита. — Здравствуй!

Неловко подняв пару рулонов, Илья выпрямился:

— Ну, дай на тебя посмотреть, — и восторженно: — Боже мой! Боже мой! Именно такой ты мне снилась в Израиле! Принцесса!

Илья разгрузился от сумок, открыл одну из них, достал букет цветов и вручил Маргарите:

— Это тебе.

Маргарита растроганно поцеловала его:

— Спасибо, Илюша.

Илья стал собирать остальные рулоны обоев, а Сергей Альбертович требовательно сказал Маргарите:

— Ну и кто это?

— Илюша, мой одноклассник... — начала Маргарита, но тут снова позвонили в дверь.

— Как? Еще? — изумился Сергей Альбертович.

Маргарита молча открыла дверь, и в квартиру вошел полный сорокалетний мужчина кавказской внешности с тяжелой сумкой-холодильником и авоськой с помидорами, огурцами, перцами и прочей зеленью.

— Здравствуйте.

— Та-ак, Маргарита! — протянул Сергей Альбертович. — Интернационал получается?

— Извините, — сказал мужчина с кавказским акцентом. — Я, наверно, некстати...

— Кстати, кстати! — хмыкнул Альбертович, забирая у него авоську. — Еще как! — И показал на сумку-холодильник: — А тут у тебя чего?

— Шашлыки. Замаринованные. Правда, без мангала не то, конечно, получится...

— Почему без мангала? Секунду! — Альбертович достал свой мобильник и набрал короткий номер: — Алло, Коля! Срочно. Достань из багажника весь походный комплект и — наверх, квартира 230, последний этаж. Усек? Давай.

— А Коля — это кто? — спросила Маргарита.

— Мой водитель, — пояснил Альбертович.

— Так это ваша там с мигалкой? — спросил Илья. — Вы кто по профессии?

— Я по профессии депутат, — заносчиво сказал Сергей Альбертович. — А ты?

— А я учитель.

— Чего? Чего учитель-то?

— Русского языка.

— Ни хера себе! Дожили!

— В чем дело? — вмешалась Маргарита.

— Да ни в чем! — усмехнулся Альбертович. — Дожили, блин! Яввеи нас русскому языку учат!

Новый звонок в дверь прервал эту беседу, Альбертович сказал кавказцу:

— Идем, поможешь.

И вместе с ним принял в дверях у водителя Коли мангал, шампуры, бумажный мешок с углем, бутылку с зажигательной жидкостью, а также складной походный стол и складные походные стулья.

— Походный набор народного депутата? — усмехнулся Илья.

— Иди сюда, учитель! Помогай, — позвал Альбертович.

Втроем мужчины расставили стол и стулья, выложили на стол принесенные Арсеном овощи. Илья добавил к этому припасы из своей сумки — торт и фрукты. Альбертович привычно командовал:

— Так, стол ставим сюда... Армен, посуда в чемодане... Учитель, тащи кастрюлю для мяса...

Глядя на эту хозяйскую активность, Маргарита удивилась:

— Мужчины, я не понимаю. Я вас для чего...

Но Альбертович даже ухом не повел.

— Учитель, мангал на балкон. Давай, потащили! Чё стоишь?

Вдвоем они потащили мангал на балкон.

— Стойте! — заступила им дорогу Маргарита.

Глядя на ее спелые прелести, Сергей Альбертович предупредил:

— Откушу!

— На балкон нельзя! — сказала Маргарита. — Соседи милицию вызовут!

Но Альбертович отодвинул ее:

— Женщина, какая на хрен милиция? Я депутат!

Вынеся и поставив мангал, Илья оглянулся:

— Хорошо тут. Всю Москву видно. И последний этаж, никто по голове не будет топать.

Кавказский мужик тут же принялся нанизывать на шампуры мясо и помидоры.

— Маргариточка, у вас соль-перец есть?

— Нет, я не понимаю! — все-таки возмутилась Маргарита. — Я вас для чего позвала? Мне нужно обои поклеить...

— Дорогая, вы не волнуйтесь, — успокоил ее кавказец. — Мы все сделаем, я отвечаю!

— Армен, остынь, — сказал Альбертович. — За все *я* отвечаю. А ты за шашлыки отвечаешь, понял?

— Я не Армен, я Арсен, — сообщил мужчина.

— Ты армянин? — спросил Альбертович.

— Армянин.

— Значит, Армен. Чё ты обижаешься? Говори, чё делать. Мангал заводить?

— Конечно. Чем раньше...

— Учитель, давай, — сказал Илье Альбертович, — уголь сыпешь в мангал, брызгаешь керосин, зажигаешь. Чё стоишь?

Арсен достал из сумки-холодильника маринованное мясо.

— А это какое мясо? — поинтересовался Илья.

— Какое-какое? — усмехнулся Альбертович. — Свинина, тебе нельзя. А уголь засыпать можно. Давай работай! — И повернулся к Маргарите: — А ты чё стоишь? Помогай Армену.

— Да ну вас! — ответила она и достала мобильник, вновь запевший голосом Николая Баскова.

— Алло! Кто-кто??? О Господи! — И, закрыв трубку ладошкой, Маргарита быстро шмыгнула в спальню, закрыла дверь.

— Могу забить — это еще один! — прокомментировал Сергей Альбертович.

Между тем Илья неумело вспорол мешок с углем, с трудом поднял его и стал ссыпать уголь в мангал. Но уголь не столько сыпался в мангал, сколько на пол балкона, а с него — вниз, на улицу.

— Не, ну вы посмотрите! — возмутился Сергей Альбертович. — Что за народ! Ты ж убьешь там людей! Даже мои корочки не помогут! Дай сюда! — И отнял у Ильи мешок с углем. — Собирай уголь, блин! Как вас Святая земля носит?

Илья принялся собирать уголь.

Рита, чем-то явно озабоченная, выскочила из спальни, быстро прошла к двери, открыла ее и выглянула наружу. И хотя там никого не было, осталась у двери.

— Мужики, — сказал Арсен, — мяса на всех не хватит, я ж не знал, что нас столько. Сергей, можешь своего шофера в магазин послать?

— А что нужно, конкретно? — спросил Сергей Альбертович.

Разжигая уголь в мангале, Арсен сказал:

— Ну, еще мяса, картошку. Пиво. Лаваш. И... сам понимаешь...

— Горючее, ясно. По скольку скидываемся?

— Ну, если нас четверо, то...

19

Альбертович кивнул на Илью:

— Этого можешь не считать.

— Почему это меня не считать? — возмутился Илья.

— А ты чё — пьющий, что ли? — спросил Альбертович.

— Я не пьющий, но выпить могу.

— Сколько?

— Ну, я не знаю...

— Конкретно?! Сколько? — потребовал Альбертович.

— Ну... ну... — замялся Илья.

— Ну! Ну! — настаивал Альбертович.

— Ну, грамм двести могу...

Альбертович махнул на него рукой:

— Сто пятьдесят хватит! — и повернулся к Арсену: — Короче, берем ящик пива и три белых. И в запасе у нас текила. Скидываемся по пятьсот, будет в упор.

Он достал из бумажника пятьсот рублей, еще пятьсот взял у Арсена и протянул руку Илье:

— Давай, давай, не жидись!

— А можно без этих слов? — спросил Илья, доставая деньги.

— А ты не обижайся, — ответил Альбертович, забирая деньги. — Я ж не со зла. У меня вообще была одна еврейка — супер! Потом расскажу... — И набрал короткий номер на своем «Сони-Эриксоне» последней модели. — Коля, у тебя деньги есть? Тогда боевая задача: тут внизу супермаркет, нужно картошки три кэгэ, свинины для шашлыка один кэгэ, ящик «Балтики» и три «Абсолюта».

Размахивая картонкой над краснеющим от жара мангалом, Арсен добавил:

И перец! Красный. И лаваш!

— Лаваш и красный перец, — повторил в трубку Сергей. — Все, пошел! Чек не забудь! — И проследил с балкона, как внизу водитель вышел из депутатской «ауди» и пошел в супермаркет.

Тут опять позвонили в дверь, и Маргарита тут же открыла, даже не дождавшись конца звонка.

Все, конечно, с любопытством уставились на дверь.

Но сначала в нее просунулось велосипедное колесо, и только затем в квартиру вошел мужик в украинской вышитой рубашке, с велосипедом на одном плече и спортивной сумкой на другом.

— Добрыдэнь... — сказал он Рите смущенно.

Но она не ответила, а только пристально смотрела ему в глаза.

И он смотрел ей в глаза, и неизвестно, сколько бы длилась эта мертвая пауза, если бы не Сергей Альбертович.

— Ну ты, Маргарита, даешь! — восхитился он. — Советский Союз собираешь? А таджики будут?

— Знакомьтесь... — принужденно сказала Маргарита.

Василий поставил велосипед и подал руку Илье:

— Васыль.

— Илья, — сказал Илья.

Василий повернулся к Арсену:

— Васыль.

Арсен ответил рукопожатием:

— Арсен.

— Васыль, — перешел Василий к Сергею Альбертовичу.

— А ты, Вася, на этом велике из Киева приехал? — спросил тот.

— Я не Вася, я Васыль.

— Ага. Васыль... — кивнул Сергей Альбертович и сказал не то сам себе, не то Илье и Арсену: — И кто только не имеет нашу Россию... — И опять Василию: — А ты за кого? За Януковича или за Тимошенко?

— Сергей Альбертович! — вмешалась Маргарита. — Дайте отдохнуть человеку, он только приехал.

— Я за киевско «Динамо», — ответил Василий Альбертовичу. — А шо тут робыться?

— Ты лучше скажи — водку будешь пить? — спросил Сергей Альбертович.

— Нэ знаю... Завтра у нас вэлгонка. Ну, у наших парубков, а я у ных за тренера.

— Значит, будешь. Мы тут скинулись на шашлыки, на всё. С тебя пять сотен.

— Скильки?! — изумился Василий.

— Не с кильки, а с тебя! Вот хохол! Еврей дал — не дрогнул. А ты...

— Так я усэ маю, — сказал Василий. — Дывысь.

Открыв свою спортивную сумку, Василий выложил из нее целый круг домашней колбасы, большой шмат сала и бутыль.

— Самогон? — спросил Альбертович.

— Та якый! — Василий вытащил пробку и протянул ему бутыль. — Нюхны!

Альбертович взял бутыль, понюхал.

— И это все?

— А мало? — удивился Василий. — Тут пивтора литру!

— Видали? — сказал Альбертович. — Они у нас газа шесть миллионов кубов отсосали! А возвращают полтора литра. И то самогоном.

Он поставил бутыль, взял колбасу, понюхал и протянул Илье:

— Будешь?

Но Илья отвернулся.

Альбертович передал колбасу Арсену:

— Прожарь как следует.

Арсен тут же разломил колбасу и стал нанизывать куски на шампур.

— Та вы шо?! — возмутился Василий. — Цэ свежа ковбаса!

22

— Что для хохла свежа, — назидательно сказал Альбертович, — то для москвича смерть.

Выйдя на балкон, Арсен положил на раскаленный мангал шампуры с мясом и колбасой. Они тут же зашипели на углях, Арсен стал снова махать над мангалом своей картонкой, как веером, и запах жареного мяса и чесночной колбасы поплыл над улицей Айвазовского.

Минуту спустя прозвучал новый звонок в дверь.

— Еще кто-то?! — возмутился Альбертович. — Так, Маргарита, колись! Какую республику теперь присоединяем?

— Да ну вас! — отмахнулась она и открыла дверь.

Но это был Коля, водитель Сергея Альбертовича. Не входя в квартиру, он стал подавать Маргарите пакеты с картошкой и мясом, потом пять лавашей, ящик с «Балтикой», баночку с перцем и три бутылки «Абсолюта».

Маргарита в ужасе повернулась к Сергею Альбертовичу, Илье и Арсену:

— Да вы что?! Куда вам столько?! Вы сюда пить приехали??

— Спокойно, — сказал Альбертович, забирая принесенное. — Четыре мужика — три бутылки. Какие проблемы? Еще не хватит!

Маргарита, недовольно поведя плечом, ушла на кухню, стала вынимать из чемодана и распаковывать завернутую в газету посуду.

Тем временем Арсен демонстрировал свое кулинарное мастерство и опыт: одновременно открывал бутылки пива, вращал шампуры на мангале, обильно поливал пивом мясо и колбасу и доставал фольгу из своей сумки, говоря:

— Мужики, картошку помыть, завернуть в фольгу. Быстро!

Илья взял у него пакет с картошкой и направился с ним на кухню, но Альбертович остановил его, отнял пакет.

— Стоп! Это я сам.

— Я помыть... — удивился Илья.

— Я помою. Иди готовь фольгу.

Альбертович ушел на кухню и, жадно поглядывая на Маргариту, моющую посуду, открыл пакет с картошкой.

А в комнате Илья развернул рулон с фольгой, оторвал несколько кусков под картошку и принялся нарезать овощи для салата.

Между тем на балконе Арсен, поворачивая шампуры и брызгая на мясо пивом, объяснял Василию:

— Как я люблю готовить! Вах! Сам посмотри! Замечательно! Запах мяса! Чеснока! Такую еду готовить — самый большой кайф! После секса, конечно. Но я тебе больше скажу: для некоторых это удовольствие заменяет секс. Заменяет! Я тебе даже один секрет открою: почему женщины любят готовить? Потому что им секса не хватает. И то же самое в политике: почему политики много говорят? Говорят, говорят — как вы думаете, почему? Потому что это им оральный секс заменяет!

Видя, что все заняты, Сергей Альбертович неслышно подошел к Маргарите со спины, схватил ее одной рукой промеж ног и поднял в воздух.

— Оп!

— Пустите. Закричу, — негромко сказала Маргарита.

— Не закричишь.

— А-а!.. — громко закричала Маргарита.

Все тут же прибежали на крик. А Сергей поставил Маргариту на пол.

— Шутка, — сказал он и с мытой картошкой вернулся в комнату, приказал Илье: — Давай заворачивай! По-быстрому!

24

— Шутки у вас, боцман... — усмехнулся Илья, неловко нарезая помидоры.

— Сам ты Кацман! — обозлился Альбертович. — Кто так помидоры режет? — И выхватил у Ильи нож.

— Отдайте! — сказал Илья.

— Не бойся, не зарежу. Еще команды не было, — ответил Альбертович и принялся умело нарезать овощи.

— Вы так не шутите. — Илья, проводив взглядом Риту, убежавшую в спальню, стал заворачивать картошку в фольгу.

— А я и не шучу, — хмыкнул Альбертович.

Илья отнес Арсену завернутую в фольгу картошку, и Арсен с Василием стали раскладывать эту картошку по углам мангала.

— Все! Шашлыки готовы! — сообщил Арсен, лавашем снял с шампура кусок прожаренного мяса и так, в лаваше, подал Илье: — Пробуй.

Но тут на балконе возник Альбертович, сказал возмущенно:

— Ты кому дал? Ему нельзя — отравится!

— Где армянин готовил, там даже турок не отравится! — гордо сказал Арсен.

— Такая дружба народов? — усмехнулся Сергей Альбертович.

— Если бы мирные конференции не в ООН собирали, а вот так, за мангалами, — ответил Арсен, — никакой войны бы не было, это я отвечаю!

— Ну, как свинина? — спросил Альбертович у Ильи.

— Жесть! — ответил тот.

— Как ты сказал? — оскорбился Арсен.

— Ну, в смысле — супер! — пояснил Илья.

— С этого все и начинается, — заметил ему Альбертович. — Сегодня ты свинину жрешь, а завтра к туркам перейдешь!

— А турки не едят свинину...

— Ну все! Хватит! Накрываем стол! Шашлыки осты-
нут! — распорядился Арсен и направился к спальне.

— Стой! — крикнул ему Альбертович.

Арсен остановился:

— В чем дело?

— Ты куда?

— Маргариту позову.

— Я сам позову. Знаем мы вас! Где армян позовет... —
И Альбертович подошел к спальне: — Маргарита!

— Одну минуту! Иду! — отозвалась она из-за закры-
той двери.

Между тем в комнате мужчины накрывали на стол —
тарелки, стаканы, водка, пиво, шашлыки, овощи и все
остальное. Илья поставил посреди стола банку со своим
букетом.

Магнитола тем временем стала играть какой-то французский шансон. И под эту музыку Маргарита вдруг вышла из спальни настоящей дивой.

— Ни хрена себе! — восхитился Сергей.

— Вах! — сказал Арсен.

— Оцэ дива! — оценил Василий.

А Илья запел:

— Я помню чудное мгновенье — передо мной явилась...

— Все, мужики! За стол! — перебил его Сергей Альбертович.

Все расселись — Альбертович и Илья, конечно, рядом
с Маргаритой.

Альбертович по-хозяйски разлил по стаканам, встал:

— Стоп, братаны! Тост. — И стукнул Василия по руке,
которую тот протянул к шампуру: — Замри! Ты сюда жрать
приехал? Рита-Маргарита, что я хочу сказать... С новосе-

льем тебя! Но с каким! Можно сказать, лучшие мужики России съехались, даже из-за границы! И ремонт мы тебе заделаем — первый класс, ты не сомневайся! Но самое главное: пусть в этой квартире от нас, мужиков, у тебя не будет отбоя! Поняла? Это я тебе как народный депутат официально желаю! Поехали!

Все шумно чокнулись, выпили, закусили.

Магнитола продолжала передавать французский шлягер.

— Гарны шашлыки! Смачны! — сказал Василий.

— Очень вкусно! — подтвердила Маргарита. — Арсен, я так люблю мясо!

Илья встал:

— Рита, потанцуем?

— Уже? — спохватился Альбертович. — Во яврей!

Маргарита и Илья стали танцевать, но как! Просто как профессиональные танцоры!

— А помнишь? — сказал, танцуя, Илья.

— Турнир бразильского танго? — спросила Маргарита.

— Мы взяли второе место.

— Нас засудили...

— Из-за дочки нашего олигарха. В каком мы были классе?

— В девятом.

— Да, я тебе тогда стихи написал...

— Нет, первые стихи ты мне в восьмом написал.

— Неужели в восьмом?

Тут музыка закончилась, все зааплодировали танцорам.

— Во дали! — сказал Альбертович.

Магнитола перешла на танго.

Василий, наспех дожевывая, устремился к Маргарите, протянул ей руку, и Маргарита стала танцевать с ним.

— Вы бы прожевали... — сказала она.

— Та я вжэ... — сказал Василий и икнул.

— Дать воды? — спросила она.

— Ик... — сказал он. — Пробачтэ... Ик...

Маргарита перешла к Арсену, а Илья налил воду Василию.

Танцуя с Арсеном, Маргарита спросила:

— А вы в каком ресторане повар?

— В армянском, конечно.

— Я понимаю. А как называется? «Арагви»?

— «Арагви» — это грузинский. У меня «Севан»! Я вас приглашаю.

Пока Маргарита и Арсен танцевали, Сергей Альбертович втихую налил всем ерша — пиво с водкой. Всем, кроме себя.

— А какое у вас самое вкусное блюдо? — продолжала допрашивать Арсена Маргарита.

— У меня все вкусно! — сказал он.

— А я знаете что люблю? Такие маленькие голубцы с мясом...

— Долма называется. Я тебе сделаю.

— И такие хрустящие цыплята...

— Табака. — Арсен прижал Маргариту к себе. — Королева, я тебе такой табака сделаю!

— И варенье из этой... из айвы...

— Ай-ва! — сладостно произнес Арсен, опуская руку ниже ее талии. — Такой айва сделаю!

— А еще знаете, что я люблю? Этот... как его... бешбармак!

Тут Арсен отпустил Маргариту. Сказал возмущенно:

— Я не понимаю, мой брат тебя что, в азербайджанский ресторан водил?

— Это я ее в азербайджанский водил! — нагло вмешался Альбертович и увел Маргариту. — Сейчас мой танец.

Но сначала... Мужики, у меня еще тост! Я предлагаю... Нет, я требую выпить за самую красивую, самую замечательную и самую сексапильную женщину в мире — за нашу Риту-Маргариту!

— Да перестаньте вы... — смутилась Маргарита.

— Мужики, встали! — приказал Альбертович. — Взяли стаканы!

Все встали.

— Стаканы на уровне женской груди! — приказал Альбертович. — За Маргариту — залпом! — под наше троекратное раскатистое «ура»!

— Ура! Ура! Ура! — хором поддержали все.

И залпом выпили.

Правда, Илья тут же закашлялся.

— Что это? Ужас! — И, подавляя рвоту, убежал в санузел.

— Ерш, — с отвращением сказал Арсен.

— Не ерш, а молотовский коктейль! — уточнил Альбертович и взял Маргариту за локоть: — Теперь танцуем!

Она подчинилась.

Василий спешно закусил ерш колбасой, а Арсен запил водой.

Из санузла было слышно, как там спускают воду.

Сергей в танце подвел Маргариту к спальне и одним движением втолкнул ее туда.

— Сергей Альбер... — пискнула Маргарита.

— Тихо! — приказал он, закрывая дверь.

— Кажись, вин ее будэ зараз... — сказал Василий.

— Ему положено, — философски заметил Арсен и глянул на часы.

— Чому цэ йому положено? — спросил Василий.

— Титульная нация.

Из санузла продолжал доноситься шум постоянно обрушивающейся воды.

Из спальни вышел Сергей Альбертович.

— Уже! — изумился Арсен, глянув на часы.

Альбертович, самодовольно улыбаясь, подошел к столу.

— Нет, я не понял, — сказал ему Арсен. — Пять секунд!

— Пять секунд, пять секунд... — под Гурченко запел Альбертович, садясь за стол и наливая себе полный стакан водки. — Дело мастера боится!.. — И залпом выпил.

— Ни, я тэж не розумию, — сказал ему Василий, — воно там шось було чы нэ було?

— Було, було, — заверил его Сергей Альбертович и тут же заснул, да еще с храпом.

Василий молчал, но видно было, что сообщение Альбертовича произвело на него большое впечатление — он стал наливаться краской, как гидропонный помидор.

Тут из санузла послышался очередной спуск воды, и оттуда, утирая лицо, вышел Илья.

Подойдя к столу, он выпил полный стакан воды и посмотрел на спящего Сергея Альбертовича.

— Так, этот уже готов. А где Маргарита?

Но ответа не понадобилось — из спальни взвинченной походкой вышла Рита и нервно сказала Арсену:

— Арсен, налейте мне водки!

Арсен галантно налил, и Рита залпом выпила.

Однако то ли Василий дозрел в своем возмущении, то ли он понял эту ситуацию по-своему, только, развернувшись к Рите, он вдруг сказал:

— Рита, а я тэж титульна нация!

— Это вы к чему, Василий Гаевич? — удивилась Рита.

— Ты сама знаешь.

— Не понимаю, — сказала Рита, беря со стола какую-то закуску.

Василий не колеблясь пошел до конца и, показав на спящего Альбертовича, сказал ей в упор:

— Ну, ты йому зараз дала?

— Что? Что ты сказал? — тут же вскочил Илья.

А Маргарита с криком «Вон! Мерзавец!» схватила велосипед Василия и потащила к выходу, продолжая кричать:

— Пошел отсюда! Вон!!!

— Нет, повтори, что ты сказал! — требовал Илья от Василия.

Но Василий небрежно отмахнулся:

— Та пишов ты!..

Однако Илья с неожиданной силой схватил Василия за грудки.

— Повтори, сука! Что ты сказал?

Василий грубо оттолкнул его:

— Отвали, жидяра!

Илья коленом саданул Василия в пах. От боли Василий прогнулся вперед, и Илья тут же саданул его по затылку с такой силой, что Василий упал. Илья замахнулся ногой, чтобы добить его, но тут вмешались Арсен и Маргарита:

— Стоп! Хватит! Убьешь!

— И убью! — сказал Илья в бешенстве. — Сволочь...

Оттаскивая Илью от хрипящего Василия, Маргарита удивленно спросила:

— Где ты так научился?

— В армии, где же еще? — сказал тот, жадно выпивая воду.

— Ты что, в армии был?

— Ну, был...

— В какой? Когда?

Василий, держась за пах, со стоном катался по полу и матерился.

— Ну в какой, в какой... — нехотя сказал Илья. — В израильской, сержантом.

— Да ладно! — не поверила Маргарита.

— Правда, что ли? — спросил Арсен.

— Правда... — сказал Илья.

— Ты был в Израиле и вернулся? — изумился Арсен.

— Ну вернулся...

— Зачем? — спросил Арсен.

— Потому что... — сказал Илья.

— Почему, Илья? — спросила Маргарита. — Там что, плохо?

— Нет, там хорошо.

— А почему вернулся? Скажи! — настаивал Арсен.

— Ну, потому что достали! — с досадой ответил Илья. — В армии в душ нельзя было пойти, все приставали: «Ой, у тебя необрезанный! Сделай обрезание! Сделай обрезание!» Я говорю: «Да пошли вы!» У меня две награды за ливанскую войну, итур хаоз — за мужество. А они все равно: «Сделай обрезание!» Ушел из армии, живу в Натании, но и там — только придешь в баню: «Илья, ты опять с необрезанным?! Когда обрежешься?» Я говорю: «Какое вам дело? Я еврей и горжусь, что еврей! Но есть же предел! Почему я должен член резать?» Но уже вся Натания знает, что у меня не обрезан, и даже на улице вместо «шолом» снова этот еврейский расизм: «Илья, когда обрежешься? Когда обрежешься?» Достали так — плюнул и вернулся в Россию.

Василий, все еще лежа на полу и держась за пах, расхохотался.

— Что ты хохочешь? — удивился Илья.

— Ой, здохну зараз! — продолжал смеяться Василий.

— От чего ты сдохнешь?

— А тому шо весь ваш Израил, — поднялся Василий, — не коштуе одного едыного хера! — Налил всем самогон и протянул один из стаканов Илье. — От за цэ и выпьемо!

— Не буду я с тобой пить! — ответил Илья. — Иди ты...

— Никуды я нэ пиду. — Василий залпом выпил и брякнулся на колени перед Маргаритой: — Рита, пробач мэнэ, дурня!

— Отстань! — отошла от него Маргарита.

Но Василий пошел за ней на коленях:

— Ни, я нэ встану, покы нэ пробачиш!

— Рита, — сказал Илья, — а что у вас там было с Сергеем?

— Ничё не было! — нервно ответила Маргарита.

— А чё он вырубился?

— Откуда я знаю? Перепил, наверно.

— Странно... — сказал Илья. — Мы ерша выпили — и ничего. А он...

Громкая мелодия «Хава нагилы» вмешалась в этот разговор. Это звонил мобильный Ильи. Он достал трубку и отошел с ней от стола.

— Шолом, якира! — сказал он на иврите. — Ани бэ педсовет. Манаэлэт йодат, цэ магия министр образования, кару этхакулям ле педсовет. Ло, рак от шаа ани магия хабайта! Бэсэда, шолом!

— Между прочим, — сказал ему Арсен, — педсоветы тоже нужно с шашлыками проводить.

— Ты что, иврит понимаешь? — спросил Илья.

— Иврит не понимаю. Педсовет понимаю. Что ты еще мог жене сказать?

— Твое щястя, шо по телехфону запах нэ пэрэдается, — заметил Илье Василий.

— А кто у тебя жена? — спросила Маргарита. — Израильтянка?

— Ну... — подтвердил Илья.

— И сюда приехала? — не поверил Арсен.

Илья пожал плечами:

— А что тут такого?

— Нет, просто спрашиваю, да...

Тут у Арсена зазвонил мобильный.

— Так, началось, — сказал Илья. — Интересно, а какой у повара педсовет?

Арсен в телефон заговорил по-армянски и по-русски:

— Джана, инз штап танчелен. Воровэтэв Путинэ петке га ынтрики. Ну, Путин приедет ужинать... Ум хэт? Инч ес иманам ум хэт? А ты откуда знаешь, что с ней? Не знаю, когда буду. Ду инкет эл дидэс минчев иранк хац чутэн...

— Гений! — сказал Илья. — Путин в его ресторан приедет! И он теперь до ночи свободен!

— Между прочим, — сказал Арсен, пряча телефон. — Если ты учитель литературы, у меня есть литературный вопрос. Нет, серьезно. Вот у нас, армян, такого нет, чтобы один армянин другого армянина публично позорил, писал про него всякие гадости. И тем более — писатель про писателя, такое у нас вообще невозможно. А у вас, евреев...

— А что у нас, евреев? — насторожился Илья.

— Ну, я вот книжку купил одного вашего писателя, как его фамилия? Не то Велюр, не то Вельвет. Не важно. Так он там всех ваших-неваших налево и направо так грязью поливает!.. Кобзон у него гангстер. Светлов и Казаков — алкоголики, Ахмадулина мужиков публично трахает. И главное, книжка-то дрянь, вся из дешевых анекдотов сварена, я из крапивы вкуснее суп приготовлю...

— Я знаю, о ком вы говорите, — грустно сказал Илья. — Сейчас в книжных магазинах огромное количество макулатуры. Это как паленая водка. Ведь настоящую водку сделать не просто. Вода нужна ключевая, чистейшая, спирт из отборной пшеницы. И то же самое в литературе. Талант нужно иметь отборный, мастерство настоящее и чистую сердечную энергетику — обязательно. Поскольку ни злобой, ни завистью ничего, кроме яда, создать невозможно. А у нас большинство писак почему и чем сочиняют? Завистью к большим талантам. И чтобы себя возвысить, пытаются унизить тех, кому завидуют. Это сплошь да рядом. Вот был такой талант Эфраим Севела, написал замечательную книгу «Легенды Инвалидной улицы». А следом за ним тут же пошли «Легенды Невского проспекта», «Легенды Арбата». Вторичка! Но люди это кушают, потому что пережеванное, да еще с острым соусом из дешевых острот куда легче усваивается. А издатели этим пользуются — тискают это фуфло огромными тиражами и прикармливают народ не к настоящей литературе, а именно к жвачке. Как к фаст-фуду и гамбургерам, которые на самом деле просто отрава.

— Но я ж тебя не об этом спросил, — сказал Арсен, терпеливо выслушав.

— А о чем?

— О том, что ни армяне, ни повара друг друга никогда не хают. Во всяком случае, публично. А у вас, евреев...

— Знаешь, — сказал Илья, — я, когда жил в Израиле, тоже возмущался — как так, почему в Израиле есть публичные дома? И знаешь, что мне сказали? Что мы наконец стали полноценной нацией — у нас теперь свои наркоманы, свои проститутки, свои бандиты и свои подонки. По полной программе!

Тут проснулся Сергей Альбертович, обвел всех протрезвевшим взором:

— Так! Вы чё тут сидите?! Вы сюда что — трахаться приехали? А ну за работу!

Встал, открыл все банки с красками и со шпаклевкой и продолжил:

— Давайте! Давайте! Ты, учитель! Становись на шпаклевку! Армен, обдирай старые обои! А ты, хохол, валиком красить будешь! Давайте! Поехали! Маргарита, освобождай стол! Уноси все, а то они тут до завтра будут сидеть!

Все послушно принялись за работу, Маргарита понесла на кухню остатки трапезы. Альбертович пошел за ней, но она остановилась:

— Не подходите!

— Не подхожу, не подхожу, — сказал он. — Ты сюда дверь хотела навесить. Где она?

— Дверь на балконе, под ковром.

— Учитель! — позвал Альбертович, направляясь к балкону. — Иди сюда!

Но Илья не отозвался.

Альбертович попытался вытащить дверь из-под прогнившего ковра и ящиков с пустыми бутылками, но ему это не удалось, и он снова позвал Илью:

— Ну иди сюда, сержант! Помоги!

Илья подошел:

— Я не понимаю, почему ты меня цепляешь?

— Давай снимем эти ящики.

Вдвоем они сняли с ковра тяжелые пыльные ящики.

— Ничё я не цепляю, — примирительно сказал Альбертович. — И вообще, у меня была одна жидовочка — такое со мной творила! Особенно в партере! Бесконечно! Даже по утрам! Я бреюсь, а она станет на коленки и... Сердце останавливалось, сука буду! А по ночам... У нее там чё-то так сжималось, так сжималось! Помпа! Не, наши так не могут! Но уехала, сука, в Америку! Может, вернется, как думаешь?

— Не вернется, — жестко отрезал Илья.

— Но ты же вернулся.

Илья усмехнулся:

— Я ж не к тебе вернулся.

— А ко мне, ты считаешь...

— А к тебе ни одна баба не вернется.

36

— Это еще почему? Давай, потащили ковер...

Помогая оттаскивать свернутый в рулон ковер, накрывающий дверь, Илья сказал:

— Как по-твоему: почему в Армении практически нет никого, кроме армян. Арсен, я не прав?

— Ну, в общем, прав... — подтвердил Арсен.

— Почему? — спросил Альбертович.

— А потому что армяне, — сказал Илья, — своих баб так любят, что им другие мужики не нужны. А вы так умеете любить? Вот ты кого любишь? Конкретно?

— Ну, мало ли...

— Вот именно что «мало»! А вот если бы вы своих баб много любили... Первые евреи в России знаешь когда появились? В Киеве в 941 году. Хазары, торговцы. И уже через год там такое началось! Киевский князь издал указ — чья жена будет замечена, что «бегает до жидов», тот десять гривен в казну должен штраф платить. Вот если бы сейчас был такой закон, как думаешь, сколько в госбюджете денег было бы?

Альбертович не ответил, а, опустив свой край двери на пол, подошел к Илье.

— Вот сколько! — И сильнейшим ударом сшиб Илью на пол.

Но Илья тут же вскочил и бросился на Альбертовича.

— Убью!..

Драка началась нешуточная, и по ходу ее со стола полетела посуда, вдребезги разлетелась пивная бутылка и тарелка с какой-то закусью.

Все, конечно, бросились их разнимать — Маргарита повисла на Илье, Василий и Арсен — на Сергее Альбертовиче.

— Пустите! — рвался окровавленный Альбертович. — Я его удавлю, гада!

— Илюшенька, не надо! — кричала Маргарита, вися на Илье, у которого кровь капала с разбитой губы.

— Та почэкайтэ вы оба! — просил Василий.

— Все! Все! Успокоились! — распоряжался Арсен. — Маргарита, йод! Йод давай!

— Да нету йода! — запаниковала Маргарита. — Боже мой! Кровь!

— Тащи самогон! — приказал ей Василий.

Держа рукой кровоточащий висок, Альбертович кричал Илье:

— Сука, ты за это ответишь! У меня депутатская неприкосновенность!

— А у меня двойное гражданство! — отвечал Илья.

Маргарита сбегала на кухню за самогоном, смочила им салфетку, приложила к виску Сергея Альбертовича. Альбертович взвыл от боли, выхватил у Маргариты бутыль, хватанул прямо из горла.

— Ох ты! Хорош! — выдохнул он.

— А мэни? — потребовал Василий.

Маргарита налила Василию в стакан, он выпил и крякнул от удовольствия.

— Попробовать, что ли? — сказал Арсен.

Маргарита налила и Арсену, тот тоже выпил и сказал:

— Не коньяк, конечно, но...

Илья молча протянул руку с пустым стаканом. Маргарита налила, посмотрела, как он выпил, и решилась:

— Тогда и я...

Выпила и аж задохнулась:

— О!.. Ой...

— Рита, а где твоя гитара? — спросил Илья.

— Нет у меня гитары, Илюша, — горестно сообщила Маргарита. — Давно уже...

— А правда, ты ж на гитаре играла, — заметил Альбертович. — Я помню...

— И я тэбэ за твою гитару покохав, — вспомнил Василий.

— Я тебе подарю гитару, Рита, — сказал Арсен. — Самую лучшую гитару подарю!

— Опять начинается — «я», «я»! — возмутился Альбертович. — МЫ подарим! Понял, Армен? Скинемся и подарим. Скинемся?

— Конечно, — сказал Илья.

— А тебя не спрашивали, — бросил ему Альбертович.

Но Илья пропустил это мимо ушей, он уже пел, подойдя к Маргарите:

— Изгиб гитары желтой ты обнимаешь нежно...

— Струна осколком эха, — подхватила Маргарита, увлекая Илью в танец, — пронзит тугую высь...

Вальсируя, они пели уже вдвоем:

— Качнется купол неба большой и звездно-снежный...

— Как здорово, — вступил Василий, — что все мы здесь сегодня собрались...

Альбертович, с ненавистью глядя на Илью, налил себе еще самогона.

Продолжая танцевать, Маргарита крикнула:

— Давайте! Все! Качнется купол неба большой и звездно-снежный...

И все, кроме Альбертовича, запели хором:

— Как здорово, что все мы здесь сегодня собрались...

Но в это время Альбертович опорожнил стакан и, тут же захмелев, прервал песню:

— Стоп! Ты, пало! — крикнул он Илье. — Ты чё тут про русских выступал?

— Ну хватит, Сергей Альбертович... — примирительно сказала Маргарита.

— Это тебе хватит, — огрызнулся Альбертович. — А я депутат.

И, достав мобильник, стал набирать какой-то номер.

— Вы куда звоните? — подозрительно спросила Маргарита.

— Куда надо, — снова отрезал Альбертович и сказал в телефон: — Алло! Милиция? Девушка, запишите адрес: Айвазовского, 5, квартира...

Но договорить не успел — Маргарита бросилась к нему, стала отнимать телефон:

— Не смейте! Стоп!

Альбертович поднял руку с телефоном, чтобы Рита не могла достать, и тут, словно подтверждая ее испуг, раздался настойчивый звонок в дверь.

— Вже пришли? — изумился Василий. — Швыдко у вас!

Все переглянулись, а звонок повторился еще настойчивее.

Но все молчали.

Дверь тем не менее открылась, и в проеме возникло молодое мужское лицо.

— Соседи, — сказало это лицо, — а чё это тут у вас?

— А ты кто? — спросил Сергей Альбертович.

— Петр Трофимов, сосед снизу, — представилось лицо. — Я слышу, тут дымом пахнет, шум...

— И мясом, — усмехнулся Илья. — Студент?

— Ага, — сказал Трофимов, двигаясь к столу. — А вы откуда знаете?

— А я учитель литературы. «Вперед! Мы идем неудержимо к яркой звезде, которая горит там вдали!» Правильно?

— Дался вам этот Чехов! Будьте здоровы! — сказал Трофимов и выпил чей-то недопитый стакан с водкой.

— Не понял, — сказал Сергей Альбертович. — При чем тут Чехов?

— Чехов — это наше все! — ответил Илья и кивнул Арсену на Трофимова: — Дай ему закусить.

— А чё это у вас кровь? — спросил Трофимов Альбертовича.

— Нет, я про Чехова не понял, — сказал ему Альбертович.

— А у меня маманя двинутая на театре, — объяснил Трофимов, рыская глазами про столу. — Вот и назвала меня Петей, по Чехову. Мучаюсь всю жизнь. Задолбали эти интеллигенты. Каждый свои знания показывает.

Арсен принес с кухни тарелки с мясом и овощами. Трофимов взял огурец, с хрустом откусил и продолжил:

— Но, слава Богу, в театры теперь все меньше ходят, — и снова налил себе самогона. — Можно? — Выпил, не дожидаясь ответа, и крякнул: — Золото! — И повернулся к Василию: — С Украины?

Заметив на полу осколки разбитой бутылки, а на столе окровавленный ватный тампон, осторожно — салфеткой — поднял тампон, осмотрел, перевел взгляд на разбитую губу Ильи, а затем — на окровавленный висок Сергея:

— Та-ак... Интересно... У вас тут драка была...

— Нет-нет! — поспешила Маргарита. — Какая драка? Вы кушайте...

— А ты, случайно, не студент юрфака? — спросил Арсен.

— Я курсант Академии МВД, — гордо заявил Трофимов. — Практику прохожу в следственном департаменте.

— Чеховский студент стал ментом. Нормально! — заметил Илья.

— Ну, я пишов, Маргарит, — сказал Василий. — У мэнэ велогонка.

— Мне тоже пора... — заявил Арсен и для убедительности посмотрел на часы.

— Минуточку! — сказал Трофимов. — Ваши документы, пожалуйста!

— С чего это? — возмутился Альбертович. — Ты кто такой?

Но Трофимов не оплошал — показал красное удостоверение:

— Прапорщик милиции и помощник следователя. Тут была драка с нанесением ран, угрожающих жизни. У вас ранение в голову, у товарища губа разбита. — И Трофимов достал блокнот из пиджачного кармана. — Я должен снять показания и составить протокол. Во-первых, чья это квартира?

— Слушай, курсант, — сказал Альбертович и достал депутатское удостоверение. — Я депутат. Видишь? Поэтому кончай эту бодягу и вали отсюда.

Но оказалось, что этого юного Пинкертона смутить невозможно. Он взял у Альбертовича его удостоверение:

— Депутат? Интересно... — Сел и стал переписывать себе в блокнот: — Зарубин Сергей Альбертович... Это ваша квартира?

— Отдай ксиву, пацан! — попытался Альбертович забрать свои «корочки».

Но Трофимов не отдал.

— Минуточку. Квартира ваша?

— Ну моя... — после паузы сказала Маргарита.

— Замечательно, — произнес Трофимов. — Документы.

— Ну, я ее снимаю...

— Очень хорошо. — Трофимов взял огурец из тарелки. — Паспорт и договор аренды.

— Слушай, парень! — не выдержал Альбертович. — Чё ты пристебался? Тебя же как человека приняли, нáлили, закусь дали. Чё те еще надо?

— Товарищ депутат, вы закон о регистрации граждан по месту жительства приняли? — спросил его Трофимов.

— Так я токо вселилась, я зарегистрируюсь, — сказала Маргарита.

— Вот именно, — заметил Трофимов, — только вселилась, а уже мангал на балконе, кровь, драка. Паспорт!

Маргарита принужденно подала свой паспорт:

— Да пожалуйста!

Сергей Альбертович стал звонить куда-то по телефону.

— Договор аренды, — потребовал Трофимов у Маргариты.

— Будет.

Листая ее паспорт, Трофимов усмехнулся:

— Ну вот, регистрация в области... — И, жуя огурец, стал переписывать в блокнот: — Фонарева Маргарита Ефимовна... А договора аренды нет. И таких в Москве двести тысяч! Двести тысяч квартиросдатчиков не платят налог с аренды своих квартир. А вы, товарищ депутат, приняли постановление привлекать их к уголовной ответственности. Вот я и привлеку — и хозяев тутошних, и гражданку Фонареву.

— Слушай, командир, — отодвинул всех Арсен, — давай по-хорошему договоримся...

— А по-хорошему — это как? — спросил Трофимов.

— Ну, сколько ты хочешь?

— Вы мне взятку предлагаете?

— Нет, я тебе любовь предлагаю! — с сарказмом сказал Арсен.

— Какую еще любовь? — не понял Трофимов.

— А ты какую любишь?

— Паспорт! — рявкнул Трофимов.

— А что, ты только паспортом любишь?

— Паспорт!!!

Арсен подал ему свой паспорт:

— Держи...

Альбертович в сердцах захлопнул свой телефон:

— Блин, суббота! Никому не дозвониться!

Пользуясь моментом, Василий попытался незаметно выкатить из квартиры свой велосипед.

Но Трофимов был бдителен.

— Куда?! Стоять! Документы!

— Так я ж на лосипеде! В мэне нэма ничого!

— Понятно... — Трофимов налил себе самогона и выпил. — Так... Ну что я могу сказать? Изучив обстоятельства дела, составляю протокол об организации гражданкой Фонаревой борделя в съемной квартире по адресу...

— Чего?! — возмутилась Маргарита.

— Ты что?? — воскликнул Илья. — Какого еще борделя?!

Трофимов, хмелея на глазах, заявил:

— Одна женщина, четыре мужика, ящик спиртного и драка с нанесением ран, опасных для жизни, — это что, по-вашему? Опера «Лебединое озеро»?

— Нет, — ответил Илья, — балет «Чио-Чио-сан».

Маргарита налила Трофимову в стакан, сказала вкрадчиво:

— Петя, мы же соседи. Я обещаю...

Трофимов пьяно уставился глазами на ее бедра.

— Так, соседка, вот эти все мешают мне исполнению обязанностей. Пошли-ка сюда для подписания протокола.

И, обняв Маргариту за талию, повел ее в спальню.

Маргарита, обернувшись, с мольбой посмотрела на мужчин.

— Идем, идем, — сказал Трофимов, — не бойсь...

Но Альбертович догнал их, схватил Трофимова за шкирку.

— Урод! Я тебе сейчас такой протокол!..

— А это уже статья, — сообщил Трофимов. — Нападение на сотрудника ми...

Альбертович не дослушал и с такой силой стукнул Трофимова головой о стену, что тот рухнул на пол и отключился.

44

— Ни хрена себе! — сказал Илья.

Маргарита испуганно бросилась к Трофимову:

— Петя! Петр! Алло! — Припала ухом к его груди и в панике зашептала: — Он не дышит! Ребята...

— И что теперь делать? — спросил Арсен.

— Ну, я пишов, — сказал Василий и покатил к двери свой велосипед.

— Стой, «пишов»! — остановил его Арсен.

Илья, став на колени, стал проверять дыхание и сонную артерию Трофимова.

— Ну? — спросил Альбертович.

— Жив. Просто вырубился, — сообщил Илья, взял со стола бутыль самогона и стал лить его в рот Трофимова.

— Ты что делаешь??! — испугалась Маргарита.

— Правильно, — сказал Арсен, — пусть отдыхает. Надо думать, что с ним дальше делать.

— «Скорую» вызвать, — предложила Маргарита.

— Забудь! Еще чего! — сказал Илья и посмотрел на Альбертовича: — Ну, ты дал!

Василий попытался снова незаметно выкатить велосипед из квартиры, но Альбертович поймал в двери заднее колесо и вернул Василия вместе с ним.

Рита расплакалась:

— Всё, я пропала, блин! На хрена я вас позвала...

Альбертович взял Трофимова за левую руку.

— Так, Маргарита, бери его! Все! Все берите его! Поднимаем!

Все послушно подняли Трофимова за руки и ноги.

— А куда? — спросил Илья.

— Ну, он же под Ритой живет, — сказал Альбертович. — Отнесем и положим под дверью.

— Секунду, подождите. — Арсен вышел из квартиры и тут же вернулся. — Ничего не выйдет. Там у соседей пьянка, гости на площадке курят.

— И что ты предлагаешь? — спросил Альбертович.

— Не знаю... — сказал Арсен. — Ничего...

— Вот именно! А еще армян!

— Мужчины! Придумайте что-нибудь! — стала просить Маргарита. — Иначе меня выгонят из квартиры! А завтра дочка приезжает!

— А зачем ты его башкой об стену? — сказал Арсен Альбертовичу. — Даже депутатам нужно иногда думать, прежде чем...

— А ты хотел, чтоб он ее прямо тут, при нас? — спросил Альбертович.

— Нет, конечно, — сказал Арсен. — Ну, я бы его...

— Что? — спросил Илья.

— Ну, не знаю. Остановил...

— Как? За член схватил?

— Да перестаньте вы! — укорила их Маргарита. — В такой момент! Сергей Альбертович...

— А чё он? Умник! — ответил ей Альбертович и повернулся к Арсену: — Мы вас веками, блин, завоевывали, кровь проливали, а вы нас втихую тут оккупировали, и что? Толку от вас...

Маргарита подошла к Василию:

— Васенька, дорогой! Я тебя очень прошу! Увези покойника! Я тебе все, что хочешь...

— Як цэ «увези»? — изумился Василий.

— Маргарита! Ты гений! — вскричал Альбертович и повернулся к остальным. — Видишь, армян? И ты, израильская армия! Русская, а умней вас всех! Значит, так, Василий! Мы его кладем на раму. Ты его отсюда увозишь и где-нибудь... Понял?

— Та ни в жисть! — отказался Василий. — Шо я, прыдурок — мертвяка возыть?

Но тут все обступили Василия.

— Васенька! — сказала Маргарита. — Я тебя прошу! За-ради нашей Катеньки!

— Что? — изумился Илья.

— Та-ак... — сказал Альбертович. — Интересно...

— Та я ж його нэ бил! — оборонялся Василий.

— Вот именно, — сказал Арсен. — Ты не бил, а сядешь с нами...

— За групповое нападение, — объяснил Альбертович.

— И Катя останется без отца, — добавил Илья.

— Васенька! — умоляла Маргарита.

— Ни, я одын нэ пиду. Як я з ным?

— Почему один? — сообразил Илья и приказал всем: — Значит, так. Сажаем его на велик, а сами держим с обеих сторон. Как пьяного. Ну, взяли!

— Та я тики дочку прыихав побачыть... — растерянно сказал Василий.

Но Илья уже распоряжался:

— Маргарита, держи велик!

Маргарита взяла велосипед, Сергей, Илья и Арсен подняли Трофимова, посадили его на велосипедное седло и стали держать со всех сторон, чтоб не свалился. Правда, Маргарита не смогла удержать велосипед с Трофимовым, и он стал заваливаться набок.

— Вася, держи! — крикнула Маргарита.

Василий вынужденно перехватил у нее велосипедный руль и выпрямил велосипед.

— Вот, другое дело, — сказал Альбертович и поставил ноги Трофимова на педали. — Поехали!

Сергей, Арсен, Илья и Маргарита стали толкать к двери велик с Трофимовым.

Но Василий вдруг снова уперся:

— Ни! Куды вы мэне?

— Давай, давай! Лифтом и на улицу, — сказал Альбертович и спросил у Маргариты: — Где тут какой-нибудь парк?

— Парка нет, но есть стройка, — сообщила она. — Тут, рядом...

— Ну и все! — сказал Альбертович. — Он же пьяный. Шел, его пацаны долбанули и... — Но когда велосипед оказался у двери, остановил всех: — Стоп! Если его пацаны, то нужно ему карманы почистить. Маргарита!

— Нет, я боюсь, — отказалась Маргарита.

— Арсен!

— Я не могу, — сказал Арсен. — Я лицо кавказской национальности. Мне за это знаете...

— Илья! Быстро! — приказал Альбертович.

Илья, поколебавшись, запустил руку в карман Трофимова, попытался достать содержимое.

И вдруг Трофимов оглушающе чихнул.

Все в испуге отскочили, из кармана Трофимова высунулся край большой денежной пачки. А Трофимов, открыв глаза и чудом удержавшись на велосипеде, поехал на нем кругами по квартире.

— А ничё велик! — сказал он. — Где взяли?

Все потрясенно молчали.

— И вообще, это чья квартира? — спросил Трофимов.

Все молчали.

— Осколки на полу... — продолжал ездить Трофимов. — Чё тут случилось?

— А ты не помнишь? — осторожно спросил Арсен.

Трофимов остановился:

— Не-а... Ничё не помню...

— Видали? — усмехнулся Арсен. — Он не помнит!

— Это удобно, — заметил Илья.

— А як вин можэ памьятаты, колы вин бутыляку горилки выпив? — объяснил Василий.

— Ты об меня бутылку разбил, — сказал Альбертович и показал запекшуюся кровь на своем виске. — Видишь?

— Я? — изумился Трофимов.

— А мне губу разбил, — сказал Илья.

— Милицию хотели вызвать, но пожалели тебя, дурака, — добавил Альбертович.

— Ты же студент, — объяснил Илья.

— Спасибо, товарищи! — растроганно сказал Трофимов. — Господи, вы меня извините, я курсант. А-а... А это самое... а из-за чего?

— Так из-за меня же, — сообщила Маргарита. — Ты ко мне приставал, в спальню потащил, Сергей Альбертович тебя останавливать, а ты его бутылкой по голове.

— А он депутат! — сказал Илья.

Трофимов ужаснулся:

— Правда, что ли?

— Так все свидетели, — сказал Альбертович, — пять человек!

— Ни, ну, хлопец выпыв лышку, з кым нэ бувае? — примирительно сказал Василий. — Скильки тоби рокив, сынку?

— Двадцать три...

— Пробач його, Сэргэй Албэртовыч! — попросил Василий. — Вин тоби ще сгодыться...

— Нет, если я могу быть вам чем-то полезен... — поспешно сказал Трофимов.

— Можешь, — подтвердил Альбертович.

— Правда? Чем?

— У Маргариты регистрация в области. А ей нужно здесь.

— Да запросто! — обрадовался Трофимов. — Местный участковый — мой кореш, наш выпускник.

— Правда? — не поверила Маргарита. — Сделаешь? Дай я тя обниму, мальчик!

— Тихо! — остановил ее Илья. — Он тебя уже обнял недавно.

— Маргарита, это надо обмыть, — решил Альбертович. — Неси...

— Так уже ничего нет, — растерялась она. — Вы все съели.

Мелодия «Хава нагила» прервала этот диалог. Илья, отойдя с телефоном в сторону, ответил:

— Кэн, якара. Да, дорогая! Зэу одмэат сов. Все, скоро конец. Квар мэнахэль мэдабэр. Уже директор выступает...

А Маргарита принесла с кухни торт и выпивку.

Прислушиваясь к Илье, Трофимов подозрительно спросил:

— Это он на каком языке чешет?

— На арабском, — сказал Альбертович.

— А он что, араб?

— Еще какой! — сказала Маргарита.

— Уважаю, — сказал Трофимов и ушел в туалет.

— Торт нарежь, — приказал Арсену Альбертович.

Но Арсен поглядел на часы:

— Нет, я должен идти. Пока... — и пошел к выходу.

— Арсен, минуту! — остановил его Илья и, оглядываясь на закрытую дверь туалета, сказал приватно: — Ты не можешь уйти.

— Почему?

Илья кивнул на Трофимова:

— А если он все вспомнит?

— Ну и что?

— Сергей! Василий! Арсен хочет уйти...

— Я тэж... — сказал Василий.

— И мне пора, — сообщил Альбертович.

— Ага! — сказал Илья. — Мы уйдем, а он все вспомнит. И Маргариту...

— Вин усе вспомнит, якшо його еще раз башкой у стенку, — сказал Василий.

— Так чё нам тут? — спросил Альбертович. — До утра сидеть?

— Ну, до утра не до утра, но... — начал Илья, но тут из туалета послышался шум спускаемой воды, и оттуда вышел Трофимов.

— Что у вас тут, совет в Филях?

— В Ясенево, — уточнил Илья.

— У тебя бабки есть? — спросил Трофимова Арсен.

— Откуда? Я же курсант.

— Ты вспомни, — попросил Илья.

— Вон у тебя деньги вывалятся сейчас... — показал Альбертович.

— Ой, я и забыл! — Трофимов стал засовывать в карман пачку денег. — Спасибо.

— Ты не прячь, — приказал Альбертович. — Доставай!

— Давай, давай! — подтвердил Арсен.

— Швыдко! — присоединился Василий.

Смутившись и доставая пачку денег, перетянутую резинкой, Трофимов объяснил:

— Нет, я про них правда забыл!

— Ага, вин забув... — сказал Василий.

— Честное слово! — сказал Трофимов.

— Сколько? — кивнул на деньги Альбертович.

— А что? — испуганно спросил Трофимов.

Альбертович молча забрал у Трофимова деньги и начал их пересчитывать.

— Штука, две, три, четыре...

— Это не мои, гад буду! Я должен отдать. Пожалуйста! — взмолился Трофимов.

— А мы что, забираем, что ли? — сказал Альбертович. — Пять, шесть, семь, восемь...

— Просто мы тут скидывались, — объяснил Арсен.

— А ты прыйшов и усэ зъив и выпив, — сказал Василий.

— Возьми с него тыщу, — сказал Альбертовичу Арсен.

— Думаешь? — заколебался Альбертович.

— Ну, бедный парень, студент.

— И я тыщу добавлю, нам хватит, — сказал Арсен.

— Нет, ты понял, как к тебе люди относятся? — спросил Альбертович Трофимова и отнял от пачки одну тысячерублевку. — Штуку за мое ранение. Остальное держи.

51

— Спасибо. — Трофимов спрятал деньги. — Это не мои. Я должен отдать...

Но Альбертович уже не слушал его, говорил в свой телефон:

— Коля, алло! Еще одна ходка в супермаркет. Возьми всякой закуси на две тыщи. Ну, на свое усмотрение. Нет, горючее у нас есть. Все! Действуй!

— Ребята, вы чё? Опять? — испугалась Маргарита.

Илья кивнул ей на Трофимова:

— Ну а как?..

— Нет, ну вы хотя бы тут сделали чего! Я вас зачем позвала?

— Действительно, — согласился с ней Альбертович. — Мужики!

— Вперед! — воскликнул Илья, направляясь к краскам. — «Мы идем неудержимо к яркой звезде! Не отставай, друзья!»

Никто, однако, не оценил его эрудицию, Альбертович и приказал Трофимову:

— Женщине помочь надо! — И повернулся к Василию: — Васыль, ты старший на покраске! Маргарита, покажи им, чё красить. Курсант, мы с тобой дверь вешаем. Взяли!

Сергей и Трофимов подняли дверь и стали навешивать ее в дверной раме на кухне.

Остальные принялись за покраску стен.

— Стойте! — воскликнула Маргарита. — Почему эту стенку желтой? Я не хочу как в психушке!

— А мы-то все где живем? — спросил Альбертович.

Крася валиком стену, Илья сообщил:

— «Мы отстали по крайней мере лет на двести... Иной раз, когда не спится, я думаю: "Господи, ты дал нам громадные леса, необъятные поля, глубочайшие горизонты, и, живя тут, мы сами должны бы по-настоящему быть великанами..."»

— Это Чехов, — сказал Трофимов.

— Илья, ты можэш цього Чехова йому нэ нагадуваты? — попросил Василий.

— А это уже сто лет звучит со сцен во всем мире, — сказал Илья.

— И какой результат? — спросил Арсен.

— Никакого. У нас в школе учитель, тридцать два года, врачи обнаружили у него рак, назначили химиотерапию. И что вы думаете? В больнице на эту химиотерапию запись за месяц вперед. А если хотите без очереди — пожалуйста, за взятку в триста евро хоть завтра! Вы можете себе представить, чтобы сто лет назад врачи смертельно больным создавали очереди, чтобы драть с них деньги?

— А в Израиле не так? — спросил Альбертович.

— В Израиле воровства меньше, а бюрократии больше, — ответил Илья.

— А я думала, больше, чем у нас, уже не бывает, — сказала Маргарита.

— Бывает, но дело не в этом, — заметил Арсен. — Просто весь мир — это один котел. Мы все вместе варимся. Если ты в одном месте пересолил, весь котел уже можешь выбросить!

— А нам один генерал, профессор экономики, еще короче объяснил, — сказал Трофимов. — Он говорит: с тех пор как убрали железный занавес, весь мир стал общим рынком. А как он работает? По принципу канализационных труб. То есть наше дерьмо в первую очередь всплывает в Америке, а их дерьмо у нас. Это и называется общий рынок.

— Гарно вас вчат экономике! — заметил Василий.

Коля, водитель Альбертовича, возник в двери с пакетами и коробками из супермаркета.

Все сгрудились вокруг стола, стали вскрывать эти пакеты и коробки.

— Ой, паштет!.. Салат!.. Колбаса!.. Сыр!.. Оливье!.. Печенка!.. Селедка под шубой!.. Соленые помидоры!..

— Серега, наливай! — возбудился Илья.

Альбертович разлил по стаканам.

Каждый обильно накладывал себе закуски в тарелки.

— У меня тост! — заявил Илья.

— Валяй! — разрешил Альбертович.

— Я предлагаю выпить за «Братство Маргариты»!

— Не понял, — сказал Арсен.

— А что тут не понять? — ответил Илья. — Вот нас тут пять мужиков, которые ее хотят...

— Илья! — укорила Маргарита.

— Иначе нас бы тут не было, — продолжал он. — Вот я и предлагаю: за наше мужское братство! Кто «за», поднять стаканы!

Все — один за другим — подняли.

— Гордись! — сказал Маргарите Илья и повернулся к остальным: — Выпили!

Все, конечно, выпили.

— И с этой минуты, — заявил Илья, — мы как мушкетеры: один за всех, все за одну — за Маргариту! Договорились?

— Еврей, а соображает! — заметил Альбертович. — Ладно, сержант, я тебя прощаю.

— А за Катю? — сказала Маргарита.

— А Катя — это кто? — спросил Трофимов.

— Моя дочка, — сказала Маргарита.

— Твоя невеста, — сказал Трофимову Арсен.

— А что? — сказал Альбертович. — Пятнадцать лет разницы — как раз, самое то! Сделаешь теще прописку и...

Тут у Маргариты опять запел мобильник.

— Алло! — ответила она и ушла с ним на кухню.

— Так, — сказал Альбертович, — еще один!

Арсен посмотрел на часы:

— Наверно, тот, с кем она теперь.

— Откуда знаешь? — ревниво спросил Альбертович.

— В такой время кто еще может ей звонить?

— Маргарита! — крикнул Илья. — Пусть он приезжает! Чего уж! — И повернулся к Василию: — Ты, я понимаю, как я, — тоже из прошлого.

— Я дочку прыихав побачить, — сообщил тот.

— Слушай, Вася, — сказал Альбертович, — перестань выстебываться! Говори по-русски!

— Я по-вашему нэ можу, — ответил Василий.

— Ну нам-то не физди! — возразил ему Илья.

— О! Вот это учитель русского языка! — заметил Альбертович.

— Нет, но это же возмутительно! — сказал Василию Илья. — Я могу на коньяк забить: если бы ты не говорил по-русски, Маргарита бы с тобой никогда не легла! Забьем? Ну!

— Нет, конечно, — принужденно улыбнулся Василий.

— А ты вообще свою дочку видел когда-нибудь?

— Ни...

— Как это? Не видел?! — изумился Трофимов.

— Ну, так получилось, — сказал Василий.

— Колись! — приказал ему Альбертович.

— Ну, я моряк, плавал на круизном, поки у нас туризм був... — начал объяснять Василий.

— Пока туризм был, понятно, — перевел Илья.

— А Маргарита была в рейсе туристкой, — продолжил Василий.

— И много у тебя детей от таких круизов? — поинтересовался Арсен.

— Нет, только Катя...

— Нам-то не заливай! — сказал Альбертович.

— Клянусь! В том-то и дело! У меня ни с кем не получалось, даже с жинкой...

— То есть с женой? — уточнил Илья.

— Ну да! Я и Маргарите не поверил. Но у меня вот тут родинка под мышкой. — Василий поднял руку и заголил рукав. — Бачытэ?

— Видим, — сказал Трофимов.

— А Маргарита говорит, у Кати тэж, в цём жэ мисти.

— И ты приехал проверить? — спросил Альбертович.

— Ни! Ну, то есть... — смешался Василий. — Просто я работу нашел... Ну, у нас же на Вкраине нэма работы. Я и завербовался на канадский танкер, буду от арабов у Канаду нефть возить. А там Сомали, пираты, хто знае — живой доплыву, не доплыву. Ну и решил перед плаваньем дочку побачить. А денег нэма, так я тренером у наших молодых лосипедистов...

— Из Киева?! — спросил Трофимов.

— Нет, с Одессы.

— Из Одессы в Москву? Сколько же ты ехал?

— Та нэ довго. Трое суток.

— И по такой жаре ты трое суток вез эту колбасу, которую мы съели? — возмутился Илья.

— Так а я ж ее не ел, — невпопад заявил Василий.

— Не понял, — сказал Илья. — А что ты ел?

— Ни, я ничого не ив. Я усё сюды привез, шоб с Маргаритой знайомство з дочкой отметить.

Все смолкли, переглянулись.

— Ты трое суток ехал и ничего не ел? — все-таки поинтересовался Альбертович.

— Так.

— А мы тут все сожрали... — сказал Илья.

Тут вошла Маргарита, сообщила:

— Мама звонила. Они приезжают в семь утра, поезд двадцатый, восьмой вагон, — и посмотрела на часы. — Сколько осталось? Господи, мне же тут мыть еще после вас! Мусор выносить...

56

— Мы вынесем, — сказал Илья.

Вновь грянула «Хава нагила».

— Алло! — сказал Илья в свой мобильный. — Якара омарти лях: ахшав ани ло яхол! Бэ бэйт-сефер эцлену Фурсенко. Да не фурсе́нка, а Фурсенко. Сар ахинух! А ты учи русский! Сар ахинух — это по-русски министр образования. Хинэ ху йошев бэ хэдэр шель мэнахэль, вэ аннахну кулям мэхаким. Он выступает, а мы сидим.

Издали донеслись раскаты грома.

— Гэшэм хазак, ани ёдэа, — сказал Илья. — Гэшем хазах — это по-русски сильный дождь. Аль тидаги — ничего не бойся.

Тут зазвонил мобильный Альбертовича.

— У Арсена Путин ужинает, — сказал он, — у Ильи — Фурсенко, а у меня... — и ответил в свой «Сони-Эриксон»: — Алло! Извини, я у Медведева... Нет, он всю нашу фракцию к себе на дачу вызвал. Я позвоню. Пока! — Дал отбой и спросил у всех: — Видите? Все-таки есть польза от правительства.

— А ты кому деньги должен отдать? — спросил Арсен у Трофимова.

— Ну... — уклончиво протянул тот.

— В нашем братстве секретов нет, — заметил ему Илья.

— Мы же договорились, — поддержал Василий.

— Ну, короче, это одни люди просили начальству передать, — нехотя сказал Трофимов.

— Чтобы дело закрыть. Так? — сказал Альбертович.

— Ну да...

— Я ж говорю, — сказал Илья, — сегодня без взятки ни в роддом, ни на кладбище!

— Мужчины! — вмешалась Маргарита. — Я хочу выпить за вас! За тебя, Илюша, за нашу с тобой школьную любовь! — И чокнулась с Ильей. — За тебя, Василий Гаевич! Хоть ты и сукин сын, но приехал на дочку посмотреть. И за то спасибо. — И чокнулась с Василием. — За вас, Сергей Альбертович! Если бы вы умели за женщинами ухаживать, все бы у нас могло по-другому быть. — И чокнулась с Альбертовичем. — И за вас, Арсен! Вкусно вы готовите, я к вам приду! Ну и за тебя, Петя! Хороший ты парень, только не пей. Будь здоров!

Маргарита выпила залпом, все дружно крикнули ей «Ура!» и тоже выпили.

Издали опять донеслись раскаты грома.

— Ой! — испугалась Маргарита и даже перекрестилась.

— Пусть сильнее грянет буря! — сказал Илья.

— Нет, не нужно, — сказала Маргарита.

— Ваш Горький уже одну бурю нам накликал, — сказал Арсен. — На сто лет хватило.

— У нас был Горький, — снова завелся Альбертович. — А у вас?

— А у нас Хачатурян! — гордо сказал Арсен, схватил со стола два ножа и, запев мелодию «Танца с саблями», стал танцевать, подступая к Маргарите и приглашая ее на танец.

Маргарита усмехнулась и охотно вступила в танец, ей явно нравилось танцевать с Арсеном.

Но Илья перебил, запел во весь голос:

— Хава нагила! Хава нагила!..

Продолжая петь, Илья пустился в пляс, и Маргарита с Арсеном стали танцевать с ним под эту песню.

Василий не выдержал, вприсядку выскочил перед Маргаритой:

> Ты ж мэнэ пидманула!
> Ты ж мэнэ пидвела!
> Ты ж мэнэ молодого
> З ума, з розума звела!

Илья, Арсен и Маргарита стали ему подтанцовывать, однако Альбертович недолго терпел эту самодеятельность.

— Союз нерушимый, — запел он во все горло, — республик свободных...

Трофимов тут же встал, подпевая:

Сплотила навеки великая Русь...

Вдвоем они исполнили всерьез и торжественно:

Да здравствует созданный дружбой народов
Единый могучий Советский Союз!
Славься, Отечество!..

— Все! Хватит! — вмешалась Маргарита. — Сейчас все соседи сбегутся! Утром мама с Катей приезжают, а мне их даже положить некуда.

— А я могу вам диван отдать, — вдруг сказал Трофимов.

Все глянули на него с удивлением.

— Ну, я тут одну мебельную фабрику проверял, — объяснил он смущенно, — так они мне столько мебели привезли! Три дивана, шкафы, мне ставить некуда. Очень хороший диван, раскладывается...

— Все-таки периодически нас нужно хорошенько стукнуть по голове, — заметил Илья.

— Что вы имеете в виду? — не понял Трофимов.

— А мы сразу в лучшую сторону меняемся. Наверно, потому и кризис случился, — сказал Илья и показал на небо: — Там, наверху, подумали и...

— Хватит Чехова! — заявил Альбертович. — Пошли за диваном!

— Действительно, — согласился Илья. — Пошли, пока он не передумал.

И все пошли из квартиры.

— Может, там еще чего лишнее... — сказала на ходу Маргарита.

Под новые раскаты грома и приближающейся грозы они спустились ниже этажом, в квартиру Трофимова, и несколько минут спустя Маргарита вернулась к себе с торшером и подносом. Следом за ней Сергей, Арсен, Василий, Илья и Трофимов втащили большой диван, поставили его посреди квартиры и разложили.

— Ну? Красота! — сказал Илья.

— Действительно, большой диван, красивый, — не верила своему счастью Маргарита.

— Станок! — сказал Альбертович. — Ну, теперь держись, Рита-Маргарита! На таком диване!..

— Вот что такое мужское братство! — сказал Илья. — И между прочим, должен вам сказать, такое братство есть вокруг каждой женщины. Не нужно никаких партий — социалистических, демократических, консервативных, либеральных. А нужна одна всемирная женская партия, которая исправит весь мир.

— Илюша, ты всегда был немножко романтик и немножко демагог, — заметила Маргарита.

— Нет, я не демагог! Мы, мужчины, для чего живем? Ради вас, женщин! Ради того, чтобы вы нас любили, мы совершаем геройские поступки и грабим банки, восходим на Памир и работаем на двух работах, делаем открытия и берем взятки, залезаем в долги и носим галстуки, летаем в космос и меняем носки — все ради того, чтобы нас любили те женщины, которых мы хотим. Или я не прав? Ты скажи, депутат!

— Тебе по телику нужно выступать, — сказал Альбертович.

60

— Но если это так, — гнул свое Илья, — и если все человечество воистину состоит из таких вот братств, то, может быть, именно женщины и смогут исправить мир? Останавливать нас, когда мы идем воровать, обманывать, брать и давать взятки. Может, они научат нас жить без этого? А, Маргарита?!

— Я немножко не понял, — сказал Арсен, — это ты опять Чехова цитировал? Или кого другого?

Где-то очень близко снова громыхнул гром.

Маргарита, подумав, вдруг сказала задумчиво:

— Знаете, что я вам скажу? Уехала бы я отсюда! От всего... Боже мой, как бы я хотела уехать! Лежишь иногда ночью и думаешь: «Ё-моё, ну какого хрена я тут жизнь-то трачу? Почему никто не увезет меня куда-нибудь в Австралию? Или не знаю...»

— Не то говоришь, — сказал вдруг Арсен. — Здесь нужно менять. Почему здесь нельзя хоть одну копейку честно заработать? Ведь как хорошо можно было бы жить в России, если бы тут не воровали так, как воруют в России!

— А ты, Василий! — со слезами продолжала Маргарита. — Почему ты не увез меня? Мы с тобой мимо таких островов плыли! А вы, Сергей Альбертович? А ты, Илья? Почему? Почему ты меня тут бросил? Сволочь ты...

— Прости... — тихо сказал Илья.

— Нет, не прощу... — плакала Маргарита. — Никогда не прощу... Почему? Почему, Илюша?!

— Потому что трус... — ответил он. — Еврейский мальчик... Сначала, после школы, мама говорила: «Какой жениться?! У тебя нет высшего образования! Закончи институт...»

— А потом?

— А потом у тебя Катя появилась. Но я все равно... Но мама сказала: «Если ты женишься на этой гойке, я умру...» И они... они увезли меня в Израиль... От тебя...

— И ты там женился...

— Да, тебя любил и люблю. А на другой женился.

— Бывает... — сказал Арсен.

— Но мы хорошо живем, — сказал Илья, — у нас дети...

— И у нас могли бы быть... Дурак ты, Илюша!

— Я не дурак, я сволочь, — сказал Илья. И посмотрел вверх: — Господи!!!

А в ответ ему за окном полыхнула молния и громыхнуло уже почти на Айвазовского.

— Господи, прости меня! — сказал Илья. — Барух Ата Адонай, элухэйну...

Альбертович стал звонить по своему мобильному:

— Коля, поднимись за мангалом... — И сказал Маргарите: — Стол тебе оставить, или как?

— Та нэ трэба, — сказал вдруг Василий. — Я куплю ей завтра.

— У тебя ж денег нет? — удивился Илья.

— На пьянку нет. А якусь-то мебель и кроватку дочке куплю.

Тут пришел Коля, водитель Альбертовича.

— Собирайте стол, стулья, — приказал всем Альбертович и пошел на балкон. — Учитель, берем мангал.

Все принялись собирать складные стулья и стол, выносить их за дверь.

— Эй, учитель! Блин! — снова позвал с балкона Альбертович.

— Опять начинаешь? — спросил Илья, выходя к нему.

— А я чё сказал? Я тя обидел?

— Пока нет.

— Ну и все. Без базара. — Альбертович взял мангал с одной стороны. — Бери с той стороны. И давай так, братан. Все уходят. Чтоб никто тут не остался! По-честному. Зашито?

— Зашито, — согласился Илья.

Вдвоем они вынесли мангал за дверь и вернулись.

— Ну что, Рита-Маргарита? — сказал Альбертович. — Посошок нальешь?

— А там осталось? — спросил Трофимов.

— Осталось, — сказала Маргарита и принесла поднос с текилой, солью и стаканами.

— О! Супер! — обрадовался Альбертович. — Допиваем и...

Маргарита разлила по стаканам остатки текилы.

Рядом с домом снова бабахнул гром.

— За Маргариту! — сказал Илья.

— За Катю! — добавил Альбертович.

— Дякую, спасибо, — сказал Василий. — За Катю.

— И за Маргариту, и за Катю, — обобщил Арсен.

— За Чехова! — сказал Трофимов.

— Это еще почему? — удивился Альбертович.

— А хороший был писатель, — объяснил Трофимов.

— «Муму» написал, — сказал Илья.

— Нет, «Муму», кажется, другой написал, — засомневался Трофимов.

— Петя, вы еще «Муму» не проходили, — заметила ему Маргарита.

— Ладно, поехали! — сказал Альбертович. — До дна!

Все выпили.

Гром.

— Всё, Маргарита, бывай! — сказал Альбертович и приказал всем: — Уходим! По-быстрому. Вася, бери свой велик.

— А куды мне? — сказал Василий. — Мне некуды...

Сергей взял велосипед и пошел к выходу:

— Ничё не знаю. Все уходим! Маргарита, Катя на какой вокзал приезжает?

— На Курский, — ответила Маргарита.

— Ну вот, Вася, ночуешь на Курском, утром дочку встретишь.

— Маргарита, — сказал Арсен, — ресторан «Севан», в любой время. Такой сделаю табака!

Выталкивая всех за дверь, Альбертович сказал Арсену:

— Пошли, пошли! Я те сделаю табака!

Закрыв за ними дверь, Маргарита оглядела беспорядок в квартире:

— Боже мой! Еще уборка! Нет моих сил...

И села на диван.

Снова шарахнул гром.

Маргарита выключила свет и калачиком устроилась на диване.

За окнами начался дождь, переходящий в ливень.

Под шум дождя Маргарита уснула, но через пару минут вскочила, включила свет. И увидела, как с потолка каплет на диван — все сильней и сильней.

— Ё-моё! — сказала она в сердцах, бегом принесла с кухни таз, поставила под капель с потолка. И заплакала: — Ну вот, сняла квартиру! Дура...

В дверь постучали.

— Кто там? — испугалась Маргарита.

— Это я, — сказал мужской голос. — Открой.

— Кто?

— А ты не узнаешь, что ли?

Маргарита, подумав, сказала сама себе:

— Господи! Так они сейчас все вернутся...

Май — сентябрь 2009

Япона коммуна,
или

Как японские военнопленные построили коммунизм в отдельно взятом сибирском лагере (по мемуарам японских военнопленных)

Киноповесть

Навстречу трудным ситуациям нужно бросаться храбро и с радостью. Помни поговорку: «Чем больше воды, тем выше корабль».

Из кодекса Бусидо

Много лет назад кто-то из моих читателей прислал мне удивительную рукопись бывшего японского военнопленного Ю. Ёсиды — написанная от руки, по-русски, с огромным количеством грамматических ошибок, она тем не менее так меня увлекла и очаровала, что я стал искать автора. А не найдя, начал собирать мемуары других японских военнопленных и даже разыскал одного из бывших оперуполномоченных НКВД по лагерям японских военнопленных в Сибири. Он рассказал мне много интересного из того, что никогда не было в печати — ни в российской, ни в японской. И весь этот материал лег в основу повести. А канвой ее стала рукопись Ю. Ёсиды, которого я считаю своим незнакомым японским соавтором.

От своего и от его имени посвящаю ее бывшим интернированным — так в Японии называют всех, кто побывал в советском плену.

Автор

9 августа 1945 года, с внезапного нарушения Красной Армией маньчжурской границы, началась советско-японская война, а через неделю, 15 августа, сразу после американской атомной бомбардировки Хиросимы и Нагасаки, император Хирохито подписал рескрипт о капитуляции Японии, и Квантунская армия в составе 670 000 человек разоружилась и сдалась советским войскам.

1

29 сентября, еще до рассвета, эшелон громыхнул сцепками вагонов и резко остановился. Все проснулись, в темноте послышались громкие удары по стенам вагонов и крики конвоиров:

— Японцы, подъем! Выходи с вещами! Все — на выход! Быстро, япона мать! С вещами!

Юдзи Ёкояма, единственный среди пленных, кто понимал по-русски, поскольку в университете изучал русский язык, испуганно выскочил из вагона. Бегая с конвоирами по платформе, он сообщал пленным, что всё, они приехали. Вагонов было больше двадцати, и вскоре полторы тысячи пленных столпились перед эшелоном и с недоумением оглядывались по сторонам — почему их выгрузили на какой-то захолустной сибирской станции, когда там, в Маньчжурии, им говорили, что отвезут во Владивосток и отправят домой?

Наконец поднялось солнце, вокруг стало светло. Японцы стояли на травянистом пустыре, мокром от утренней росы, и пораженно смотрели на местных жителей — своих победителей. Те окружали их со всех сторон, и их было очень много — старики, молодые, женщины, дети. Выглядели они ужасно нищенски. Впрочем, говорили меж собой японцы, как может быть богатым народ, который столько лет воевал с Германией?!

Но не успели они пожалеть своих победителей, как среди тех поднялся шум:

— Давай! Отдавай! Дай сюда!

Со всех сторон они набросились на пленных, стали требовать все, что видели, — часы, авторучки, одежду, фотоаппараты, даже туалетную бумагу. Особенно упорно вымогали у офицеров их офицерские сапоги. Смышленые поручик Хирокава и сержант Сакамото быстро обернули свои сапоги солдатскими обмотками, чтобы скрыть их. Но остальные были настолько растерянны, что местные жители буквально выхватывали у них все, до чего могли дотянуться, — шарфы, шапки, свитера...

Вдруг грянул оглушительный выстрел.

Японцы вздрогнули: что случилось?

Оказалось, конвоиры шарахнули в воздух, чтобы разогнать нападавших.

Японцы изумились еще больше — в Японии полиция никогда не применяет оружие по отношению к своему народу.

Но выстрел подействовал, местные жители отбежали от пленных и стали наблюдать за ними издалека.

Спустя какое-то время к пленным подошли седой майор и молодой щеголеватый лейтенант. Лейтенант приказал японцам построиться в колонну по пять человек в шеренге, пересчитал их и распорядился:

— Сто солдат остаются на месте, остальные — левое плечо вперед! За мной шагом марш!

— А почему сто остаются? — спросил у майора Юдзи.

— Не беспокойтесь. Они разгрузят вагоны и догонят нас.

Красноармейцы с винтовками и автоматами охраняли японцев спереди и сзади, молодой лейтенант цербером бегал вдоль колонны, покрикивая: «Не растягивайся! Шире шаг!» А Юдзи, шагая рядом с майором, спросил:

— Господин майор, скажите, пожалуйста, куда нас ведут? Сколько километров нам придется пройти?

— Тут недалеко, километров восемь, — сообщил майор.

— А что там?

— Там уютный лагерь. Поживете, пока придет приказ отправить вас на родину.

— А сколько ждать?

Тут к Юдзи подскочил молодой лейтенант, закричал:

— Молчать! Хватит спрашивать!

Поднявшись по отлогому холму, японцы обнаружили на горизонте, среди голой равнины, капониры угольных шахт и небольшую деревню, а в стороне от них солдатские казармы и бараки, окруженные высоким забором. Из трубы одного из бараков поднимался дым. «Наверное, это и есть наше уютное жилище», — решили пленные...

Большие и тяжелые створки ворот открылись, возле них под березой стояли часовые с винтовками, пристальными взглядами они наблюдали, как японцы проходят в лагерь.

Меж тем японцы, входя в лагерь, волновались.

— Что это такое? — спрашивал сержант Сакамото.

— Куда нас ведут? — говорил повар Кинджо.

— Что тут сделают с нами? — вопрошал ефрейтор Сайто.

Однако старшие японские офицеры хранили молчание.

— Строиться! — приказал лейтенант и велел Юдзи перевести его команду: — Всем построиться на плацу!

Юдзи перевел, все построились.

Седой майор медленно прошел вдоль первого ряда, где стояли японские офицеры, и показал на подполковника Якогаву:

— По-моему, вы тут самый старший по званию. Так?

Юдзи перевел, подполковник ответил:

— Да, я подполковник Якогава, был командиром полка.

Майор сказал:

— Вниманию всех! Я — майор Красной Армии Новиков, начальник этого лагеря. Рядом со мной лейтенант Федоренко, он комиссар лагеря. С сегодняшнего дня мы ваши командиры. Вам, подполковник Якогава, вменяется в обязанность руководить всеми военнопленными на правах комбата — командира батальона. Ваша первая задача: разместить всех пленных по баракам и начать нормальную жизнь. Выполняйте приказ.

Тем временем на станции шла разгрузка прибывших с японцами снаряжения, продуктов и транспортных средств. Их было немало, ведь в Маньчжурии капитулировала хорошо оснащенная Квантунская армия. То есть вместе с японцами в грузовых вагонах и на отдельных платформах прибыли мешки и ящики с продуктами, зимним и летним обмундированием, даже быки и коровы были доставлены в этом эшелоне. Теперь все это перегрузили на японские грузовики, которые тоже прикатили сюда на грузовых платформах, и отправили часть в лагерь, а часть в Красноярск на армейские склады.

Впрочем, «все это» не совсем точные слова. Поскольку энная часть «всего этого» была разворована охраной еще по дороге, а еще одна часть — при разгрузке...

В лагере первым делом начала работать кухня, ее возглавил полковой повар Кинджо. Одновременно поручик Хирокава, адъютант подполковника Якогавы, стал расселять по баракам японские роты и взводы. С помощью японских и русских медиков в отдельном бараке поместили больных и раненых. К вечеру Ёсида валился с ног от усталости, поскольку ему приходилось переводить сотни вопросов как с русской, так и с японской стороны — и та и другая не доверяли друг другу ни на грош.

Но, так или иначе, все 1500 японских солдат и офицеров были к ночи устроены, и наутро в штабе японских пленных состоялась встреча советских и японских офицеров.

2

Майор Новиков начал с того, что рассказал о себе.

— Мне сорок пять лет, — сказал он. — Когда я был молод, произошла революция. Я добровольно ушел в Красную Армию, был на фронтах, воевал с белыми. Но мне повезло — пули меня миновали, я не был даже ранен. — Он улыбнулся и продолжал: — В 41-м началась война, но, поскольку мне было уже сорок лет, меня не отправили на фронт, я служил в тылу. А после победы мне присвоили майорское звание и сделали начальником этого лагеря, теперь я с женой живу тут неподалеку в служебной квартире, в деревне Клювино. Думаю, мы с вами поладим. Конечно, если придет приказ отправить вас домой, мы вас тут же и отправим. С радостью. Но пока про такие приказы ничего не слышно, а зима на носу, и зимы у нас тут настоящие, сибирские. Так что готовьтесь...

Это привело японцев в ужас. Как? Неужели им придется зимовать в Сибири? Ведь они к этому не готовы! И какие они, сибирские зимы?

Майор Самэсима крикнул:

— Господа! Даже в международном договоре о военнопленных сказано, что после войны пленных немедленно возвращают на родину. Не может быть, чтобы советское руководство не знало об этом! Ведь в Маньчжурии при погрузке в вагоны советские офицеры обещали, что повезут нас домой!

— И вообще, почему мы должны тут жить? — возмущались другие офицеры. — Даже американцы уже возвращают наших в Японию! А ведь мы бомбили Перл-Харбор, утопили весь их флот!

— А русских мы вообще не трогали! За что нас привезли сюда?

— Как мы сможем жить тут зимой? Мы тут вообще как рыбы на кухонной разделочной доске! Наши жизни и смерти в руках Красной Армии!

Подполковник Якогава сказал:

— Господин майор, я не могу поверить своим ушам! Когда мы ехали из Маньчжурии, советское руководство обещало нам: «Скоро поедете домой, в Токио!» Выходит, они нас обманывали?!

Майор строго ответил:

— Подполковник, советское руководство не обманывает никого и никогда! Но «скоро» — это понятие растяжимое. Скоро может быть завтра, скоро может быть и через какое-то другое время. Ведь мы с вами не старики и жизнь длинная. Так что не нужно спешить. Сколько вам придется ждать, я не знаю, это знают только в Кремле. Зато я точно знаю, что зима грянет не «скоро», а буквально на днях, в октябре. А в ноябре придут настоящие морозы, лютые, вы в Японии таких не видели. Но если к ним хорошо подготовиться, то и сибирская зима станет для вас приятной и бодрящей. Так что давайте начинайте готовиться к встрече с зимним Генералом!

— Хорошо, господин майор, — сказал Якогава. — Я понял вас. Когда мы сдались вам в Маньчжурии, мы были одеты в летнее и думали, что через несколько дней окажемся дома, в Японии. Многие даже смену белья себе не захватили. Поэтому я сейчас же прикажу начать подготовку к зиме. Но и вы, я вас прошу, отправьте наше заявление в Кремль вашему генералиссимусу Сталину. Советское командование должно выполнять международные соглашения о военнопленных.

3

Неизвестно, отправил ли майор Новиков этот протест генералиссимусу Сталину, но в Красноярск за японскими теплыми вещами он буквально на следующий день послал несколько грузовиков, а также интендантов — своего лейтенанта Задярного и капитана Мацуду с несколькими солдатами-грузчиками.

Однако к вечеру половина грузовиков вернулись пустыми.

— Нас ограбили, — сказал капитан Мацуда переводчику Ёкояме. — Там половина Красноярска ходит в нашей одежде. Даже советские офицеры. Мы привезли только то, что там не успели украсть. Переведи это начальнику. Почему в России такое воровство?

Но переводить не пришлось. Из доклада Задярного майор и сам все понял, выругался такими русскими ругательствами, которых Юдзи никогда не слышал, и ушел в свой штаб.

А интенданты стали раздавать пленным ту теплую одежду, которую им удалось привезти.

Ко всеобщему удивлению, несколько ящиков с зимними шапками были совсем не тронуты. Наверное, потому, что они не меховые и не такие теплые, как русские, и еще потому, что у японских шапок есть наушники, которые можно поднимать, чтобы слышать приказы командиров. Для русских это было в диковинку, конвоиры долго вертели эти шапки в руках, разглядывали их, а потом приказали:

— Ну-ка наденьте, покажите, как это носят.

Японцы надели шапки, конвоиры посмотрели и приказали снова:

— Так. А теперь поднимите наушники! А теперь опустите! А теперь подпрыгивайте! И бегайте! Бегайте туда-сюда!

Ничего не поделаешь, сержанту Сакамото и другим пленным пришлось бегать. А конвоиры смотрели и смеялись:

— Ха-ха-ха! Смотри! Японцы как зайцы!..

Зато ящики с носками исчезли в Красноярске вчистую.

Правда, у конвоиров японцы никаких носков тоже не видели.

— То ли в России про носки не знают, — говорили пленные меж собой, — то ли их тут на всех не хватает.

Вместо носков конвоиры наматывали на ноги куски материи, которые называются «портянки», и японцам пришлось учиться этому искусству, причем многим эта учеба стоила очень болезненных мозолей.

Заодно японцы учились носить русские шерстяные сапоги — валенки. Они очень удобные и теплые, сообразили японцы, но совершенно не годятся для сырой и мокрой погоды. Если ступить в лужу, они тут же промокают. Перед входом в помещение с них обязательно нужно счищать снег. Иначе он в помещении растает и валенки промокнут. Поэтому русские, входя в дом, валенки обязательно снимают и кладут на самый верх печки сушиться. Это умно, решили японцы, а все, что умно, называется по-русски «смекалка».

Интендант Мацуда выбрал из японских солдат бывших портных и сапожников, собрал их в одну комнату и повесил на дверь табличку: «Мастерская». А интендант Задярный и его помощник ефрейтор Муров принесли швейную машинку и инструменты для сапожников. Не теряя времени, портные стали шить и перешивать теплую одежду, а сапожники чинить обувь. Другой проблемой стали тюфяки. Где взять для них солому, если уже октябрь, дует ледяной ветер и вот-вот пойдет снег?

Майор Новиков вспомнил, что на лесопилке есть гора опилок.

— Ничего не поделаешь, — сказал он. — Придется набивать ваши тюфяки опилками. Это все-таки лучше, чем ничего.

4

Лейтенант комиссар Федоренко вызвал переводчика Ёкояму и адъютанта Хирокаву:

— Завтра из Красноярска, из штаба округа, приедет майор Козлов, военный врач. Он проведет медосмотр всего лагеря и отберет людей, способных работать под землей, в шахтах. После осмотра тут же приступайте к формированию шахтерских бригад. Задание ясно?

— Извините, господин лейтенант, а почему мы должны работать в шахтах? Мы не пленные, мы незаконно интернированные и ждем возвращения в Японию.

— Вы находитесь на территории Советского Союза. А в Советском Союзе кто не работает, тот не ест. Это закон.

Вечером в японском штабе состоялось горячее обсуждение этой новости.

— Мы не рабы! — говорили офицеры. — Мы не должны работать в шахтах!

— Мы с ними не воевали, а сразу разоружились...

— Нас привезли сюда обманом! Это произвол! Нужно жаловаться в Москву!..

Комбат Якогава сказал:

— Наша Заречная — очень маленькая станция в огромной Сибири и очень далеко от Москвы. Когда и как дойдет наша жалоба до Москвы, неизвестно. Но судьба не ждет, пока человек сделает вдох и выдох. Если мы не пойдем на работу, нас перестанут кормить, а если поднимем восстание и нападем на склады, охрана может нас расстрелять. То есть мы в руках Красной Армии, они хозяева нашей жизни и смерти. Поэтому мы пойдем на работу в шахты, они нас сюда для того и привезли, теперь это ясно. А мы будем работать, чтобы выжить и все-таки вернуться домой. Помните кодекс самурая: думай только о цели — и для тебя не будет ничего невозможного.

На следующий день из Красноярска приехал военврач Козлов. Это был высокий худой мужчина с вытянутым собачьим лицом, пронзительным голосом и погонами майора медицинской службы.

Все поротно приходили к санчасти, раздевались догола, и майор проводил медосмотр таким образом — сначала смотрел на человека спереди и сзади, потом брал пальцами мышцу ягодицы и говорил: первая категория труда... вторая категория... третья... оздоровительная. В соответствии с этой классификацией Юдзи в толстом журнале в списке японцев ставил против каждой фамилии цифры — 1, 2, 3 или писал букву «О». В перерыве он спросил у врача:

— А вы будете принимать больных и раненых?

— В лагере есть свой военврач — лейтенант Калинина. Принимать больных и раненых ее обязанность.

— Значит, вы приехали только классифицировать японцев?

Тут лейтенант Федоренко посмотрел на Юдзи так, что тот сразу умолк. Военврач Козлов за один день осмотрел полторы тысячи человек и вечером уехал. А наутро лейтенант Федоренко и майор Каминский, заместитель начальника лагеря, пришли в японский штаб с журналом личного состава лагеря и приказали:

— По этому списку немедленно сформируйте рабочие бригады. Люди первой и второй категории, все без исключения, идут в шахты для работы под землей. Люди третьей категории тоже идут в шахты на наружные, наземные работы. Людей оздоровительной категории оставить в лагере для внутренней работы.

Затем Каминский оставил в штабе только одного человека — переводчика Юдзи Ёкояму. И сказал ему:

— Значит, так! Если ты, бляха-муха, хочешь выжить, то будешь работать со мной и выполнять мои приказы. Понял?

— А что я должен делать, господин майор? — испугался Юдзи.

— В Маньчжурии вы, японцы, работали над бактерио-логическим оружием, пробовали его на китайцах. Не спорь, сука! Нам это точно известно! Так вот, ты, бля, поможешь мне найти этих ученых среди ваших пленных. Усек?

— Господин майор, в нашем полку не было никаких ученых! Мы пехота!

— Не п...зди! Все вы фашисты! У вас врачи есть? Есть! Вот и нужно проверить, чем они в Маньчжурии занимались! Я буду их допрашивать, а ты переводить. Понял?

5

Русский военврач Ирина Васильевна Калинина была незамужней, стройной и красивой женщиной. По ее словам, она, окончив мединститут, сразу же пошла в армию, защищала Москву и воевала на многих других фронтах.

Однажды Юдзи с улыбкой приветствовал ее:

— Здравствуйте, Ирина Васильевна!

Но она это строго пресекла:

— Я на военной службе. Вы должны называть меня «старший лейтенант».

Каждый день в санчасти она принимала японских больных и раненых, а в свободное время ходила по баракам и на кухню и постоянно твердила:

— Какая грязь! Везде грязь! Почему так грязно?

Юдзи возразил ей:

— Эти люди только что вернулись с работы, не успели умыться. Да у нас и умывальников нет. Где нам взять умывальники?

На следующий день она принесла длинные ящики, велела продолбить в их днищах несколько дыр, сделать из них умывальники, повесить у входа в барак и регулярно наполнять водой.

А еще через несколько дней, победно улыбаясь, вошла в японский штаб:

— Юдзи Ёкояма! Смотрите! Я принесла парикмахерские инструменты! Ну-ка давайте быстренько найдите парикмахеров среди ваших и тут же начинайте стричь всех японцев!

Юдзи посмотрел на инструменты:

— Боже мой, мадам старший лейтенант! Это же для стрижки лошадей!

— Ничего! Какие есть! Всех постричь — это приказ! Ведь вас уже вши заели! А вши — это переносчики тифа!

Действительно, бараки были тесны для 1500 человек, и вши у японцев просто кишмя кишели. Хотя бы потому, что ничего тут не было оборудовано — ни душевых, ни ванн, ни даже места для стирки белья и одежды. Да что там места — воды и той не хватало, чтобы постирать или умыться.

В свободное время все японцы были заняты только одним — уничтожением вшей.

— Смотри, какая большая!

— А моя еще больше!

— Эти вши насосались моей крови, они теперь мои кровные родственники.

На швах белья вши откладывали яйца плотно, как четки, а когда японцы прокаливали белье на печи, то они трещали, как кунжут при жарке: пачь... пачь... пачь...

Военврач Калинина замучила японцев этой проблемой.

— Как мне извести ваших вшей?!

Наконец она нашла выход, и после работы (а японцы практически с первых дней стали работать на шахтах) их колонной повели в деревенскую баню.

Баня была небольшой, но уютной, японцы с наслаждением терли свои тела и смыли с них много грязи.

После этого, выходя в предбанник, все должны были строиться в шеренгу, и парикмахеры всем подряд брили головы и срамные места. Поскольку бритвы были тупые, многие вскрикивали от боли. Но приходилось терпеть, иного способа избавиться от вшей просто не было. Да и парикмахеры не церемонились:

— Следующий! Подходи! Убери ладони! Что ты закрываешь? Боже мой, нашел что закрывать! Господи, дайте мне лупу! Да у него член такой маленький, я его вообще не вижу! Как бы я его вместе с волосами не отрезал!..

Но хуже всего было то, что из бани до лагеря шесть километров нужно было идти сквозь ночную метель, по снегу и заледенелой дороге. Конвоиры, как всегда, покрикивали:

— Быстрей! Бегом — марш! Давай, давай, япона мать! Шевели ногами!

6

— Сейчас вы все, полторы тысячи человек, теснитесь в трех бараках, — сказал майор Новиков. И это было правдой: в бараках было так тесно, что японцы спали вповалку и не могли даже ног вытянуть для отдыха. — Вот мой план, — сказал он. — Нужно срочно построить еще три барака, больницу, баню, парикмахерскую, прачечную, дезкамеру и карцер для нарушителей дисциплины. А также провести водопровод от озера, которое в двух километрах от лагеря. И расширить нужники, сделать канализационный сброс от сортиров в соседний овраг или еще дальше, в заброшенную шахту. А то ваши люди уже пол-лагеря засрали. Комбат Якогава, я не могу уменьшить для вас нормы добычи угля в шахтах, но вас много — подумайте, как можно поднять производительность так, чтобы освободить хотя бы сотню японцев для помощи нашим русским плотникам и строителям. Учтите: вся эта работа — для вас, чтобы вы не замерзли тут зимой и не вымерли все от тифа и других болезней. Вы меня поняли?

— Я вас понял, господин майор, — ответил Якогава. — Но если можно, скажите, пожалуйста: вы этот план сами составили или получили от вашего командования?

— А какое это имеет значение?

— Очень большое, господин майор. Если можно, ответьте, пожалуйста.

— Конечно, можно. Пожалуйста! У нас, комбат, плановая социалистическая система. И поэтому все решения и мероприятия — не только военные, но и политические, и экономические, и научные — всё у нас происходит только планово, по приказу сверху, а еще точнее — по личному указанию генералиссимуса Сталина и Политбюро нашей Коммунистической партии большевиков. В этом наша главная сила, именно поэтому мы победили Германию и Японию. Теперь вы меня хорошо поняли?

— Теперь я вас хорошо понял, господин майор. Спасибо, — сказал Якогава. — Если такой план реконструкции нашего лагеря пришел от генералиссимуса Сталина, значит, жить нам в этом лагере очень долго. Мы поднимем производительность нашего труда и освободим для строительства новых бараков не сто, а сто пятьдесят человек.

И буквально назавтра все японские плотники были освобождены от работы в шахтах, брошены на помощь русским плотникам. Стройка бараков и других помещений шла русским методом: сначала в уже промерзающей земле японцы долбили и копали ямы для фундаментов глубиной более трех метров, поскольку иначе, говорили русские, нельзя — всё помёрзнет: и водопровод, и канализация. Потом ставили и клали бревна, потом крыли досками крыши. И одновременно с русским методом строительства обучались русскому языку.

— Давай, давай, япона мать! — кричали русские плотники. — Копай быстрей на ...уй! Забивай в п...зду!

В связи с таким эффективным методом японские бараки росли буквально на глазах, и, глядя на это, ефрейтор Сайто, который в Японии был бригадиром плотников, с восторгом сказал:

— Нет, вы только посмотрите, как эти русские орудуют топором! Молодцы в п...зду!

7

В начале лагерной жизни японцев кормили японскими продуктами, которые прибыли с ними. Но их было 1500 человек, они очень быстро все съели, даже коров и быков. И вскоре уже не могли питаться японскими блюдами — белой рисовой кашей и горячим супом «мисо», их начали кормить советскими продуктами по советским нормам: в день 300 граммов черного хлеба, очень мало мороженого мяса и совсем немножко мороженых овощей.

Однажды в русском штабе Юдзи, засмотревшись на красавицу Татьяну, помощницу бухгалтера, углядел на ее столе очень интересный документ.

Зам. наркома внутренних дел
Союза ССР
генерал-полковник
ЧЕРНЫШОВ

Начальник
Тыла Красной
Армии генерал
армии ХРУЛЕВ

НОРМА № 1

суточного довольствия военнопленных рядового и
унтер-офицерского состава японской армии
(на одного человека)

№ п/п	Наименование продуктов	Количество в граммах
1.	Хлеб из муки 96% помола	300
2.	Рис полуочищенный	300
3.	Крупа или мука (из зерна пшеницы, овса, ячменя и бобовых)	100
4.	Мясо	50
5.	Рыба	100
6.	Жиры растительные	10
7.	Овощи свежие или соленые	600
8.	Мисо (приправа к кушаньям из бобов)	30
9.	Сахар	15
10.	Соль	15
11.	Чай	3
12.	Мыло хозяйственное (в месяц)	300

ПРИМЕЧАНИЕ. Для военнопленных, занятых на тяжелых физических работах, нормы по сахару и овощам увеличиваются на 25%.

Выдача риса и хлеба увеличивается: при выработке 50% установленной нормы — на 25 граммов, при выработке от

50 до 80% установленной нормы — на 50 граммов, при выработке от 101% и выше установленной нормы — на 100 граммов, при выработке от 80 до 100% установленной нормы — на 75 граммов.

Для работающих военнопленных отпускается табак низших сортов из расчета 5 граммов в сутки на одного военнопленного.

Витамины выдавать по назначению врачей.

Начальник ГУВС НКВД СССР генерал-лейтенант и/сл. ВУРГАФТ

Зам. нач. ГУПВИ НКВД СССР генерал-лейтенант ПЕТРОВ

Но конечно, даже из этого рациона к японцам не доходило и половины.

Когда Юдзи сказал об этом майору Новикову, тот возмутился:

— Что вы мне все твердите, что вам не хватает продуктов?! У нас была война, немцы уничтожили все сельское хозяйство Украины и европейской части России! Поэтому у нас карточная система, наш народ получает продуктов столько же, сколько и вы, а то и еще меньше!

Юдзи усомнился:

— Извините, господин майор, мне кажется, ваши люди получают достаточное питание. Посмотрите, какие они все жирные и толстые.

Тот с улыбкой покачал головой:

— Вы ничего не понимаете. Мы живы смекалкой. Иначе бы мы давным-давно вымерли, еще при царе Горохе!

— Простите, господин майор, я помню всех русских царей — Иван Грозный, Петр Первый, Александр Освободитель... А когда у вас был царь Горох?

Тот махнул рукой:

— Ладно, забудь про Гороха. Запомни наше правило: кто не работает, тот не ест. Понял?

— Никак нет, господин майор. Если вы хотите, чтобы человек хорошо работал, его нужно сначала хорошо покормить.

— Нет! Неправильно! Человек получает продукты по результатам его труда!

— Извините, господин майор. А что раньше — курица или яйцо?

— Не занимайтесь софистикой, Ёкояма! Идите работать!

8

Маленькое озеро Томь находилось на юге от лагеря на расстоянии двух километров. Из этого озера японцы и жители окрестных деревень возили себе воду на телегах в бочках. Поэтому воды всегда не хватало и японцам, и местным. Но сколько жителей в этих деревнях? Несколько сотен. Они не могли или не хотели заниматься прокладкой водопровода. А японцев было 1500 человек, они не могли навозить на всех воду в бочках!

Мастерам Зиннаю и Мацумото, которые в Японии были водопроводчиками, выделили сто человек для прокладки траншеи под водопровод. Поскольку зимой в Сибири земля промерзает в глубину на три метра, траншею нужно было рыть еще глубже, чтобы вода в трубах не замерзала.

Копать приходилось, конечно, вручную, а в октябре земля стала уже подмерзать и промерзать. Поэтому сначала японцы работали по-местному: били и рыхлили землю кайлами. А потом сообразили — стали на месте будущей траншеи разводить костры, а затем, когда земля отмерзала и оттаивала, копали уже и лопатами. И смеялись: «Смекалка, япона мать!»

Заодно часть рабочих вырыли небольшую канализационную траншею от нужников в соседний овраг, чтобы нечистоты не собирались в лагере.

Иногда, перестав долбить и копать, японцы разгибались и видели небо. В небе перелетные птицы косяками летели на юг. «Ах, — говорили японцы, расчувствовавшись, — вероятно, они летят в Японию. Если бы у нас были крылья!..»

Но крыльев не было, и они, вздыхая, снова принимались долбить чужую сибирскую землю.

У колхозных гусей крылья, конечно, были, но они им не помогали.

Когда колхозные гуси приближались к японцам, некоторые из рабочих тут же начинали гонять их — и гоняли до тех пор, пока те не сваливались в канаву. Из трехметровой канавы гуси не могли ни выйти, ни вылететь, японцы ловили их и в мешках отправляли на свою кухню.

Конвоиры делали вид, что не видят этого, а часто и правда не видели — участок работы был очень длинный, а конвоиров было очень мало, порой всего два-три человека.

Работали японцы всегда допоздна, до вечерней зари, которая в сибирские морозы очень красива.

А когда заря догорала и наступали сумерки, японцы, расслабившись, любовались яркими искрами сварки, которые летели со дна траншеи. Там водопроводчики Зиннай и Мацумото сваривали водопроводные трубы.

9

КАН!.. КАН!.. КАН!.. — неслось над лагерем еще до рассвета.

Посреди лагеря пирамидой стояли три высоких бревна, между ними в центре висел кусок рельса. В этот рельс сигнальщик Комэда бил молотком каждое утро — давал сигнал к подъему.

Все японцы выходили из бараков и, трясясь от холода, строились на площади в колонну по пять человек. Адъютант Хирокава, громко покрикивая, руководил этим построением.

Когда лагерь был построен, из караульного помещения степенно и важно выходил седой и толстый майор Каминский. Его широкое бабье лицо было исполнено суровой важностью предстоящего действа, а в руке у него была деревянная дощечка «гунпай» с ручкой на манер японского веера или кухонной доски для разделки рыбы. На этой доске карандашом было записано, сколько людей вчера вернулось в лагерь с работы и сколько сегодня должно быть на построении.

На основании этих данных Каминский и адъютант Хирокава начинали утреннюю поверку. Сначала они обходили бараки, считали, сколько там осталось дежурных и больных. Обычно в бараках оставалось по одному дежурному — следить, чтобы не было воровства и пожаров. А больных тут же отправляли в санчасть. После этого делался обход санчасти, кухни и конюшни, и всех, кто там находился, пересчитывали и записывали на доску.

А потом, в последнюю очередь, считали людей, стоявших на площади.

Если изначальные цифры сходились с теми, что получались на новой поверке, то Каминский говорил «все налицо» и командовал:

— Ра-а-азошли-ись!..

Но нередко цифры у Каминского не сходились, поскольку он был плох в математике, и тогда всю поверку начинали сначала. Каминский кричал:

— Ой, у нас побег! Двух человек не хватает!

Или:

— Ох, три человека лишние! Откуда они взялись?

Юдзи говорил:

— Это невозможно. Дайте, я пересчитаю.

— Нет-нет! — отвечал Каминский. — Это моя обязанность.

— Но смотрите — все японцы уже замерзли. Даже ваши солдаты трясутся от холода.

— Ничего, не умрут. Не надо спешить, — говорил Каминский. — Значит, так. На работу ушли 38 человек, их отнимаем. С чистки нужников вернулись 11 человек, их прибавляем. Все равно двух не хватает! Кто дезертиры? А? Имена!

— Подождите, господин майор! Два человека сидят в карцере, вы их учитывали?

— А-а! Ну да, правильно. Всё, расходитесь!

С точки зрения армейской службы Каминский был образцовым военным. Он беспрекословно выполнял все приказы начальства и мог одно и то же дело повторять сотни раз.

Как-то вечером они разговорились. Юдзи сказал, что зимой в Сибири солнце заходит очень рано, поскольку Сибирь находится в Северном полушарии.

Каминский сказал:

— Что значит «полушарии», бля? Я не верю, что наша Земля круглая и что мы, сука, кружимся вокруг Солнца. По-моему, это неправильно.

Юдзи просто онемел от изумления.

Но Каминский понял это по-своему и сказал еще увереннее:

— Смотри, бля! Каждый день солнце появляется на востоке, проходит, сука, над нашими головами и уходит на запад. Так? Как же Земля может кружиться вокруг Солнца? Разве мы висим вниз головами? Нет, это солнце, бляха-муха, передвигается над нами!

Юдзи испугался, нарисовал ему Солнечную систему, стал объяснять, как школьнику. Но тот не согласился и сказал, рассердившись:

— Фуйню ты порешь! Мы стоим на Земле, а Бог и Солнце всегда над нашими головами. Если бы икона висела вниз головой, то Божья Матерь уронила бы Иисуса Христа! Иди на фуй, не морочь мне голову!

Юдзи был ошеломлен. До чего упрямые эти русские люди!

10

В начале ноября выпал первый снег. И, как обещал майор Новиков, сразу началась ужасная зима.

Земля замерзла так, что, когда японцы били ее кайлом, кайло отскакивало и рука немела.

На замерзшей дороге глина меж колеи торчала к небу остро, как пила.

Промерзший и мелкий, как сахар, снег сверкал и блестел и все сыпал и сыпал с неба. Японцы удивлялись: сибирский снег не похож на японский, он не липнет и не тает в руках, а сухим песком просыпается сквозь пальцы.

Небо низкое, облачное, и вся атмосфера промерзла так, что даже воздух стал как микроскопические линзы, в которых солнце дробится и рассеивается на тысячи маленьких солнц. Это удивительный природный феномен, это волшебное искусство мороза!

Минус сорок градусов! Плевок сразу примерзает к земле!

Вдруг на краю неба появляется черное облако, один его край тут же свешивается до земли, и разом возникает смерч — ураган со снегом. И если при скорости ветра метр в секунду температура снижается на градус, а снежный ураган несется со скоростью 30—40 и даже 50 метров в секунду, то невозможно описать, какой ужасающий холод налетает на вас в это время. Безжалостный и колючий мороз проникает сквозь самую теплую одежду, режет дыхание и легкие!

Сибиряки называют это бураном.

Зато после бурана погода устанавливается безоблачная. И ночи спокойные, тихие, на небе ослепительно сверкают полные звезды и кажутся такими близкими — рукой подать до Полярной звезды и Большой Медведицы!

Волки, которых японцы до сих пор не видели и не слышали, стали грустно и голодно потявкивать и подвывать совсем рядом с лагерем.

А ночи все затягиваются, становятся все длиннее. В два часа дня на землю уже спускаются сумерки, в четыре совсем темно. И так до девяти, а то и десяти утра следующего дня, когда с трудом, нехотя приходит новая заря. Солнце встает так медленно и так ненадолго!

Зато среди ночи на горизонте вдруг возникает слабый свет, через несколько минут он возносится ввысь, мистически меняя и смешивая краски — красное, синее, желтое, фиолетовое свечения причудливо танцуют в беззвучном небе! «О, как красиво! — говорили японцы. — Это симфония света, божественная палитра!»

А температура все падает — уже минус сорок пять! Теперь плевок замерзает на лету и ледышкой отлетает от промерзшего панциря земли.

Всё замерзло, всё! На мордах лошадей намерзли сосульки. Картофель замерз и стал как камни. Яблоки тоже. Листья капусты промерзли, и края их такие острые, что можно порезать руки. А бревна замерзли так, что ни пилой распилить, ни топором разрубить — просто камень! Из-за таких морозов окна всех русских домов двойные, между внутренними и наружными рамами жители подвешивают мясо кекликов — птиц, которых они зимой палками бьют в лесу и на дорогах. А под снегом сибиряки хранят, как в природном холодильнике, говядину и другое мясо, которое рубят топорами и пилят пилами.

Даже молоко замерзло!

Да, никогда раньше Юдзи не видел такого молока — на станции, на колхозном рынке, продавщица выставила на прилавке белые полушария величиной с чашку или глубокую тарелку. Юдзи испугался, подумал, что это мороженые женские груди. А она засмеялась:

— Ой, да что вы?! Это свежее молоко. Вчера вечером я налила свежее молоко в чашки и выставила на улицу, а утром внесла в дом и вынула. Купите и попробуйте, это очень вкусно!

Но денег у Юдзи не было, он улыбнулся и с сожалением отошел от продавщицы.

Каждый вечер после работы майор Каминский вызывал в штаб нескольких японцев: сначала всех врачей, потом санитаров, потом всех японских офицеров, затем — всех очкариков. И хитрыми вопросами пытался уличить их в том, что они скрывают свое участие в создании биологического оружия. Юдзи вынужден был переводить эти вопросы и через какое-то время стал подозревать, что Каминский знает японский язык, хотя и скрывает это...

С утра в гараже шофер Дамбара никак не мог завести грузовик и ругался по-русски:

— Ёлки-палки! Япона мать! Бензин замерз! Смотри!

Он налил из канистры бензин в кружку и показал Юдзи. Действительно, в бензине плавали мелкие льдинки.

— Что делать? Япона мать!

— Подожди, не ругайся. Сейчас позову Николая, он русский шофер.

Пришел Николай:

— В чем дело, японать?

— Двигатель не работает. Бензин замерз на фуй!

— Ладно, не матерись. Научились, бля! — Николай взял железную палку, намотал на ее конец тряпку, смоченную смазкой и мазутом, поджег и сунул огонь под мотор.

Японцы испугались:

— Ой! Машина взорвется!

Но Николай спокойно грел мотор, и через пару минут двигатель заработал.

— Вот что такое русская смекалка! — сказали японцы.

Сортиры, конечно, были на дворе. Это были простые ямы глубиной около трех метров, поверх ям лежали доски с круглыми дырками. Вот и весь туалет — без стен и без крыши. Теперь зимой, чтобы выйти из барака в сортир по нужде, приходилось очень тепло одеваться. Однако ночью со сна одеваться неохота, многие выбегали полуодетые и тут же простужались, начинали тяжело болеть. Врачи и санитары ругались, требовали, чтобы в туалет все ходили только одетые. Но однажды японцы пришли в соседнюю деревню и увидели, как молодая русская мать вынесла из избы своего полуголого ребенка, подняла его ножки и дала ему помочиться. А на улице было минус 40 градусов!

«Конечно, — сказали японцы, — если русские с детства так закаляются, они могут выжить и при царе Горохе, и при коммунизме».

11

— Доброе утро, комбат Якогава!

Майор Новиков пришел к японцам, как обычно, сразу после поверки. Но вид у него был не боевой и бодрый, как всегда, а безрадостный. Японцы насторожились — в чем дело?

— По правде говоря, я пришел к вам проститься, — сказал майор. — По приказу штаба Сибирского военного округа меня перевели на другую службу. Хотя я дружил с вами всего два месяца, но многое узнал за это время про вас, японцев. И мне очень не хочется с вами расставаться. Но что делать? Служба есть служба, и приказ есть приказ.

— Да, очень жаль, майор, — искренне сказал комбат Якогава. — А куда вас направили? Или это военная тайна?

— Нет, какая уж тайна! Я еду в город Фрунзе старшим преподавателем Суворовского военного училища.

— Вот как? По-моему, ученикам этого училища очень повезло. За два месяца вы хорошо позаботились о нашей жизни, мы вам очень благодарны. И конечно, вы будете

хорошим и заботливым учителем в Суворовском учили-
ще. Желаю вам счастья!

Майор Новиков грустно улыбнулся, по всему было
видно, что ехать преподавателем с должности начальника ему очень не хочется. Он крепко пожал руку комбату
Якогаве:

— До свидания, комбат!

— До свидания, майор! Желаю счастья! Счастливого
пути!

Майор махнул рукой, прошел через ворота и ушел из
лагеря. За воротами дул холодный ветер. Сухие листья березы падали на его шинель.

12

— Эй, Ёкояма! Слушай внимательно, бля, и заруби на
своем японском носу! — сказал Каминский. — Новиков
был тюфяк и размазня, за это я вытурил его из лагеря! Да,
это я сделал, я, потому что не хер с пленными заигрывать!
Теперь я начальник лагеря, сука, и вся ваша лафа кончилась! Теперь тут будет настоящая дисциплина, и вы будете по-настоящему вкалывать, так и переведи, японать,
своему комбату!..

У майора Каминского было толстое лицо и злобный
характер. Пока он говорил, комиссар Федоренко молчал
и смотрел в угол. На его лице не было никакого выражения, но даже это говорило о том, что между ним и Каминским существует какое-то внутреннее нерасположение.
Впрочем, Федоренко никак этого не проявлял. Во всяком
случае — пока не проявлял, хотя Юдзи уже знал, что советская система давала ему большие возможности: по этой
системе все советские чиновники, даже военные, нахо-

дятся под постоянным надзором и контролем таких, как Федоренко, партийных надзирателей-комиссаров.

Между тем Каминский продолжал:

— И еще, Ёкояма, переведи дословно! Вас сюда привезли, вас тут кормят, бля, одевают, обувают, построили вам новые, японать, бараки, но вы сюда не на курорт приехали!

— Извините, господин майор, как вы можете так говорить: «Вас тут кормят, одевают»? Во-первых, мы работаем, во-вторых, продуктов все равно недостаточно...

— Молчать! Ты, Ёкояма, хоть и переводчик, но пленный! И свое мнение засунь себе в задницу, иначе живо отправлю в забой! Ты понял, японать? Вы нам знаете во сколько обходитесь? В 460 рублей в месяц на человека! 460!!! А сколько зарабатываете? На сколько даете на-гора угля? На триста, бля! Триста рублей на человека, понимаешь? Вы обуза для нашей страны, дармоеды! А Новиков, сука, тут с вами кисели разводил! Всё, с сегодняшнего дня я вам эту лафу поломаю! И никуда вы не поедете, ни в какую Японию, пока не отработаете, бля, все, что мы на вас потратили!

— Господин майор, — сказал адъютант Хирокава, — пожалуйста, не надо на нас кричать. До сих пор ваше начальство нам объясняло, что мы живем тут временно, ждем возвращения на родину, а причина задержки только одна: нет эшелонов. А теперь оказывается, что мы обязаны заработать себе на дорогу. Это совсем новое условие, его нет ни в одном международном соглашении о военнопленных.

— Заткнись, сука! Мне насрать на международные соглашения! С завтрашнего дня нормы выработки угля увеличиваются в полтора раза! И попробуйте, бля, саботировать эти нормы — я вам покажу, что такое Советская власть!

Японцы посмотрели на комиссара Федоренко.

Тот впервые отвел глаза от угла комнаты, посмотрел на японцев и тихо сказал:

— Да, нормы увеличены, это приказ Москвы.

13

И снова из морозного утреннего тумана:

КАН!.. КАН!.. КАН!.. — сигнал на работу.

Одевшись во все теплое, что только было, японцы выходили из бараков. Дыхание сразу перехватывало колючим морозом, на усах тут же намерзали сосульки. Не переставая тереть носы и топая на месте, японцы стояли перед караулкой на площади, ждали, пока Каминский всех пересчитает и запишет на свою дощечку «гунпай». Как только он заканчивал, конвоиры начинали шуметь:

— Давай! Пошел! Шевели ногами! Быстрей, епёнать!

И гнали японцев на работу в шахты. Шахт было четыре, они находились на севере от лагеря, между деревнями Заречная и Ирша. Первая шахта, Вторая, Третья и Южная. Возле шахт располагались лесопилка, угольный склад, электростанция, шахтерский поселок, магазин, школа, почта, милиция. Все вместе это называлось «Канский горный комбинат».

От лагеря до этого комбината было несколько километров: до Первой (северной) шахты — шесть, а до Южной — два. Зимой, в морозную темень и по глубокому снегу, а то и сквозь метель или буран, добраться до них нелегко и на лошади. А японцы, пошатываясь, шли пешком, темной колонной, в окружении конвоиров и их ужасных собак. Полуживые мертвецы, которых гонят в ад. Стоило кому-то ступить чуть в сторону от колонны, собаки тут же бросались на этого человека. Стоило увязнуть в сугробе или поскользнуться, собаки тут как тут — злобно кусают и рвут одежду. Конвоиры редко оттаскивали их — им было лень тратить на это силы в такой мороз...

Подземная работа в шахтах — адский труд и настоящая преисподняя, хотя всюду висят кумачовые транспаранты с бодрыми лозунгами, написанными белой краской:

«Да здравствует генералиссимус Сталин,
вождь мирового пролетариата!»
«Уголь — это хлеб для промышленности!
(В.И. Ленин)»
«Выполним пятилетку за четыре года!»
«Пролетарии всех стран, соединяйтесь!»
«Под знаменем Ленина — Сталина вперед к победе
коммунизма во всем мире!»
«Да здравствует великий Советский Союз!»
«По примеру Стаханова дадим четыре нормы
угля за смену!»

Под этими замечательными лозунгами и при слабом свете «головок», то есть фонарей на голове, японцы работали под землей вместе с русскими шахтерами. Те постоянно кричали на японцев и ругали их, поскольку японцы не знали русского языка, не понимали, что и как нужно делать, и давали мало угля. К тому же для русских шахтеров это работа добровольная, они всегда могут бросить ее и уехать в другое место, а для японцев это принудительная каторга. Кому понравится приехать из теплой Японии в ледяную Сибирь, чтобы под лозунгом «Слава ВКП(б)!» кайлами и ломами добывать тут уголь в подземных шахтах?

К тому же уголь, который они добывали ценой своих жизней, был очень плохого качества. При сжигании он сгорал дотла, от него оставался лишь мелкий пепел. В кузницах такой уголь ни на что не годится, применять его можно только для бытовых нужд. И все-таки ради этого никудышного угля на сибирских шахтах работало очень много народа — русские, татары, монголы, киргизы, казахи, евреи, узбеки и японцы.

Впрочем, некоторые русские шахтеры были добрыми и относились к пленным по-человечески.

— Перекур! Держи, японец, мою махорку, закуривай.

Хотя в шахтах нельзя курить, русские шахтеры всегда угощали японцев махоркой. Русские часто садились рядом с японцами, обнимали за плечи, начинали рассказывать о своей жизни. Угощали домашним луком, хотя у самих было плохо с продуктами. Или пели песни. А цигарки и те и другие сворачивали из газет «Правда» и «Нихор Симбун» — японской малотиражки, которую специально для японских военнопленных выпускали в Хабаровске на японском языке.

Одна из шахтерок познакомилась с сержантом Сакамото и сказала при всех:

— Всё, полюбила я японца и уеду вместе с ним!

Оказывается, удивлялись японцы, в СССР даже женщины работают в шахтах, добывают уголь.

14

Японцы со здоровьем третьей категории работали на поверхности. Но эта работа на открытом воздухе была ничуть не легче, чем под землей. Здесь всегда было минус сорок и ниже, и всё продувалось морозным ветром. И в таких условиях японцы трудились на лесопилке, сортировали бревна для креплений в шахтах, а в лесном складе разгружали бревна, прибывающие в закрытых товарных вагонах. Да, как ни странно, бревна в СССР возят не на открытых железнодорожных платформах, как в Японии, где можно просто опустить борта и сразу всё разгрузить, а именно в закрытых вагонах, из-за чего эти бревна приходится тащить и толкать через узкие откатные двери в центре. Поэтому на разгрузке постоянный шум и крики:

— Туда вытягивай! Толкай! Поддай снизу! Бляха-муха, как их сюда вообще затолкали?

Ужасно бестолковая и неэффективная работа, о чем Юдзи, конечно, сказал начальнику лесосклада. Тот вздохнул и ответил:

— Да, вы правы. Но сейчас у нас всего не хватает, даже платформ, потому что была война. Приходится терпеть.

Юдзи это показалось странным, поскольку он много раз видел, как через станцию Заречная проходили поезда с совершенно пустыми грузовыми платформами. Да и около станции в тупиках стояло бессчетное множество грузовых вагонов немецкого производства и с фирменным знаком Маньчжурской железной дороги. А на рельсах, сваленных тут же, стояли клейма компаний «Крупп», «Унион», «Тиссен»...

Но наверное, в Москве, в Госплане, где сидят мудрые руководители, и в Кремле, где работает великий Сталин, виднее, куда направлять открытые платформы, а куда закрытые вагоны. Ведь именно таким способом Советский Союз победил Германию.

15

Зимой 1945/46 года в лагере от дистрофии, непосильной работы, ужасных морозов и болезней умерло 290 человек, то есть каждый пятый. Инструментальный сарай, который находился около ворот лагеря, был переполнен трупами. Японцы обмывали или, точнее, обтирали их снегом и относили на высокий холм в трехстах метрах от лагеря. Этот холм они сделали кладбищем и здесь погребли умерших. 290 могил — 29 рядов, по десять могил в каждом ряду.

Эти могилы рыли японцы оздоровительной команды. Сначала костыли землю, замерзшую как камень, потом долбили ее кайлами. Хотя военврач Козлов освободил их от тяжелой работы, майор Каминский не обращал на это внимания, и слабые, истощенные люди махали кайлами на пустой желудок. Раз махнут, второй и начинают задыхаться. А на третьем-четвертом ударе бессильно опускаются на землю, заранее зная, что вряд ли смогут подняться и скорее всего лягут в те же могилы, которые сами начали рыть.

Но те, кто стоял на ногах, продолжали упрямо долбить сибирскую мерзлоту.

Потому что у японцев совершенно особое, почти сакральное отношение к умершим. Каждое утро в японском доме начинается с молитвы перед алтарем, на котором в виде приношений душам предков кладут цветы, ветки священного дерева сакаки, а также чашечку сакэ, рис, чай, рыбу и другие продукты. Во всех семьях на специальных дощечках хранятся имена их предков и даты жизни. В иных семьях — за несколько столетий. Иными словами, предки в жизни японца — это живая частица его настоящего, и так продолжается всю жизнь, поколение за поколением.

И потому даже больные, немощные пленные из последних сил костыли, кайлили и долбили заледеневшую землю, чтобы достойно похоронить своих умерших на чужбине товарищей.

Вечером Каминский вызвал Юдзи в свой кабинет.

— Почему умирает так много японцев? — спросил он, глядя на Юдзи с такой злостью, словно это он убивал своих несчастных товарищей.

Юдзи это возмутило. Хотя японцы очень сдержанные и никогда не говорят людям неприятные вещи, но злобный взгляд Каминского заставил Юдзи забыть все японские манеры.

— Я думаю, что причина у вас, господин майор, у советского командования.

— Да? — сказал тот с насмешкой. — Например?

— А разве вы не видите, в каких условиях мы живем? Хуже, чем скот! Даже воды не хватает! Мы, японцы, очень чистоплотные люди, но здесь мы не можем держать себя в чистоте, а вы остановили строительство водопровода. А какую пищу вы нам даете? Ужасную и ничтожную! И на какую работу гоните каждый день? Каторжную! Вы-то сами хоть один день поработали в этом аду? Вы видели, какие там условия? Какое оборудование? Там все гнилое, старое, опасное для жизни.

— Ты все сказал?

— Нет, не все, господин майор. Вы спросили, я должен полностью ответить на ваш вопрос. Вы хоть раз видели, как наши люди уходят на работу и как возвращаются? Некоторые успевают дойти вон до того холма перед лагерем, а больше у них уже нет сил, они падают и умирают, хотя до барака остается всего сто шагов!

— Хватит, заткнись!

— Если у больных температура меньше 38 градусов, вы отправляете их на работу. Но больные не могут работать в шахте, они падают и ранят себя, а вы кричите, что они делают это нарочно, чтобы дезертировать из шахты, и сажаете их в карцер. Там и здоровые-то люди не могут выжить...

— Заткнись, я сказал! — Каминский стукнул кулаком по столу и злобно прошелся по кабинету. — Ты, Ёкояма, злостный саботажник и антисоветчик, бля! Я попрошу в штабе другого переводчика, а тебя сгною в шахте! Ну? Что ты молчишь, сука?

— Я заткнулся, господин капитан.

— То-то! Вон отсюда! И вызови мне очередную дюжину ваших очкариков! Я буду их допрашивать.

Почему в СССР всех, кто носит очки, подозревают в антисоветизме?

16

Весной 1946 года на Южной шахте случилась трагедия. Под руководством бригадира Нагасато вторая бригада спустилась в забой и при тусклом свете «головок» — головных ламп — стала расходиться по штрекам на рабочие места. Сержант Сакамото тоже шел на свое место к забою № 17. Настил этого подземного хода всегда жутко скрипел, поскольку был пробурен очень давно, стойки давно сгнили, а потолочные доски были отодраны. Но Сакамото уже свыкся с этим и шел на свое рабочее место спокойно, как всегда.

И как всегда во время пересменки, навстречу ему двигался конь — глухо стуча копытами, он тащил коногонку с несколькими пустыми вагонетками. Русская женщина вела этого коня под уздцы, помогая ему и ободряя своим женским голосом.

И вдруг — грохот! шум! пронзительные голоса!

Сакамото оглянулся.

Это, сорвавшись с изношенного троса, сверху катились по рельсам вагоны, полные угля! По узкому ходу — прямо на коногонку, которую внизу вела та самая русская шахтерка, открыто сказавшая всем, что полюбила Сакамото! И — точно на перекресток штреков, где при столкновении вагоны опрокинутся и обрушат все гнилые опоры, отчего обвалятся потолки и сразу в нескольких штреках шахтеры окажутся отрезанными и обреченными на ужасную смерть.

У Сакамото был только миг на размышления. Или вжаться спиной в стену и пропустить смертоносные вагонетки с углем, или...

Сакамото принял решение. Он вырвал одну стойку и всадил ее под колесо летящей сверху вагонетки. И все вагонетки, сойдя с рельсов, опрокинулись рядом с ним, не долетев всего десяти метров до неминуемой и катастрофической встречи с коногонкой на перекрестке штреков.

Но к сожалению, одна из вагонеток, опрокидываясь, сильно ударила самого Сакамото, он упал и потерял сознание.

Конечно, вскоре прибежали санитары, они подняли Сакамото на поверхность, отнесли в санчасть, но Сакамото умер, так и не придя в сознание.

На его похоронах начальник Южной шахты Перов торжественно выразил японцам свое соболезнование:

— Граждане японские военнопленные! Ваш товарищ Сакамото-сан был настоящий герой! Ценой своей жизни он спас нашу шахту! Прощай, Сакамото-сан! Мы никогда не забудем твой геройский поступок!

Русские шахтерки плакали во время этой речи.

17

Как только уехал майор Новиков, майор Каминский остановил строительство водопровода. Извозчики по-прежнему черпали воду в озере, в полыньях и на санях везли в бочках в лагерь. Пока довезут, в бочках полно льда, а воды мало. Чтобы снабдить лагерь водой, приходится день и ночь ездить туда и обратно.

Одновременно Каминский остановил строительство лагерной бани, больницы и других помещений, нужных людям для выживания.

Почему комиссар Федоренко мирился с этим? Почему он смотрел сквозь пальцы на то, как Каминский злобно гнал на работу больных людей, повышая и без того очень высокую смертность японцев? Почему терпел, когда Каминский безжалостно отправлял в карцер даже больных японских офицеров?

Японцы часто обсуждали это между собой и не могли понять. Ведь Федоренко — комиссар, жандарм партии большевиков, его специально назначили сюда для того, чтобы контролировать поведение офицеров и солдат и приводить его в соответствие с коммунистическими идеалами партии.

Правда открылась совершенно неожиданно и совсем с другой стороны. Оказывается, однажды, еще в ноябре, когда мадам военврач старший лейтенант Калинина уехала в командировку в Красноярск, комиссар Федоренко пришел в санчасть и заперся в ее кабинете с медсестрой Саратовой. Наверное, он думал, что, кроме больных японцев, никого в санчасти нет, а японцы не знают русского языка и никому об этом сообщить не смогут. Но на его беду, в это время в санчасти лежал сержант караульной службы Денисов, который специально наелся закатанной в хлебный мякиш извести, чтобы лечь в санчасть с гастритом и добиться любви молоденькой медсестры Саратовой. Поэтому когда синеглазый красавец Федоренко увел Саратову в кабинет главврача, Денисов очень разозлился и тут же пошел в штаб. Может быть, он хотел доложить об этом майору Новикову, но Новикова в штабе не оказалось, и он доложил майору Каминскому. А Каминский не стал ни шуметь по этому поводу, ни докладывать Новикову или другому высокому начальству. А просто «взял на крючок» женатого Федоренко и юную Саратову и шантажировал их тем, что знал об их тайном романе.

Но как говорят в России, сколько веревочке ни виться, а конец всегда будет.

В лагере случился побег. Трое военнопленных, которых Каминский стал так подозревать в разработках бактериологического оружия, что своими допросами довел до ручки и уже не скрывал, что со дня на день отправит их в Москву, в НКВД, — эти трое (врач, санитар и плотник-очкарик) сбежали. Причем самым что ни на есть оригинальным способом — через сортир. Дело в том, что новые сортиры были построены на краю лагеря, возле забора с колючей проволокой и вышками часовых. А сточные канавы для сброса фекалий шли от этих сортиров в овраг, который был за лагерным забором. Так вот, ночью беглецы притащили в сортир широкие доски, просунули их через очко вниз, в сточные канавы, вымостили этими досками подмерзшие фекалии и по этому настилу удрали из лагеря.

Конечно, по тревоге были подняты все войсковые части в округе, и Каминский во главе отряда конвоиров лично бросился в погоню. Через несколько часов беглых догнали с собаками, поймали, вернули в лагерь. И Каминский, который мечтал сделать карьеру на разоблачении этих «создателей бактериологического оружия», совершенно вздрюченный от азарта погони, собственноручно расстрелял их — якобы «при оказании сопротивления во время ареста», а на самом деле «чтобы японцы, суки, знали, чем кончаются такие побеги»...

Буквально назавтра комиссар Федоренко пришел в японский штаб с толстой тетрадкой в руке и сказал:

— Сержант Ёкояма, вы постоянно жалуетесь на плохие условия жизни. Можете вы еще раз перечислить все причины смертности японцев, о которых говорили Каминскому?

Юдзи с опасением посмотрел на его открытую тетрадь. Неужели Федоренко запишет сейчас все его жалобы как агитацию Юдзи против Советской власти и партии большевиков?

Но Федоренко сказал:

— Не бойтесь, ничего плохого лично вам от этого не будет. Зато поможет улучшить ваши условия жизни.

И своими красивыми синими глазами прямо посмотрел Юдзи в глаза.

Юдзи вспомнил кодекс Бусидо, который говорит, что навстречу опасности нужно идти решительно, и снова перечислил все, что говорил Каминскому: ужасные условия в бараках, очень плохое питание, воровство охраны на кухне, жестокое обращение охранников, плохое отопление, антисанитарные условия жизни, отсутствие бани и прачечной, вши и так далее. И несмотря на все это, руководство лагеря безжалостно отправляет на работу в шахты даже больных людей...

Федоренко слушал не перебивая и делал записи в своей тетради. А когда Юдзи закончил, закрыл тетрадь и сказал:

— Все, спасибо. Почему здесь так холодно? Давай топи побольше углем!

— Господин комиссар, как видите, даже для нашего офицерского штаба угля дают очень мало.

— Ничего, топи. Я скажу на складе, чтобы вам добавили.

А еще через неделю, в самом начале весны, майор Каминский исчез из лагеря. При встрече с интендантом Задярным Юдзи сказал:

— Здравствуйте, лейтенант. Скажите, пожалуйста, где наш начальник Каминский? Куда он пропал? Его нет в лагере уже целую неделю!

Задярный посмотрел по сторонам и сказал:

— Каминского больше нет. Понял?

Юдзи испугался, спросил:

— Как это нет? Он умер?

— Для вас и для нас — считай, что умер. Федоренко его съел.

Юдзи испугался еще больше:

— Съел?!

— Какой ты дурной! А еще астроном! — сказал Задярный. — Съел — это не значит съел заживо. Ну, или вмертвую. Да ну тебя! Съел — значит настучал на него, ты понял?

Юдзи понял, что русский язык очень сложный — в нем столько же идиом, сколько звезд на сибирском небе.

Но Задярный, наверное, и сам не любил Каминского, поэтому в конце концов сказал Юдзи очень просто:

— Мудак был этот Каминский! Мало того что держал за жабры Федоренко и Саратову, так еще и сам к этой Саратовой стал клинья подбивать. Внаглую вызывал ее в свой кабинет и трахал прямо на рабочем столе! Какой мужик это стерпит? Тем более комиссар! Теперь Каминского отдали под суд. За расстрел военнопленных и воровство продуктов со склада он получил восемь лет.

18

Первое мая! Праздник! Весна! «Пролетарии всех стран, соединяйтесь!»

Во всех республиках СССР выходной день. Даже в лагере.

Под теплым весенним солнцем таяли ледяные сугробы, ледовые дороги превращались в журчащие ручейки, сливавшиеся в могучие потоки. Талая вода ручьями стекала с холмов и с раскатистым шумом падала с обрывов в крутые овраги. По реке плыли льдины, потом начался весенний паводок. Преображение природы происходило стремительно и неистово.

Наконец японцы увидели черную землю! Когда первого мая они вышли за ворота лагеря, то полной грудью вдохнули теплый весенний воздух. И увидели: в поле проросли дикие травы, над ними поднимается пар. Земля — дышит! Бабочки летают, трепеща крыльями. Твердые, как панцирь, почки берез стали распускаться, молодая листва появилась на кедрах. И птицы клиньями потянулись с юга на север. «Надо и нам бороться за жизнь», — говорили японцы, глядя на мир, восстающий из зимнего оцепенения.

Нонака, помощник переводчика Юдзи Ёкоямы, который раньше служил в финансовом управлении Квантунской армии, а в лагере выучил русский язык, сказал:

— Смотрите, сержант Ёкояма, как над землей поднимаются потоки теплого воздуха! Почему Бог не дал нам крылья? Мы бы сейчас взлетели! Я верю, что когда-нибудь люди научатся летать. Это будет обязательно!

Нонака — поэт. Он каждый день пишет по одному танка и носит в кармане записную книжку — сборник своих стихотворений. За это японцы назвали его «японский Симонов».

Вместе с приходом весны возродились надежды на возвращение домой. Глядя на летящих птиц, один солдат сказал:

— Когда приеду в Японию, первым делом отправлюсь на горячий источник, попарюсь там до вечера, а ночью войду в дом с черного хода.

— Почему с черного? — изумился второй. — Мы же не по собственной воле оказались в плену, а подчинились императорскому манифесту о капитуляции. Я войду в дом с высоко поднятой головой!

— Хватит ерунду молоть! — сказал третий. — Кто, интересно, силком затащил нас на войну, а потом до плена довел? Во всем виноваты император и буржуазия! Вернувшись на родину, мы должны требовать риса и работы, выступать против капитализма и за построение социализма в Японии.

Вдруг — сквозь пар и туман — женский голос:

— Ёкояма-сан! Где вы? Ёкояма-сан!

«Боже мой, — мысленно воскликнул Юдзи, — кто ищет меня?»

— Я здесь, — крикнул он, — я в поле!

Из тумана вышла Татьяна, помощница бухгалтера русского штаба. Поправив длинную каштановую косу, она подошла к Юдзи.

— Добрый вечер, Ёкояма-сан. Вас и вашего комбата вызывает новый начальник. Идите быстрей.

— Спасибо, Таня. Только сбегаю за комбатом Якогавой. Вы подождете нас?

— Конечно, я подожду вас, Ёкояма-сан...

«Ах, эта Татьяна, Боже мой!..»

Юдзи быстро надел мундир и вместе с комбатом пошел за Таней в русский штаб. Идти было недалеко, и путь был знаком до каждой кочки, но даже на этом пути Юдзи так засмотрелся на Танину походку, что трижды споткнулся. Еще бы! У Тани были такие бедра! И при каждом ее шаге они так замечательно перекатываются из стороны в сторону!..

Штаб размещался в большом бревенчатом доме с четырьмя трубами над крышей. То есть в нем были четыре печки, которые всегда топились углем и хорошими березовыми дровами, и в нем всегда было тепло.

— Таня, — сказал Юдзи, когда она взошла на крыльцо штаба и оглянулась на Юдзи, — расскажи про нового начальника. Какой он?

— Он? — спросила Таня. Как все русские, она, перед тем как ответить, обязательно повторяла вопрос или часть вопроса. — Он лысый, у него большая круглая голова и нос картошкой.

— Как это «картошкой»?

— Ну, большой, значит.

— А характер? Он кричит, ругается? Он молодой? Старый? В каком он звании?

— Он подполковник, приехал с Украины с женой и детьми. А у вас в Японии есть жена?

— Нет, Таня, я не был женат. Меня прямо из университета призвали в армию.

— Ой, не верю я вам, Ёкояма-сан. Вы все говорите, что не были женаты в Японии...

В штабе, в большой комнате, новый начальник лагеря сидел в кресле, а вокруг него стояли русские офицеры — Федоренко, Задярный, Калинина и другие, а также новые, которые, видимо, приехали с новым начальником. У начальника действительно были большая лысая голова, большой нос, золотые погоны с двумя большими звездами и большая орденская колодка на мундире. Тяжело поднявшись, он пожал руку комбату и сказал:

— Я подполковник Антоновский Александр Дмитриевич. По приказу правительства СССР и командования МВД я назначен начальником этого лагеря. Во время войны командовал партизанским отрядом на Украине, там были условия посложней ваших нынешних. Так что мы с вами справимся со всеми трудностями. Вон у меня за окном холм с очень большим вашим кладбищем. Я не буду сейчас выяснять, почему столько людей умерли, это дело прошлое и уже не исправишь. Я сердечно соболезную по поводу их смерти и говорю: теперь, с сегодняшнего дня, наша с вами задача — чтобы больше ни один японец не умер. Мы будем улучшать ваши условия жизни и труда, а вы будете выполнять рабочие нормы на 100 процентов. Если на этом пути будут трудности и препятствия, мы будем решать их все вместе. А что касается вашего возвращения в Японию, это от меня не зависит, но, как я понимаю, этот вопрос отложен в долгий ящик. Поэтому давайте делать все для того, чтобы вы все до единого дожили до решения этого вопроса.

Переводя эту речь, Юдзи заметил, как пристально смотрит на комбата Якогаву военврач Ирина Калинина. Но к сожалению, сам Якогава не видел этого.

Юдзи перевел речь Антоновского, и японцы переглянулись между собой — им понравился этот новый начальник.

19

В мгновение ока кончилась весна, наступило лето. Летнее солнце сверкало и щедро грело природу, уставшую от зимних морозов, буранов и темени. Травы и цветы энергично выросли и набрали сил и красок. Теперь по пути на работу вокруг японцев были душные заросли, а коровы на окрестных пастбищах весело щипали и жевали свежую траву.

Деревня Заречная, где жили японцы, находится на 56-м градусе северной широты, поэтому летний день тут очень длинный. Солнце подолгу не хочет уходить за западный горизонт, даже в 11 часов вечера на улице еще светло. Детям частенько достается от родителей за то, что они до ночи гуляют на улице. Влюбленные пары уходят далеко в поле, играют на балалайках и шепчутся о любви.

Все-таки человек не может заснуть при солнце, и в такие белые ночи японцы очень нелегко засыпали. Белые ночи — какое романтическое название! Интересно, что русские и тут проявили смекалку — в их домах есть ставни, которые, как наушники, закрывают окна и создают в их домах искусственную ночь. Плотно закрывшись такими ставнями, русские спокойно спят даже при солнце.

И конечно, летнее солнце дает энергию не только травам и деревьям. С приходом нового начальника в лагере изменилась не только погода, но и настроение. Строительство водопровода, остановленное зловредным Каминским, немедленно возобновилось. Водопроводчиков освободили от работы в шахтах, и теперь из траншеи с раннего утра до поздней ночи снова сыпались искры сварки.

В плотницкий сарай и в кузницу вернулись плотники и кузнецы. Работы у них было огромное количество — новый начальник распорядился строить хлебопекарню, баню, гараж для грузовиков, прачечную, дезкамеру, новые уборные со стенами и крышей и даже магазин. Над кузницей выросла труба, из этой трубы теперь днем и ночью поднимался высокий дым. Глядя на этот дым, жители соседних деревень судачили и гадали:

— Смотрите, у них прямо завод, а не кузница! Что они там такое куют днем и ночью?

Первой заработала новая хлебопекарня, пристроенная к старой кухне. До сих пор в лагерь хлеб привозили из Заречной, с хлебозавода. Его доставляли на машине или на санях, но зимой во время буранов и метелей машины часто опаздывали, и тогда японцы уходили на работу без хлеба. Кроме того, привозной хлеб всегда был промороженный, тяжелый, невкусный.

Теперь же пекарь Рикей Нодзоми и его помощники, которых военврач Калинина определила в оздоровительную команду, а Каминский в похоронную, с большим удовольствием работали весь день у жаркой печи. Они не только пекли очень вкусный хлеб, но делали из дрожжей русский питательный напиток «квас». Новый начальник попробовал хлеб первой выпечки и сказал:

— Отлично! Почти как у моего пекаря Василя в партизанском отряде! Жалко, я не могу вызвать его сюда, он бы научил вас печь настоящий украинский каравай!

— А вы ему напишите, господин подполковник, пусть он пришлет рецепт. Японцы очень старательные люди, мы научимся по его рецепту.

— Не могу я ему написать. Он погиб под Белой Церковью.

Конечно, как только у японцев появился свой хлеб, Юдзи, взяв под мышку две свежие теплые буханки, побежал в русский штаб.

— Татьяна, Шура, попробуйте японский хлеб!

Таня и Шура, русская кассирша, которая выдавала зарплату русским офицерам и солдатам, с удовольствием съели полбуханки свежего хлеба, а остальное унесли домой. При этом Таня посмотрела Юдзи в глаза и, распуская конец своей замечательной косы, тихо сказала:

— Спасибо, Ёкояма-сан...

20

Почти одновременно с запуском хлебопекарни закончилось строительство водопровода. Когда отвернули кран, вода буквально хлынула в подставленное ведро.

— Ура! — закричали все и радостно вылили это ведро на героев-водопроводчиков. Слава Богу, теперь эту воду можно было не экономить.

В северо-западном углу лагеря японцы построили целый комбинат — дезкамеру, прачечную, парикмахерскую и баню. Это была баня русского типа — паровая. Кочегары обильно топили печи углем, пар валил от котла и через решетчатый пол восходил в мойку и еще выше — в парилку. Из мойки в парилку вела деревянная лестница с очень широкими ступенями, на этих ступенях можно было лежать.

В верхней части лестницы было настоящее влажное пекло.

До сих пор японцы только раз в месяц мылись в бане, притом в деревне Заречной, куда после тяжелого шахтерского дня нужно было идти 10 километров. Зимой это было очень трудно и опасно — после бани многие простужались на морозе, сильно болели.

Теперь весь лагерь мог мыться два раза в неделю! Лежа на ступенях своей парилки, японцы отдыхали от тяжелого рабочего дня, парились березовыми вениками и переодевались в чистое белье, постиранное в прачечной. В этой прачечной работало насколько человек третьей категории здоровья. Они целыми днями стирали, сушили и дезинфицировали не только одежду японских пленных, но и одежду русских офицеров, солдат и даже русских шахтеров из соседних деревень, которые стали все чаще приходить в японскую баню.

А японцы, переодевшись после бани, шли в соседнюю парикмахерскую, где их замечательно стриг их собственный парикмахер из Киото — самого модного города в Японии.

В конце концов японская баня стала такой знаменитой, что комбат Якогава и начальник лагеря Антоновский решили сделать ее открытой для всех жителей соседних деревень. Юдзи взял большой лист бумаги и написал:

ОБЪЯВЛЕНИЕ

**ПО ПЯТНИЦАМ БАНЯ РАБОТАЕТ ТОЛЬКО
ДЛЯ РУССКИХ.
РАСПИСАНИЕ:
С 9.00 ДО 13.00 ДЛЯ ЖЕНЩИН
С 14.00 ДО 17.00 ДЛЯ МУЖЧИН
ЯПОНЦЫ НЕ ДОПУСКАЮТСЯ!**

Это объявление Юдзи повесил на двери бани, и теперь по пятницам с утра русские женщины и дети толпами шли через караульные ворота в лагерь, неся в руках тазы, мыло, полотенца и мочалки.

А когда они возвращались из бани, на них было очень приятно смотреть — белые, румяные женщины с мокрыми светлыми волосами и большими грудями, от которых шел пар и сладкий запах...

Многие японцы старались в это время оказаться во дворе лагеря на их пути. А один наглец сумел как-то подкрасться к бане с тыла и стал заглядывать в нее через щели в стене. Но кто-то из санитаров, которые работали в прачечной, заметил его, тут же сбил с ног и побил палкой, ругая по-японски и по-русски:

— Ах ты, собака! Епёнамать! Негодяй на фуй!

Наглец вскочил и убежал, сконфуженный, но ночью в бараке некоторые японцы все-таки стали расспрашивать у него подробности. Их очень интересовало, какого цвета волосы на лобке у русских женщин. Все-таки в Японии нет такого разнообразия, как в России, там абсолютно все женщины — жгучие брюнетки.

21

Благодаря бане, прачечной и дезкамере японцы наконец освободились от вшей. Но клопы продолжали мучить их, поскольку клопы живут не столько в одежде, сколько в щелях барачных стен. Ночью они украдкой выползают из этих щелей и кусают, не давая спать. После их укусов тело ужасно зудит, японцы эти места постоянно расчесывали почти до крови.

Короче говоря, пленные решили избавиться и от клопов и замазать цементом все стены. Во-первых, это блокирует клопов, а во-вторых, зимой не будет дуть в щели, в бараках станет теплее.

Сказано — сделано. С разрешения нового начальника Антоновского на складе коменданту Тамуре и его рабочим выдали цемент, и вскоре во всех бараках все клопы были намертво замурованы в своих щелях.

Но через несколько дней — снова ропот:

— Теперь мы как в тюрьме! Вокруг цементные стены! Это ужасно!

Люди были недовольны, что их избавили от клопов! Как вам это нравится?

Но потом один умный шахтер вдруг хлопнул себя по лбу:

— Товарищи! Слушайте! У меня есть идея! На этих стенах нужно сделать живопись! Нарисовать красивую природу — цветы, сакуру, Японию!

Все очень обрадовались:

— Да! Это замечательная идея! Нужно нарисовать нашу Японию, Токио, Киото!

— Но кто сможет это сделать?

— Я знаю! В третьем бараке живет Кисимото, шахтер с Южной шахты. Он до армии рисовал на шелке для кимоно!

Кисимото охотно согласился разрисовать стены, но где взять краски?

Юдзи пошел в штаб, сказал Тане и Шуре:

— Девушки, вы не можете помочь нам с красками? Я не хочу обращаться к этой просьбой к подполковнику Антоновскому, он и так для нас столько сделал! Он может сказать, что мы, японцы, совсем обнаглели, требуем настенную живопись в своих бараках!

Таня посмотрела Юдзи в глаза, и вдруг глаза ее наполнились слезами, она чуть не заплакала.

— Я не знаю, как вам помочь, Ёкояма-сан. Я **очень** хочу вам помочь, но не знаю как...

— А я знаю, — сказала Шура. — Вы, Ёкояма-сан, читали Пушкина?

— Конечно, читал, еще в университете. «Я помню чудное мгновенье, передо мной явилась ты...» — И Юдзи посмотрел на Таню.

— Нет, Ёкояма-сан, не это, — засмеялась Шура. — «Не печалься, ступай себе с Богом!» Будут вам и цветные краски!

И действительно, буквально назавтра ефрейтор Муров, кладовщик, принес Юдзи сразу несколько банок цветных красок и даже кисточки.

И Юдзи понял наконец значение русского выражения «шуры-муры».

А Кисимото с воодушевлением взялся за работу.

Когда подполковник Антоновский во время очередного обхода лагеря зашел в барак, он просто замер на месте:

— Вот это да! Настоящая выставка! Эй, кто у вас японский Репин?

22

Норма, производственная норма! Какую важную роль играют эти слова в жизни советского народа! Практически вся жизнь зависит от этих слов. Снабжение продуктами и топливом, распределение одежды и других благ — все нормировано в СССР и связано с тем, как человек выполняет свою производственную норму.

Интересно, что, с одной стороны, советские люди обожествили это слово, а с другой — возненавидели его как исчадие ада.

Каким образом составляется норма?

Например, дневная норма добычи угля, которую японцы обязаны были выполнять, была установлена Канским рудоуправлением. Это управление выбрало несколько образцовых шахтеров, и эти шахтеры, под надзором управляющего, проработали в забое полных восемь часов. Понятно, что при этом им были обеспечены все условия для нормального труда. После их работы управляющий замерил количество добытого ими угля, и это количество стало стопроцентной и обязательной нормой выработки для всех шахтеров.

Однако в обычном режиме, на старом оборудовании и при постоянных сбоях (то нет электричества, то вагонетки сошли с рельсов, то взрывники взорвали пласт сырым порохом и т.д.) эта норма была невыполнима ни для русских, ни для японских шахтеров. Однако русские шахтеры никак не реагировали на эту несправедливость и ничем не выражали свое недовольство. Придавленные своей политической системой, они просто терпели, когда их ругали за невыполнение нормы и штрафовали — недоплачивали в связи с этим деньги.

И так было постоянно, из года в год, каждый день.

С японцами происходило то же самое. После каждой смены бригадир шахтеров вместе с десятником замеряли количество добытого за смену угля, делили это количество на число шахтеров в бригаде и писали «Рапорт о выполнении нормы труда». Вернувшись в лагерь, бригадир приходил в штаб батальона, докладывал комбату Якогаве о событиях трудового дня и сдавал этот рапорт.

Юдзи собирал эти рапорты, изучал и относил начальнику лагеря. Антоновский тоже изучал эти рапорты и спустя какое-то время стал злиться, выходить из себя и кричать:

— В чем дело? Почему вы не выполняете нормы труда? Я вложил душу в улучшение вашей жизни, а вы неблагодарные лентяи! Вы даже не можете выполнить норму! Почему? Что вам мешает?

Потом он так же шумел на вечерних производственных совещаниях:

— Почему не выполняются нормы? Вы лентяи или саботажники? Комбат Якогава, я приказываю: каждого бригадира, чья бригада не выполняет норму, немедленно посадить в карцер! Это приказ!

Однако и эта мера ничего не изменила. Потому что добыча угля в забоях зависит не только от того, кто, как и с какой силой махает там кайлом и лопатой. «Лава», то есть рабочее место, где шахтеры бьют кайлом угольный пласт и лопатой бросают уголь на конвейер, — это только первое звено в длинной цепи. Движимый электромотором, конвейер с углем идет до люка и ссыпает уголь в порожние вагонетки, которые закатывают под люк люковщики. Затем с помощью лебедки или коногона эти вагонетки с углем выталкивают к общей подземной галерее, а оттуда на эстакаду и наконец наружу, на улицу под разгрузку. И если вся эта цепь работает синхронно, без перебоев и остановок, то и шахтеры работают беспрерывно и могут выполнить производственную норму.

Однако в жизни каждый день случаются какие-то происшествия. То вагоны сходят с рельсов, поскольку износились колеса, и тогда собираются все «мадамы», то есть все женщины-«коногонки», упираются своими спинами и задами в опрокинувшиеся вагоны, кричат: «Раз-два, взяли! Еще раз — взяли!» И, приложив всю мощь своих широких, как скамейки, задов, поднимают вагоны на рельсы...

Японцы восхищались:

— Сила задов русских «мадамов» воистину велика и удивительна!

Но пока эта сила поднимала вагоны, весь подземный и наземный транспорт, конечно, стоял. Стояли порожняки, спускавшиеся к люкам. В люках мгновенно собиралось столько угля, что люковщики выключали конвейеры. А как только останавливались конвейеры, шахтерам некуда было бросать уголь, и они прекращали свою работу.

Вторая причина невыполнения нормы — плохое качество пороха. С начала работы в забое забойщик бурит пласт, закладывает взрывчатку и взрывает породу, чтобы легче было работать. Но если порох выдавали старый или сырой, то взрыв получался очень слабый и работать было тяжело. Это, однако, никак не учитывалось при подсчете производительности труда.

Ежедневно проверяя рапорты о выполнении (а точнее, невыполнении) японцами норм выработки, Юдзи постоянно находил такие недочеты, а русское начальство продолжало нещадно браниться:

— Почему вы так плохо работаете? Посадить бригадиров в карцер, японать!

Да, через месяц или два после появления в лагере нового начальника и его эффективных мер по улучшению жизни японцев чудесная обстановка мира и благодушия закончилась, и японцы снова услышали великий и могучий русский язык во всей его мощи:

— ...сосы! ...рванцы! ...ранцы! ...глоты!

23

Как-то ради языковой практики Юдзи взял в библиотеке брошюру под названием «Труд при капитализме и труд при социализме». В ней говорилось, что капитал обрекает человека на безрадостный и принудительный труд, а в социалистическом обществе царит свободная созидательная работа и никакой принудиловки быть не может. Но что можно сказать о труде несметного множества невольников под присмотром вооруженных автоматами конвоиров?

Впрочем, Юдзи был уже не настолько наивен, чтобы задавать такие вопросы русскому командованию. Вместо этого он обратился к помощникам Антоновского совсем с другим вопросом:

— Лейтенант Крохин! Лейтенант Кедров! Как вы думаете? Мне кажется, что нормы выработки были составлены не совсем правильно.

— Возможно, Ёкояма, ты и прав. Но мы не можем пересмотреть нормы, составленные и утвержденные руководством комбината.

— Лейтенант Крохин, во времена майора Каминского я тоже не мог и подумать о том, чтобы критиковать эти нормы. Стоило мне начать хоть что-то критиковать, как он кричал: «Заткнись, бля, я тебя в шахте сгною, сучий потрох!» А подполковник Антоновский совсем не такой, я уже понял его характер. Хотя он вспыльчивый и грозный, когда кричит, но на самом деле он добрый в душе, умеет выслушать хорошую идею и сразу принимает правильное решение.

— Да? Ты так думаешь? — Крохин переглянулся с Кедровым. — Ладно, так и быть! Мы можем пойти с тобой к начальнику. Но как ты собираешься доказать ему нелепости в этих нормах?

— А вы посмотрите эти два рапорта. Вот рапорт о работе наших шахтеров на Второй шахте. Выработка — 60 процентов нормы. Когда начальник это увидел, он ужасно ругался, кричал, что мы лентяи и саботажники, помните? А вот второй рапорт — о работе японцев на лесном складе. Тут все рабочие выполняют 100 процентов нормы, а некоторые даже 125 процентов! И это точные данные, вот подпись начальника лесного склада. Когда начальник увидел этот рапорт, он похвалил наших рабочих и сказал: «Какая отличная бригада! Настоящие ударники труда!» Было это?

— Ну, было... — сказал Крохин. — Ну и что? Такая на лесоскладе собралась бригада — всегда отлично работают! Что это доказывает?

— А вы внимательно изучите эти рапорты, сравните их.

— Зачем? Разве тут есть подделки? Куда ты клонишь, Ёкояма?

— Тут нет никаких подделок, господа лейтенанты. Но вы посмотрите на списки рабочих. В них стоят одни и те же фамилии! Понимаете? После того как начальник похвалил одну бригаду, а вторую назвал лентяями и саботажниками, мы поменяли их местами. И что получилось? Что на лесном складе «лентяи» и «саботажники» вдруг стали выполнять 125 процентов нормы, а в забое даже «ударники труда» не могут дать и 60 процентов. Как вы думаете, почему?

Глядя на Юдзи, оба лейтенанта скрестили руки и задумались.

Потом Кедров медленно произнес:

— Слушай, Крохин, мне кажется, я допер... На лесном складе работает большинство японцев, они там играют главную роль и всё делают по-своему. А в забое...

— А в забое, ты сам видел, японцы делают только вспомогательную работу для наших шахтеров, — перебил Крохин. — Слушай! У меня идея! Надо, чтобы хоть на одной шахте работали только японцы! Пошли к Антоновскому!

Толковый Антоновский после совещания с комбатом, Крохиным и Кедровым тут же вызвал к себе всех русских офицеров и отдал им удивительный приказ:

— С завтрашнего утра всё русское командование лагеря — и офицеры, и военврач, и бухгалтер, и интендант — все до единого спускаются с первой же сменой в шахты. Вы будете наблюдать за работой японцев и протоколировать все, что мешает им выполнять производственные нормы. Выясните все причины и через неделю доложите мне. Ясно?!

Офицеры растерянно молчали. До сих пор ни один из них никогда не был в шахте, им было совершенно безразлично, как там японцы работают, и на их зарплате это никак не отражалось. Но теперь...

— Лейтенанты Крохин и Кедров! — сказал начальник. — Я приказываю вам следить за работой наших офицеров в шахтах и на каждого составить персональный рапорт!

— Вот это да! Вот это начальник! — говорили между собой японцы. — Настоящий русский партизан!

24

По приказу Антоновского военврач капитан Денисенко, который месяц назад прибыл в лагерь на помощь доктору Калининой, спустился в Южную шахту. Денисенко был высокий и толстый мужчина с неприятным, как у енота, лицом. На низкорослых японцев он всегда смотрел свысока и с презрением. Теперь, сгибая свое большое и толстое тело, он медленно обходил каждый забой в Южной шахте и с любопытством смотрел на работу шахтеров.

В забое № 17 работа шла очень плохо. Из-за плохого взрыва забойщики не смогли хорошо забуриться, и теперь добыча угля была очень низкой. Доктор некоторое время смотрел на них, а потом крикнул:

— Стоп! Дай-ка мне кайло!

Он с размаху ударил кайлом, но твердый пласт угля отбросил его кайло. Доктор разозлился, ударил еще сильнее, но пласт не поддался, а от сильной отдачи кайло чуть не угодило ему по голове.

Русский рабочий сказал:

— Осторожно, доктор. Тут не в силе дело, а во взрыве. Взрыв был плохой из-за старого пороха, поэтому пласт не дается.

— Ах так? — сказал доктор и повернулся к японцам: — Всё, японцы, идите наверх и отдыхайте. Сегодня вы больше не работаете.

Юдзи перевел его слова, но японские шахтеры не обрадовались, а испугались:

— Как мы можем уйти? Мы сделали только 30 процентов нормы! Если мы сейчас уйдем, нас посадят в карцер!

Но доктор упрямо повторил:

— Никакой работы! Я отвечаю! Здесь больше нельзя работать! Это выше человеческих сил! Идите отдыхать!

Бригадир сказал:

— Хорошо, доктор, мы пойдем отдыхать. Но пожалуйста, напишите какой-нибудь документ о вашем приказе. Иначе начальник Антоновский будет нас ругать, а меня посадит в карцер.

— Ладно! Сейчас напишу. Давай ручку.

И доктор с легкостью написал свой удивительный приказ и расписался под ним.

А в это время во Вторую шахту с бригадой Хаяси спустился бухгалтер лейтенант Лысенко. Но буквально через десять минут там вдруг погас свет. В шахте наступила кромешная тьма, Лысенко испугался и крикнул:

— Ой! Что случилось?

Бригадир Хаяси, который уже немножко говорил по-русски, спокойно объяснил:

— Ничего страшного, это перебои в работе электростанции, у нас это часто бывает.

— И что же вы будете делать? Ведь все остановилось — вагонетки, конвейеры...

— Да, без электроэнергии мы не можем работать. Придется отдыхать.

Ремонт энергосистемы закончился только через час. В шахту снова дали электричество, стало светло, порожняки и груженые вагонетки начали двигаться, конвейеры, полные угля, опять заспешили к люкам. В шахту вернулся обычный рабочий шум.

— Ура! — вздохнул Лысенко. — Кончилась первобытная жизнь!

И после смены показал Хаяси свой рапорт:

— Вот смотри, что я написал: «Из-за прекращения подачи электроэнергии японские рабочие находились в простое полтора часа!» Ты согласен?

25

Через неделю все русские офицеры собрались в кабинете начальника лагеря. В полной тишине Антоновский, сидя за столом в своем кресле, внимательно изучал их письменные рапорты и доклады. Потом он уперся взглядом в стол и глубоко задумался. Никто не посмел ни кашлянуть, ни шевельнуться — было почти физически видно, как в его большой лысой голове происходит обработка всей информации, сопоставление всех фактов и извлечение выводов. Наверное, эта была очень тяжелая работа, потому что Антоновский при этом тяжело сопел.

Вдруг он резко протянул руку к телефону и коротко сказал телефонистке:

— Кулича, управляющего Канским рудоуправлением! — А пока телефонистка соединяла, махнул всем офицерам: — Вы свободны!

Никто не знает, о чем он говорил с Куличем, офицеры успели услышать только первые фразы этого разговора:

— Товарищ Кулич, здравствуйте. Это подполковник Антоновский. Вы знаете, что свело в могилу 290 пленных японцев? Нет? Не знаете? Так я вам сейчас объясню!

После этого Антоновский говорил с Куличем еще сорок минут, причем иногда даже через закрытые двери и окна его кабинета офицеры, которые курили в коридоре и на улице, слышали его грохочущий партизанский голос и крепкие русские выражения.

Затем, закончив разговор, он вызвал к себе Крохина и Кедрова.

— Значит, так! — объявил он им. — Вы берете все эти документы и немедленно едете с ними в Канск к Куличу, он вас ждет. И возьмите с собой Ёсиду, он знает все детали этого дела.

Посланцы спешно погнали повозку в Канск. Управляющий Кулич действительно ждал их в своем кабинете. Он полностью соответствовал своей фамилии — был весь круглый, мягкий, гладкий, масленый и даже пушистый, как белый кот.

— С приездом, товарищи, — сказал он теплым голосом. — Я ждал вас. Хотите чаю? Сейчас Наташа даст нам чайку, и мы приступим к работе.

Очень красивая, молодая, стройная женщина с длинными русыми волосами встала в углу из-за письменного столика с пишущей машинкой и вышла, чтобы приготовить чай. Прибывшие осмотрелись. Кулич сидел в глубоком кожаном кресле, за большим и крепким письменным столом с тяжелым чугунным канцелярским прибором. За спиной у него был, конечно, портрет генералиссимуса Сталина, а на другой стене висела красивая картина работы японского художника Кисимото, которую прошлой зимой подарил Куличу майор Каминский. На картине был нарисован орел, который стремительно налетал на убегающего зайца. Какое-то неуловимое сходство было у этого могучего орла с мягким и масленым Куличем.

Прибывшие терпеливо и подробно объяснили Куличу причины, препятствующие выполнению нормы добычи угля, рассказали об условиях, в которых работают шахтеры, показали, насколько нереально составлены нормы. Разговор длился больше двух часов, Кулич, слушая, кивал головой. В конце концов он сказал:

— Я вас понял, товарищи. Оставьте мне все эти документы, я передам их в свой плановый и производственный отделы, и через неделю мы вам ответим официально.

И действительно, через неделю подполковник Антоновский зачитал подполковнику Якогаве и остальным офицерам новый проект договора Канского рудодобывающего комбината с лагерем, который пришел от Кулича. В этом договоре были совершенно удивительные пункты: «В случае если работа останавливается не по вине шахтеров, а в силу непреодолимых обстоятельств (прекращение подачи электроэнергии, поломка транспорта, некачественные взрывные работы и т.п.), шахтерам за все время вынужденного простоя выплачивается средняя зарплата... Все японцы, работающие в шахтах, получают продукты наравне с русскими шахтерами по повышенным нормам питания для работающих на подземных работах... Руководство производством и все работы на Южной шахте передать японским бригадирам и рабочим...»

Это была полная победа! Это была реализация самой большой мечты японцев — после, конечно, мечты о возвращении в Японию! Это был триумф партизанской тактики броска и натиска подполковника Антоновского! Он доказал, что даже при железобетонной советской системе централизованного планирования что-то все-таки можно изменить в соответствии со здравым смыслом.

Японцы кричали «Ура!», а Антоновский, подняв руку, грозно сказал:

— Но теперь, епёнать, попробуйте только не выполнить нормы! Особенно на Южной шахте! Я вас на всю Японию опозорю!

Но в голосе у него не было строгости.

26

Незаметно пожелтели листья березы, что стояла у ворот лагеря. А потом они и вовсе опали, как листки отрывного календаря.

Настало зимнее увядание.

Прошел целый год пребывания японцев в советском плену.

Правда, за этот год их жизнь тут разительно изменилась. Они стали жить в теплых бараках без вшей и клопов. Появился водопровод, заработали баня, хлебопекарня, прачечная. Производственные нормы были откорректированы и исправлены, японские бригады стали не только выполнять эти нормы, но, например, бригады Фукутоми и Хатанды, часто давали 125% нормы! И снабжение продуктами японских шахтеров происходило теперь наравне с русскими. А когда японец перевыполнял норму, он получал спецснабжение. Но и это не всё! В каждой шахте японцы теперь развернули стахановское движение. Что это такое? Антоновский объяснил японцам:

— Еще до войны, во время первой пятилетки — пятилетнего плана развития народного хозяйства СССР, — в Донецкой области молодой шахтер по имени Стаханов в несколько раз перевыполнил в забое норму добычи угля, за что ему присвоили звание «Герой Социалистического

Труда». После чего во всех республиках СССР шахтеры и рабочие последовали его примеру, то есть развернули, как у нас говорят, стахановское движение. И теперь даже вы, пленные японцы, тоже должны участвовать в этом движении.

Еще до приезда японцев в СССР у входа в контору шахты каждый день вешали на стену объявление с именами лучших шахтеров и результатами их дневного труда. Над этим объявлением был длинный красный кумач с надписью белой краской: «Все за героем Стахановым! Выполним пятилетку за четыре года!» Еще выше висели портреты Ленина и Сталина, убранные свежими еловыми ветками. Теперь на этой Доске почета все чаще стали появляться номера японских бригад и фамилии японских шахтеров.

Конечно, начальник лагеря и руководители шахт были довольны таким поворотом дел. Когда бригады возвращались с работы, Антоновский и его подчиненные стали выходить к воротам, и Антоновский с улыбкой сам слушал рапорты бригадиров об их сегодняшних успехах. Он пожимал руки бригадирам, желал им хорошего отдыха, спрашивал, есть ли больные или другие жалобы. На улицах Заречной и в поселке Ирша репутация японцев среди русских стала подниматься. И русские шахтеры начали уважать японских шахтеров. Если раньше многие из них смотрели на японцев свысока, пренебрежительно и даже презрительно, то теперь все стало иначе — многие русские рабочие и даже шахтеры перешли в подчинение к японцам.

— Эй ты, чурбан! Давай шевелись!

— Нажми, японать!

— Давай, давай! Работай, болван!

— Осел! Лентяй! Шевели ногами, ёптать!

Это можно было услышать везде — и в лаве, и в забое, и возле люка, и у транспортной ленты. Только теперь это японские шахтеры кричали на русских — теми же словами, какими раньше русские кричали на японцев. И русские не обижались, они были благодарны японцам за то, что те заставили начальство пересмотреть нормы, ввести плату за простои и другие изменения условий труда. К тому же они видели, что японские шахтеры работают отлично.

У транспортной ленты всегда было самое шумное место. Тут постоянно стоял переполох из-за неразберихи с порожняками и составами, полными угля, — не было ни графика их движения, ни регулировщика, они постоянно мешали друг другу, устраивали заторы. Из-за этого женщины-«мадамы» вечно скандалили, кричали и ссорились друг с другом. Но японцы тут же поставили сюда молодого японца-регулировщика, который отвечал за движение транспорта.

— Эй! — кричал он теперь. — «Мадам» п...рванка! Гони порожняки в забой номер 13!

«Мадамы» с радостью подчинялись его расторопным указаниям.

И постепенно японцы все больше и больше стали забирать себе власть в подземной работе.

Но каждый раз, когда они возвращались с работы в лагерь, радость от их рабочих успехов испарялась.

Чем ближе колонна пленных подходила к лагерю, тем яснее они видели холм-кладбище с могилами своих товарищей. И высокий лагерный забор с вышками вооруженных охранников, которые круглосуточно держали их под прицелом своих автоматов ППШ. И перелетных птиц, которые опять устремлялись по небу на юг, в теплые страны, в Японию.

— О, птицы, птицы! Мы слышим, как вы зовете нас! Но нет у нас крыльев, а если бы и были, охранники все равно не дали бы нам улететь — они каждый день тренируются в стрельбе по мишеням. Так отнесите же домой нашу тоску по родине...

27

— Комбат Якогава, вам известно, что скоро всю работу на Южной шахте передадут японцам?

Начальник Южной шахты Константин Перов был очень молодым инженером. Он окончил горный институт в Свердловске, несколько лет проработал инженером и совсем недавно был назначен начальником Южной шахты — самой маленькой из всех. Пожав ему руку, комбат Якогава спросил:

— Извините, господин Перов, а кто будет нести ответственность за работу шахты? Кто будет руководить?

— Я понимаю вас, — сказал Перов. — Ответственность и руководство останутся за нами, русскими, поскольку это касается выполнения государственного пятилетнего плана по рудопромышленности. Передать это в руки военнопленных мы не можем. А вот всю организацию рабочего процесса мы целиком доверим вашим специалистам и бригадирам. Я уверен, что вы сделаете нашу Южную шахту стахановской шахтой!

— Ой, господин начальник шахты, вы переоцениваете нас, японцев!

— Нет, нет, комбат Якогава. Помните, недавно ваш бригадир Сакамото совершил геройский поступок, ценой своей жизни спас нашу шахту. Мы такие вещи не забываем. Я целиком доверяю вам и вашим рабочим и уверен, что вы справитесь с заданием для нашей шахты — давать в сутки 550 тонн угля.

— Вы сказали: 550 тонн в сутки? Значит, за смену нужно добывать 190 тонн, 380 вагонов, правильно?

— Да, комбат Якогава. Но это не все. Я хочу с вашей помощью целиком переоборудовать Южную шахту, поставить новую рудо-бурильную машину, проложить рельсы для электровозов, построить лесопильный завод и кузницу для ремонта инструмента. Вот посмотрите, мы с вами превратим нашу шахту в самую современную и лучшую в Сибири!

— Спасибо вам за доверие, господин Перов. Но если нам предстоит все это сделать, то когда же нас отправят в Японию?

— Комбат Якогава, это у вас очень риторический вопрос. А вот у меня есть очень конкретный вопрос: когда вы последний раз были в санчасти?

— А что такое? — испугался Якогава. — Я плохо выгляжу?

— Да, комбат, мне не нравятся ваши круги под глазами. Мне кажется, что вы плохо спите или не спите совсем. Я позвоню доктору Калининой. Я хочу, чтобы она проверила ваше здоровье. Нам с вами нужно еще многое сделать в этой жизни.

Комбат озадаченно посмотрел на переводчика Юдзи Ёкояму. Но Юдзи с невинным видом отвел глаза в сторону. Зачем комбату знать о его маленьких интригах?

28

Кроме Южной шахты, которая была рядом с лагерем, все остальные шахты находились от него на расстоянии трех, четырех и даже шести километров. Пленные японцы ходили туда на работу пешком и очень уставали — особенно зимой, во время сорокаградусных морозов, на плохой дороге, при скудном питании и в плохой одежде, да еще в сопровождении злых охранников и их ужасных, безжалостных собак.

Поэтому в забой люди спускались усталые, измотанные, и это не могло не отражаться на производительности труда.

Но теперь, когда мало-помалу вся организация жизни стала подчиняться здравому смыслу повышения добычи угля, японцы потребовали возить их на работу в автомобилях. И к их изумлению, разрешение из Красноярского УЛАГа пришло даже быстрее, чем они ожидали. Не то подполковник Антоновский снова применил свой метод бури и натиска, не то на руководство произвел впечатление резкий подъем производительности труда на Канском комбинате.

Но так или иначе, теперь японцы каждый день ездили на работу в грузовиках, с веселыми песнями:

— Когда б имел златые горы и реки, полные вина, все отдал бы за ласки-взоры, чтоб ты владела мной одна!..

— Широка страна моя родная, много в ней лесов, полей и рек! Я другой такой страны не знаю, где так вольно дышит человек...

— Виновата ли я, виновата ли я, виновата ли я, что люблю? Виновата ли я, что мой голос дрожал, когда пела я песню ему?..

— Миленький ты мой, возьми меня с собой! Там, в краю далеком, буду тебе женой! Милая моя, взял бы я тебя, но там, в краю далеком, есть у меня жена...

Японцы приезжали на работу веселые, бодро брались за дело, и отношение к ним русских шахтерок-«мадам» круто переменилось. Ведь во время войны многие русские молодые люди погибли на фронте, и в 1945—1947 годах в

СССР на одного мужчину приходилось пять женщин. Это ужасная статистика, но она оказалась полезной для японских пленных. Ведь не по своей охоте приехали они сюда — молодые, сильные, энергичные и сумевшие выжить даже в таких ужасных условиях, какими встретила их Сибирь в первую зиму. Да, 290 японцев погибли, но 1200 выжили!

И теперь, когда крепкие, молодые и веселые японцы стали приезжать на работу, русские женщины-шахтерки начали проявлять к ним возбужденное внимание. А с японской стороны к ним был не меньший интерес. Молодые японцы уже больше года были оторваны от женщин, но если прошлой зимой им было не до любовных романов и секса, то теперь...

— Эй, брат, ты не знаешь? Эстакадница Маруся уже занята, она любовница шахтера Кооно.

— Канатчица Аня влюбилась в забойщика Оцукаву.

— Лебедчица Тома — симпатия люковщика Хэйджимо. Я видел, как они в обнимку ушли в глубину забоя...

Слухи, сплетни, разговоры на эту тему до ночи не затихали в бараках.

— Кооно, будь мужчиной, расскажи, как тебе с Марусей? Неужели у русских «мадамов» и правда волосы в том месте такие же русые и шелковые, как на голове?

— Боже мой, если я смогу переспать со Светой, я не пожалею, что попал в русский плен!

— Слушайте, братья! Вчера на Второй шахте во время перерыва опять отключили свет, и лавщик Тимура сидел на бревне, ничего не делал...

— Снова эти разговоры о работе! Прекрати! Сколько можно?

— Нет, нет, слушайте! Он сидел на бревне, вокруг темень, конвейер не работает. И вдруг к нему со спины тихо подкрались люковщицы Нина и Зина, схватили его за руки с двух сторон!

— Нина и Зина? Неужели? И что?

— Ну, ты же знаешь, какие люковщицы силачки! Они его так схватили, он не мог пошевелиться!

— Так, интересно...

— Не перебивай, сука, слушай! Потом они расстегнули ему штаны, залезли туда руками и стали ругаться: «Фу! Боже мой! Какой у японцев маленький член! Черт возьми, епёнать!» Но тут от их рук — ну, ты сам понимаешь, что случилось. Они ужасно обрадовались и стали спорить между собой: «Я первая!» — «Нет, я первая!» — «Нет, я первая, я мужской член во рту уже год не держала!» — «А я два года!» Но пока они так ругались, вдруг включили свет — вы представляете, какая открылась картина?!

Все расхохотались.

Однажды вечером после ужина Юдзи сидел в штабе батальона. Неожиданно молодой ефрейтор Сигемото, только что вернувшийся с работы на лесном складе, робко заглянул в дверь:

— Добрый вечер, сержант Ёкояма, можно войти?

— Входи, Сигемото, добрый вечер.

Он, низко кланяясь, подошел к Юдзи:

— Сержант Ёкояма, у меня к вам большая просьба. Но я не знаю, могу ли обратиться...

— Не стесняйся, говори, в чем дело. Я постараюсь помочь тебе, ведь мы земляки и ровесники.

— Спасибо. Вот моя просьба. — Он робко достал из кармана измятую бумажку и сказал: — Прошу вас перевести это письмо на русский язык.

Прочитав письмо, Юдзи ответил:

— Гм, Сигемото... Это же любовное письмо. В кого ты влюбился?

Он покраснел.

— В Зину...

— В Зину с лесосклада?

— Да, — сказал тот, краснея еще больше. — В нее...

— Понятно. Но понимаешь, Сигемото, ведь твое письмо написано стихами. А я никогда не писал стихов по-русски. Не знаю, справлюсь ли я с такой сложной задачей.

— Ёкояма-сан! Я не смею вас утруждать. Но если вы попробуете...

— Ладно, ладно, иди. Я попробую.

Юдзи взял ручку и стал переводить его стихи на русский язык:

> Если луна превратится в зеркало,
> Я смогу всю ночь смотреть
> На твое милое и любимое лицо!
> Если ветер коснется листвы за окном,
> Я тут же услышу в нем твой нежный голос...

На следующий вечер Сигемото радостно вбежал в наш штаб.

— Ёкояма-сан! Благодарю вас! — еще больше закланялся он. — Я добился цели! Прочитав мое письмо, Зина залилась слезами от радости! Ура! Спасибо вам!

И, сказав это, Сигемото подарил Юдзи целый кисет махорки.

29

Пурга мела трое суток, но к утру четвертого дня перестала. Небо прояснилось и стало голубым и прозрачным, без единого облачка.

Скрипя валенками-катанками по свежему снегу, лейтенант-казначей Лысенко со своей помощницей Татьяной прошли через караульное помещение и направились к штабу батальона. У входа в барак лейтенант Лысенко, пожилой обстоятельный украинец, стряхнул рукавицей снег со своей овчинной шубы, веником обмел валенки, потом вошел к японцам и сказал:

— Доброе утро, товарищи! Как дела? Ночью была сильная пурга, вы хорошо спали?

С тех пор как жизнь в лагере стала меняться к лучшему, кое-что изменилось и в манерах русских офицеров. Они почти перестали кричать и грязно ругаться и даже усвоили японскую манеру никогда сразу не говорить о делах.

— Спасибо, господин лейтенант. А как вы? Как ваш сын Виктор?

Виктор, очень живой и смышленый мальчик, учился в начальной школе и, как все дети русских офицеров, часто бывал в русском штабе.

Лысенко польщенно улыбнулся.

— Растет! — гордо сказал он. — Знаете, мне кажется, что из-за этой пурги Дед Мороз никак не мог найти к вам дорогу и приехал только сегодня на рассвете.

— Что? Какой Дед Мороз? — спросил комбат Якогава.

За то время, что прошло после его последнего разговора с начальником шахты Перовым, комбат Якогава стал действительно лучше выглядеть. То ли потому что теперь доктор Калинина регулярно измеряла его давление, то ли еще по какой-то другой причине, но после каждого визита в санчасть комбат Якогава мог уже беспробудно проспать всю ночь напролет...

Юдзи сказал лейтенанту Лысенко:

— Вы, наверное, шутите про Деда Мороза, господин лейтенант. Или это еще одно иносказание, как про царя Гороха. Да?

140

— Ничего подобного! Просто вы, японцы, живете в теплой стране и ничего не знаете про живого Деда Мороза. Он к вам не может приехать, поскольку у вас нет настоящих морозов. Бедные вы, бедные!

Мигнув синими глазами, Татьяна прыснула, не смогла сдержать смех. Но Лысенко даже не улыбнулся, продолжал совершенно серьезно:

— А у нас в Советском Союзе каждую ночь во время пурги разъезжает на санях и оленях настоящий Дед Мороз и развозит людям счастье. Понятно?

— Теперь понятно, господин лейтенант. Как я забыл? Действительно, какой-то дед ночью проезжал на санях через лагерные ворота, я слышал, как скрипели сани. И кажется, его фамилия Лысенко. Да, Татьяна?

— То-то! — сказал Лысенко, сел за стол и положил на него свой тяжелый портфель. — Давай, Татьяна, открывай портфель, доставай документы Деда Мороза.

Татьяна открыла портфель и вытащила огромную пачку рапортов японцев и еще каких-то документов с чернильными надписями «Ведомость».

— А теперь посмотрите сюда, — сказал Лысенко. — Вот столбец, в нем фамилии японцев. Вот их ежедневное выполнение нормы за ноябрь. Вот заработок, то есть норма оплаты труда, помноженная на процент выработки. Непонятно? Показываю. Например, согласно этим рапортам, ваш солдат Китагава заработал в ноябре 920 рублей. А солдат Такигава — 880 рублей. На ваше содержание в лагере наше правительство тратит в месяц 470 рублей. Значит, удерживаем 470 и получаем, что Китагава заработал в ноябре 450 рублей, а Такигава — 410. Теперь ясно?

Комбат Якогава изумленно уставился на лейтенанта:

— Господин лейтенант, неужели вы... неужели вы будете выдавать нам зарплату?!

— Конечно, буду.

— Но как? Чем? Продуктами?

Лысенко усмехнулся:

— Советскими рублями! А продукты и все остальное, кроме водки, конечно, вы сами купите в магазине. Дошло?

Японцы потрясенно молчали. Неужели им в руки дадут настоящие деньги и они смогут купить на них все, что захотят?! Ведь до сих пор японцы лишь тайком выменивали у русских сахар, хлеб и махорку за свои свитера или другую одежду.

Лысенко сказал:

— Но нам нужна ваша помощь. Ведь вас 1200 человек, Татьяна одна не может рассчитать каждому зарплату. Ей нужен японский помощник-математик.

На следующее утро Татьяна принесла в японский штаб тяжелый портфель с документами и большие счеты. Русские счеты — интересный инструмент. Хотя Нонака, помощник переводчика, служил в финансовом управлении Квантунской армии, он такие счеты никогда не видел. Татьяна научила его, и целую неделю в японском штабе с утра до ночи стучали эти счеты.

— Шахтер Отисама, выполнение месячной нормы 117 процентов...

— Люковщик Фудзикама, выполнение нормы 122 процента...

А через неделю состоялась выдача первой зарплаты. Ура!

Огромная очередь терпеливо стояла у штаба, люди заходили, получали красивые советские деньги с портретом Ленина, щупали их, нюхали, смотрели на свет и выходили, совершенно потрясенные. А назавтра, сжимая в руках эти деньги, все устремились в магазин при шахте.

142

Теперь пленные могли купить всё, что им нравится, — хлеб, булочки, колбасу, рыбу, молоко, сахар, табак...

Только свободу нельзя было купить ни за какие деньги.

30

Слух о том, что японцы стали получать хорошие зарплаты и покупать в магазине продукты, мгновенно разлетелся по окрестным деревням и поселкам. И уже через пару недель японцы, выезжая из лагеря на работу, с изумлением увидели у ворот целый крестьянский рынок. На санях, телегах и на самодельных прилавках были свежеиспеченные пирожки, котлеты, булочки, масло, сыр, сметана, парное и мороженое молоко, кедровые орешки, молодая картошка, сахар головками, соль, яйца, мед...

За прилавками стояли краснощекие молодухи в шерстяных платках, теплых фуфайках и валенках, рядом с ними топтались и курили цигарки несколько стариков в шапках-ушанках и телогрейках.

Русские конвоиры остановили грузовики, японцы спрыгнули на снег и стали торговаться с продавцами. После полутора лет проживания в России и работы на шахтах бок о бок с русскими все японцы уже сносно говорили по-русски и не только покупали продукты у молодых продавщиц, но стали знакомиться с ними и флиртовать.

— Давай, давай! Хватит, японать! — весело кричали им конвоиры. — Поехали на работу! А то вы нам всех русских девок перетрахаете!

Посмотрев на этот базар, который день ото дня все рос и рос за воротами лагеря, комбат Якогава пришел к начальнику лагеря.

— Господин подполковник, здравствуйте, как поживаете?

— Сказочно! — сказал Антоновский. — Как только ваши люди стали получать зарплату, все стали стахановцами! Работают как черти! Меньше 120 процентов нормы теперь никто не дает! Скажу тебе по секрету, комбат, даже Кулич приготовил вам подарок, сюрприз.

— Неужели, господин начальник? Какой же подарок может сделать нам начальник рудоуправления?

— Он решил подарить вам дойную корову. Завтра он ее сам привезет! Нужно приготовить ей какое-то место возле санчасти, чтобы больные получали свежее молоко. Подумай об этом. А зачем ты пришел?

— Понимаете, господин начальник, утром, когда наши люди едут на работу, они теряют много времени на этом базаре, который теперь за воротами лагеря. И это очень неудобно — купить что-то по дороге на работу, отвезти в шахту, там держать, потом везти домой, в лагерь...

— Ну? И что ты хочешь? Закрыть базар?

— Нет, ни в коем случае! У меня есть другое предложение. Нельзя ли в нашем лагере открыть магазин?

Антоновский был очень решительный человек. Он только одну секунду смотрел в глаза Якогаве, а потом стукнул кулаком по столу:

— Гений! Немедленно поставить плотникам задачу — за неделю построить магазин на центральной площади! Найди толкового японца на должность заведующего. Я дам ему транспорт, раз в неделю будет ездить в Заречную закупать промтовары. А продукты будет покупать у колхозников. Но одно условие, комбат! Никакого навара! В магазине все продавать по закупочным ценам!

— Конечно, господин начальник. Нам не нужна прибыль. Спасибо за разрешение.

Через неделю на площади, рядом с рельсом для побудки, вырос красивый деревянный магазин из кругляка — круглых золотистых бревен. Внутри стены побелили, на окнах повесили красивые занавески. И полки были полны любыми товарами — кроме, конечно, вина и водки.

Заведующим магазином был назначен ефрейтор Ядзима.

И еще одно послабление сделал японцам подполковник Антоновский. Поскольку в окрестных деревнях женщин было раз в пять больше, чем мужчин, а имевшиеся мужчины были частично инвалиды — кто на костылях, кто без рук, — нужда на всякую мужскую работу — плотницкую, столярную и прочую — была очень большая. И женщины постоянно обращались к Антоновскому с просьбой «подослать» им мастеровых японцев. Или японских врачей — полечить заболевших детей. Но Антоновский отказывал, говоря, что он не имеет права без конвоиров отпускать военнопленных из лагеря.

Однако теперь это право каким-то мистическим образом появилось. И японские плотники, слесари, кузнецы и врачи то и дело отлучались из лагеря для поделки в деревнях мужской работы. За годы войны и отсутствия в русских деревнях молодых мужчин этой работы там скопилось столько, что японцы возвращались в лагерь только к отбою, да такие усталые, что едва добирались до своих бараков и, не отвечая ни на какие расспросы, падали там на нары, как сонные мухи.

А однажды Татьяна, красавица шатенка из бухгалтерии, зашла в кабинет Антоновского, сказала:

— Товарищ подполковник, помогите! У меня в избе печь развалилась, дитё замерзает!

— Как же я тебе помогу? Ты же знаешь, среди японцев нет печников.

— А я в библиотеке нашла старую книжку. Вот, «Кладка русских печей» называется.

— Ну и что? Кто из японцев это сможет прочесть?

— Юдзи Ёкояма сможет, товарищ подполковник.

Антоновский посмотрел Татьяне в глаза:

— А сколько твоему дитю лет?

— А седьмой пошел, товарищ подполковник.

— И где его отец?

— Так еще в сорок третьем забрали. И под Харьковом сгинул.

— Н-да... — крякнул Антоновский и снова внимательно посмотрел на Татьяну, медленным взглядом смерил ее ладную, сибирскими соками налитую фигуру. — Ладно, забирай Ёкояму. Только чтобы к ночи был в лагере. Живой! Поняла?

Боже мой! Татьяна! Вся! С расплетенной каштановой косой, распущенной по белым плечам и грудям, похожим на мороженое молоко! С лирой своих крутых бедер и пышными булками своих теплых ягодиц! С медово-каштановым треугольником завитых волос под животом...

И все это душное, сладостное, жаркое и ненасытное счастье — ему, Юдзи Ёкояме!..

31

Как-то Юдзи с заведующим магазином Ядзимой поехали в Заречную на закупку товаров. При въезде в деревню за их телегой увязалась стайка бурятских и русских ребятишек. Ядзима обратил внимание, что даже девочки были коротко острижены.

— Детдомовские, видно, — сказал Юдзи и пояснил: — В Советском Союзе детские дома — это государственные учреждения. В них отдают сирот, потерявших родителей в войну, или детей, чаще всего внебрачных, от которых отказались родители. До четырнадцати лет воспитанники живут и учатся за казенный счет. Я слышал, что система воспитания в этих домах насквозь пронизана политикой. — И поскольку ребята были в пионерской форме с большими красными галстуками, Юдзи крикнул им их заветный лозунг: — Всегда готов!

— Дяденька, неужели вы коммунист? — удивленно спросил один из ребят.

— Да здравствует товарищ Сталин! — бодро произнес Юдзи.

— А Сталин плохой, — вдруг сказала маленькая девочка-бурятка.

Юдзи изумился: подобных слов от девочки с красным галстуком на шее он никак не ожидал.

— Почему же?

— Потому что хлеба мало, — спокойно ответила девочка.

Тут дети свернули в сторону своего детдома, а Юдзи и Ядзима въехали в деревню и с удивлением обнаружили необычное оживление: дети, взрослые, даже инвалиды — все были на улице.

Юдзи остановил лошадь, спросил у какой-то крестьянки:

— Здравствуйте, мадам. Что случилось? Почему сегодня так много народа на улицах?

— Ярмарка!

— Как вы сказали? Ярмарка? Что такое «ярмарка»?

— Японский бог! Он не знает! Ярмарка — это большой базар! Всё дешево! Поезжайте в центр, сами увидите!

Действительно, в центре деревни, возле бывшей церкви, с которой большевики сбросили крест и где теперь были клуб, библиотека и ДОСААФ, стояли телеги, подводы и грузовики с самым разным товаром. Мясо, рыба, зерно, картошка, сало, живая птица и свиньи, топленое молоко, подсолнечное и сливочное масло, конфеты, сахар, расписные детские игрушки из дерева, немецкие трофейные альбомы с марками, посуда, старые велосипеды, одежда и еще многое и всякое на любой вкус. Заведующий магазином Ядзима очень обрадовался:

— Ёкояма, нам повезло! Многие японцы просят меня закупать им не только продукты, но и ценные вещи для женщин — ожерелья, кольца, сережки, шелковые платки и чулки. Сейчас мы всё это купим!

«Гм! — подумал Юдзи. — Наверняка это подарки для их любимых «мадам». Нужно и мне что-то купить для Татьяны...»

Они пошли по базару. Вдруг сквозь толпу пробился мальчик лет десяти, задыхаясь, он бежал прочь с базара. За ним с криком «Стой! Держи его!» бежал рослый милиционер. Кто-то из крестьян толкнул мальчика, он упал, милиционер схватил его, стал трясти, у мальчика из-под рубашки выпал кусок мяса, который он, оказывается, украл у кого-то из продавцов. Милиционер крепко взял мальчика за ухо и повел с базара. Люди вокруг шепотом говорили:

— Бедный пацан! Не старше моего сына. Наверное, голодный сирота...

В другом месте стоял старый нищий с грязной одноухой шапкой в руке и жалобным голосом просил:

— Люди добрые! Подайте ради Христа!

Рядом была будка, где принимали стеклянную посуду и продавали денатурат. Денатурат — это дешевый спирт для технических целей, в который специально добавляют вещества, вредные для здоровья, чтобы сделать его непригодным для питья. Это написано на бутылочных этикетках, и даже нарисованы череп и кости, чтобы люди видели, насколько это смертельная жидкость.

Но возле будки стояла большая очередь мужиков, они покупали этот денатурат и выпивали прямо из бутылки. Потом, шатаясь, расходились в разные стороны, а некоторые падали на месте, но никто не обращал на них внимания, даже милиционер. Только безногий инвалид на своей деревянной подставке ездил, отталкиваясь от земли деревянными наручниками, туда-сюда вдоль очереди и громко кричал:

— Трубы горят! Ну, кто-нибудь даст мне выпить?! Ироды, бля! Кто-нибудь даст мне выпить? У меня трубы горят!

Еще дальше несколько мужчин и женщин лихо танцевали кружком, один из них играл на гармонике, а молодая женщина стучала пальцами в бубен-тамбурин. Каждый раз, когда кончался танец, мужчина-гармонист брал в руки шляпу и обходил с ней зрителей. Люди бросали в эту шляпу мелкие деньги. Юдзи спросил у старика, который стоял рядом:

— Дедушка, кто они такие? Артисты?

— Какой, на хрен, артисты?! Это цыгане.

— Не понимаю. Что такое цыгане?

— А что, у вас в Японии нету цыган? Цыгане — это бездомные бродяги. Они не работают, а только побираются вот так и воруют.

— Отчего же правительство не задерживает таких бездельников?

— А это ты у милиционера спроси.

В другом конце базара пожилая женщина с длинными черными волосами сидела на табурете за шатким столиком. На столике стоял ящик с разноцветным песком. Черпая ладонью этот песок и ссыпая его обратно, женщина что-то шептала и бормотала сама с собой. Юдзи заинтересовался, подошел к ней:

— Извините, мадам. Что вы продаете? Песок?

— Нет, красивый японец, я продаю судьбу, я гадалка.

Черными глазами она так пристально глянула Юдзи в глаза, что ему стало не по себе. Затем она зачерпнула песок из ящика и что-то зашептала, ссыпая его обратно. Когда весь песок высыпался из ее руки, она посмотрела на него и сказала:

— На тебе, японец, проклятие бумажного духа! Берегись его! Берегись бумажного духа!

— Мадам, я не понимаю. Что такое бумажный дух?

— Это значит, тебе нельзя обращаться с бумагой. Гадание закончено. Дай 50 копеек за мою работу.

В центре базара разбитной парень стоял на подводе, полной старых вещей, и зычно кричал:

— Любой товар — полтинник! Любой товар — 50 копеек!

Люди охотно рылись в его вещах, каждый находил что-нибудь на свой вкус и покупал за 50 копеек. Там были старые свитера, проеденные молью, перчатки без пальцев, галифе с дыркой от утюга, чугунные щипцы для камина, книги без переплета, граммофонные пластинки и еще много нужных и ненужных вещей. Юдзи порылся в этих вещах и нашел старую японскую пластинку с наполовину содранной этикеткой. Но Юдзи все-таки прочел: это была пластинка с японской знаменитой песней «Амэно фуруёру» — «Ночной дождь».

Конечно, Юдзи тут же купил эту пластинку, хотя в лагере не было никакого граммофона.

Но Юдзи повезло: среди пленных оказался замечательный мастер Мацумото. Когда он узнал, что в лагере появилась японская граммофонная пластинка, он сказал:

— Я сам сделаю граммофон!

Юдзи не поверил:

— Как ты сделаешь граммофон? У тебя даже иголки нет!

Но Мацумото был веселый и упрямый мастер. Целую неделю он что-то точил в мастерской напильником, что-то ковал на кузнице и наконец победно принес в штаб граммофон собственного изготовления.

— Тише, товарищи! Давайте вашу пластинку!

Все столпились вокруг граммофона, Юдзи отдал ему пластинку, Мацумото до конца закрутил ручку граммофона с внутренней пружиной и опустил на пластинку шарнир с самодельной иголкой.

И вдруг из аппарата послышался тонкий и высокий женский голос, который пел по-японски: «Амэно фуруёру, амэно фуруёру... Ночной дождь, ночной дождь за темным окном... И душа моя плачет о родине, я слез не могу сдержать...»

— Банзай! — закричал Мацумото. — Я сделал это! Смотрите, как хорошо слышно!

— Замолчи, — сказал ему комбат. — Дай послушать.

Японцы стояли вокруг и слушали милый девичий голос своей далекой родины. И слезы текли по их щекам.

32

И снова стали набухать почки на березе возле ворот лагеря. Шел третий год жизни японцев в СССР.

Начальник лагеря Антоновский и лейтенант Крохин пришли в японский штаб. На погонах Антоновского появилась третья звезда, а в руках у Крохина был какой-то тяжелый пакет, перевязанный шпагатом. Опустившись на стул, Антоновский собственноручно развязал этот шпагат и вынул из пакета пачку почтовых открыток.

Японцы испугались, спросили:

— Что это такое? Неужели вы пришли проститься с нами?

— Нет, — сказал полковник. — Это открытки для вас, пленных японцев. На одной стороне вы вписываете свой японский адрес, а на другой пишете письмо своим родителям и семьям. Открытки пойдут в Японию через общество Красный Крест и будут доставлены точно по адресам.

— Неужели? Это невероятно! Неужели мы сможем послать домой такую весточку? Неужели их получат у нас дома?

Полковник улыбнулся:

— Хватит галдеть! Разве я похож на вруна? Это только священники врут с амвона перед алтарем. А я не священник, я полковник РККА! Немедленно раздайте эти открытки всем японцам. Пусть люди пишут побыстрей — там, у вас дома, заждались небось...

Еще бы! Кто, кроме перелетных птиц, мог за эти два года сообщить их родным, что они не погибли и не пропали без вести в этой ужасной Сибири? Японцы схватили открытки, стали рассматривать их. На них было напечатано:

СОЮЗ ОБЩЕСТВ КРАСНОГО КРЕСТА и КРАСНОГО ПОЛУМЕСЯЦА СССР

Почтовая карточка военнопленному Бесплатно

Откуда (страна, город, улица, номер дома)...

Куда (страна, город, улица, номер дома)...

— И вот что, Крохин, — сказал Антоновский. — Как там по инструкции? Какими буквами они должны писать свои письма?

Крохин достал инструкцию и прочел:

— Военнопленным японцам разрешается заполнять открытки только буквами ката-кана.

— Ёкояма, что это такое — ката-кана? — с трудом выговорил Антоновский.

— Это упрощенные иероглифы, самый легкий японский алфавит.

— Ну вот, разобрались. Хорошо, что я вспомнил. Скажите всем, чтоб писали только этими ката-кана, а то цензура не пропустит! И еще: писать можно только о себе, о своем здоровье. Нельзя писать, на какой вы работе, где лагерь, где находятся шахты и все остальное. Это государственная тайна, вам ясно?

— Так точно, господин подполковник! Уголь — это хлеб промышленности, а вся промышленность СССР — это государственная тайна.

Антоновский посмотрел Юдзи в глаза и сказал:

— Эх, Ёкояма, Ёкояма, ты договоришься когда-нибудь...

Юдзи промолчал, он вспомнил, как майор Каминский в такой же ситуации пригрозил ему совсем другим наказанием за его острый язык.

Открытки Красного Креста они стали называть «Письмо из Сибири», а лагерный поэт Симидэ и композитор Такадзё даже написали такую песню. Теперь пленные часто пели ее у себя в бараках.

ПЕСНЯ «ПИСЬМО ИЗ СИБИРИ»

Мамочка, как поживаешь?
Яркая Полярная звезда плывет по небу,
Ее лучи светят мне
В безграничной сибирской степи.

153

Мамочка! Помнишь,
Когда я был малышом,
Я показал тебе на эту звезду?
Она и сейчас сверкает мне в небе
Твоими глазами.

Мамочка, как ты там?
Знаешь, я уже лепечу с русскими по-русски.
Хотя у них синие глаза,
Но они все мои друзья.

Мамочка, мамочка!
Когда стает снег,
Я вернусь на родину и приду домой.
А пока до свидания, до встречи!

Эту песню многие написали в своих открытках домой.

Позже они узнали, что когда эти открытки приходили к их родным, те плакали и танцевали от радости.

33

«Одэхай» — так японцы назвали трудное русское слово «воскресенье». К тому же их выходной день не всегда совпадал с календарным воскресеньем, ведь шахты работали беспрерывно в три смены и всем шахтерам и рабочим давали выходной один раз в неделю. Поэтому «одэхай» был японским названием для выходного дня.

В этот день они сначала чистили и мыли бараки, потом мылись в бане, стриглись у парикмахера и после этого шли в лагерный магазин. Деньги тратили не скупясь и не экономя. Ведь никто не знал, что с ними будет завтра. В бараках они из купленных продуктов сами готовили себе обед, каждый показывал свое кулинарное искусство и кричал: «Даешь банкет!» На такие банкеты пленные ходили друг к другу в гости, пили русский квас и хором пели японские и русские песни. Иногда кто-то тайком приносил водку; ею некоторых японцев снабжали любимые «мадамы». Но русская водка очень крепкая, после нее люди сразу падали на койки и засыпали с громким храпом.

Как-то в один из дней «одэхай» лейтенант Крохин делал обход бараков. Юдзи сопровождал его. Они зашли в баню, она не топилась, но в зале, где моются, было полным-полно народу. Все сидели на полу, а бывший профессиональный артист Симада громко и красиво декламировал. Люди слушали его со слезами на глазах.

Крохин испугался:

— Ёкояма! Это что за собрание? Кто разрешил? Какую агитацию разводит этот солдат?

Юдзи улыбнулся:

— Не беспокойтесь, лейтенант. Это не агитация. Это наша знаменитая поэма. У вас есть самая знаменитая поэма «Евгений Онегин», а у нас «Дзиротёдэн».

— Гм... — сказал Крохин, повернулся и продолжил обход.

Однако не все русские офицеры были такие добрые. В другой раз старший лейтенант Карпов, увидев во время обхода такое собрание, тут же дал команду «Разойтись!».

Но японцы жили в Сибири уже два года, и доктор Калинина убедила Антоновского, что людям нужны после работы какие-то развлечения, какая-то душевная разрядка. И комбат Якогава получил у начальника лагеря разрешение на создание своей театрально-музыкальной труппы «Енисей» и оркестра «Красная звезда». Вот личный состав этого оркестра: композитор — Такадио, аккордеонист — Такэути, гитарист — Киндзё, саксофонист — Ямасаки, балалаечник — Кавано, барабанщик — Уэмура.

Японцы купили аккордеон, гитару, балалайку и саксофон, остальные музыкальные инструменты сделал их технический гений Мацумото. И каждый вечер после работы в шахтах этот оркестр собирался для репетиций на складе, свободную половину которого они назвали клубом. А в бане после ее закрытия ежевечерне репетировала театрально-музыкальная труппа: постановщик Кимура, драматург — Акино, сценарист — Окумура, актеры — Симада, Окасака, Кавагути, а также «ояма», то есть артисты, играющие женские роли, — Накаэ, Ёсидзуми и другие.

Несмотря на тяжелый двенадцатичасовой рабочий день в шахтах, они с большим удовольствием отдавались этим репетициям.

После месяца таких репетиций японцы сдвинули в одном из бараков все двухэтажные железные койки в одну сторону, а в другой стороне плотники построили сцену и декорации, художник Кисимото разрисовал их. Одновременно под руководством Кисимото японские портные сшили артистам театральные костюмы.

И наконец состоялось открытие самодеятельного театра!

Зал был переполнен. На полу и на койках сидели и стояли не только японцы, но и русские офицеры, солдаты, их жены и дети. Спектакль был музыкальный, и по ходу действия артисты пели японские и русские песни, а непонятные для русских места Юдзи переводил, стоя рядом со сценой.

Успех был полный! Спектакль много раз прерывался овацией, русские аплодировали актерам вместе с японцами и кричали: «Браво! Бис!» Мальчишки от восторга свистели сквозь пальцы. Особое внимание всех привлекли, конечно, артисты, которые исполняли женские роли и были одеты в кимоно.

— Ой, смотри! — удивлялись они. — Японка! Настоящая! Откуда они ее взяли? Тайно привезли в лагерь?

Юдзи стал объяснять, что это «ояма» — мужчины, исполняющие женские роли. Но они не могли в это поверить, и в конце концов один офицер пошел в актерскую комнату, чтобы проверить, откуда в лагере взялись японские женщины. И только когда артист Ногаи задрал подол кимоно и показал офицеру свое мужское достоинство, этот офицер успокоился, вернулся в зал и объявил всем русским:

— Это не бабы! Это правда мужики! С причиндалами!

34

Ранней весной Антоновский вызвал к себе комбата и Юдзи, переводчика.

— Можете ли вы найти среди ваших настоящего агронома и человек двадцать настоящих крестьян?

— Конечно, можем, господин начальник. У нас половина солдат крестьяне, и есть настоящий агроном — ефрейтор Ниихо. А для чего они вам?

— Мне они не нужны, они нужны вам. Вон, видите за окном этот холм с могилами? Я вам обещал, что больше ни один японец не умрет в моем лагере. Тем более от дистрофии. Я разрешаю вам организовать при лагере свое сельское хозяйство. Можете посадить картошку, капусту, огурцы, лук — все, что хотите!

— Спасибо, господин начальник. Это замечательно. Но где в лагере мы можем все это посадить? У нас маленькая территория.

— Я не сказал «в лагере», Ёкояма. Я сказал «при лагере». Ты понимаешь разницу? «При лагере» — это значит возле него, рядом. — И Антоновский со смехом посмотрел Юдзи в глаза, ему нравилось ловить его ошибки в русском языке.

Но Юдзи еще не мог поверить в то, что слышал.

— Господин подполковник, вы хотите сказать...

— Нет, Ёкояма, я не хочу сказать, — перебил он. — Я уже сказал! Пусть ваши кузнецы сделают на кузне плуги, берите наших быков и лошадей и распашите за лагерем землю под свои посадки. Это будет ваша усадьба. Ясно?

— Никак нет, товарищ подполковник. Укажите, пожалуйста, место — откуда и докуда мы можем распахать? Сколько площади?

Антоновский встал, вышел из штаба на крыльцо. Японцы вышли за ним.

— Комбат Якогава, — сказал Антоновский. — Ты видишь эту степь от лагеря до горизонта? Вся ваша! Можете пахать!

— Извините, господин начальник. Нам очень неловко спрашивать, но все-таки скажите, пожалуйста, у вас есть разрешение от землевладельца этой степи?

— Ёкояма, ты темный человек! Разве ты не знаешь, что у нас давным-давно нет никаких землевладельцев, помещиков и капиталистов? У нас все общее, народное. Я хозяин этой земли, лейтенант Крохин — хозяин, Таня, которая смотрит на нас в окно, — хозяйка, и даже вон тот часовой на вышке тоже хозяин! Так что давайте пашите — сколько хотите и сколько сможете. Мы разрешаем! Правда, Таня?

Японцы не знали, как их благодарить. В Японии каждый клочок земли имеет своего хозяина, и среди крестьян часто возникают ссоры и драки из-за нескольких сантиметров на разделительной полосе. А тут им отдали всю степь до горизонта!

Сержант Ниихо был немедленно освобожден от работы на шахте, получил должность агронома и отобрал в свою сельхозбригаду самых сильных и опытных крестьян. Их обязанностью стало вырастить овощи, сохранить их, развести домашний скот — свиней, гусей, кур. По его заказу японские кузнецы сделали плуги, мотыги, лопаты, заступы, вилы и прочий инструмент. После этого Ниихо и его люди вывели из конюшни лошадей и быков, запрягли их в плуги и начали распашку.

Они пахали ведь день, но результат был ничтожный. Земля, которую никто не трогал тысячи лет, затвердела так, что ни бык, ни лошадь не могли сдвинуть плуг больше чем на полметра. Глядя на эту работу, лейтенант Крохин сказал:

— Эх вы, слабаки японцы! Так вы месяц будете ковыряться, чтоб посадить три картошки!

— Еще бы! — сказал Юдзи с обидой. — Кто в двадцатом веке работает таким первобытным способом? Только у вас в России.

Но теперь обиделся Крохин:

— Почему? У нас тоже тракторы есть. В Заречной, на МТС.

Юдзи с агрономом тут же пошли к Антоновскому.

— Извините, господин начальник. Мы не можем быками распахать эту степь. Разрешите нам поехать на МТС и взять в долг хотя бы один трактор.

На следующий день, с утра до вечера, трактор «ХТЗ» пахал сибирскую степь. К вечеру он распахал несколько квадратных километров. За трактором шли японские пленные крестьяне, сажали картошку. В другой стороне они посадили рассаду капусты, огурцов, помидоров.

Летом картошка густо разрослась, поднялись и кустики огурцов и помидоров. Но вместе с ними буйно взошли сорные травы. Что делать? Агроном Ниихо пришел в штаб к комбату.

— У нас нет техники для механической прополки. А вручную силами моей бригады вырвать сорняки на таком поле совершенно невозможно.

Вечером комбат собрал всех бригадиров, объяснил ситуацию. Бригадиры зашумели:

— Мы вкалываем на шахтах по 12 часов в день! И у нас постоянно забирают людей то на сельское хозяйство, то на строительство! Мы больше не можем выделить агроному ни одного человека!

Выслушав всех, комбат сказал:

— Я принял решение. Приказываю: с завтрашнего дня каждая бригада после возвращения с работы занимается прополкой полей. Для этого агроном Ниихо распределит участки по бригадам, и я сам буду принимать у вас эту работу. Объявляю социалистическое соревнование бригад по прополке наших полей.

Бригадиры недовольно зашумели, но комбат поднял руку:

— Тихо! Я знаю, что это не очень приятный приказ. Но подумайте, что лучше: летом прополоть наше поле, чтобы получить овощи на всю зиму и выжить в Сибири, или зимой копать новые могилы?

К удивлению бригадиров, даже те из шахтеров, которые целый день махали кайлами и добывали уголь в забое, не возражали против сверхурочной работы. Летом в Сибири день очень длинный, люди возвращались из шахт засветло и с удовольствием, с песнями и шутками работали в поле еще два и даже четыре часа. Многие были из крестьян, им нравилось снова заняться своим родным делом. И все знали, что работают только для себя, для своего спасения от ужасной сибирской зимы.

И вот наступила осень. На столе начальника лагеря появилась картошка, которую агроном Ниихо выкопал для пробы. Антоновский с удовольствием взвешивал ее в руке, крутил, подбрасывал.

— Вот это да! Какая большая! Не хуже украинской! Пять сантиметров в диаметре! Банзай, японцы!

После двух лет пребывания японцев в Сибири многие русские стали вставлять в свою речь японские слова «банзай», «ка ничево» и другие. А на столе у Антоновского появился русско-японский словарь.

35

Весной 1948 года во всей округе случился ужасный переполох. Из Москвы пришло сообщение о том, что по итогам Всесоюзного социалистического соревнования шахта Южная, на которой работали только пленные японцы, заняла первое место и награждена переходящим Красным знаменем ВЦСПС, а также премией в 150 000 рублей. То есть в Москве не учли (или не знали), что Южной шахтой управляют японские военнопленные, а просто по цифрам добычи угля присудили им первое место. Исправить эту ошибку не решился никто — ведь награды за результаты соревнования утвердил лично товарищ Сталин. Кто мог доложить Сталину, что соревнование с русскими шахтерами выиграли пленные японцы? Да его бы тут же и расстреляли!

В результате знамя ВЦСПС оставили в обкоме партии, а победителей Всесоюзного соревнования построили на плацу и вручили им небольшие подарки — варежки, меховые шапки и прочие мелочи в общей сложности на сумму 10 000 рублей. А про остальные деньги сказали, что они уйдут на строительство Дома культуры в областном центре...

36

Летом 1948 года в бараке пленных японцев один шахтер сказал:

— Слушайте, сегодня в шахтном люке я слышал от русского шахтера Николая — вы его знаете, он никогда не врет... Так вот, он сказал, что видел на станции эшелон с японцами. Они ехали на восток и пели веселые песни. Наверняка это наших стали отправлять в Японию.

— Врешь! Не может быть!

— Я никогда не вру...

Потом рабочие лесного склада сказали, что им подали порожняк с несколькими вагонами, на которых по-японски написано «Кикоку банзай!» , то есть «Ура, возвращение на родину!».

Японцы побежали посмотреть на эти вагоны и действительно своими глазами увидели эту надпись. Вечером весь лагерь был в сильном возбуждении. Еще бы! Наверняка в этих вагонах везли японцев из других лагерей.

Но одновременно появились другие слухи, разочаровывающие. Одна из «мадам» на Северной шахте сказала:

— Вчера через Заречную прошел эшелон с японцами. Но не на восток, а на запад. Я сама видела. И в каждом вагоне были охранники с автоматами. Очень злые, свирепые.

— Откуда ты знаешь, что это были японцы?

— Ну как? Такие же узкоглазые!

— А может, это китайцы, которых Мао Цзэдун арестовал? Или киргизы...

Хотя японцы продолжали выполнять и перевыполнять нормы и совсем неплохо жили в лагере — со своим сельским хозяйством, своей пекарней, баней, парикмахерской, театром, оркестром и даже со своими русскими зазнобами и «мадамами», — то есть и правда *жили, как при коммунизме: работали по способностям, а получали по потребностям,* — но слухи о возвращении на родину уже не давали им спать.

> Немало я стран перевидел,
> Шагая с винтовкой в руке,
> Но не было больше печали,
> Чем жить от тебя вдалеке...

Вечером 15 сентября 1948 года начальник лагеря Антоновский неожиданно вызвал в свой штаб всех русских, а также японских офицеров и бригадиров. Дежурный офицер скомандовал:

— Всем смирно! — И доложил: — Товарищ начальник лагеря, по вашему приказанию — все в сборе!

В штабе светила только одна лампочка, на улице было уже темно.

Антоновский встал:

— Внимание, товарищи! Сегодня я получил приказ чрезвычайной важности. Читаю: «Приказом Верховного главнокомандующего генералиссимуса Сталина лагерь военнопленных при Канском рудоуправлении закрыть 29 сентября сего года. Всех военнопленных 28 сентября погрузить в вагоны и отправить в Находку для репатриации в Японию».

Японцы стояли не шелохнувшись, затаив дыхание и сдерживая крик радости.

Прочитав приказ, Антоновский пожал руку командиру батальона Якогаве:

— Поздравляю комбата, офицеров и всех солдат!

Только теперь его круглое лицо расплылось в широкой улыбке.

— Сердечно и от всей души повторяю: поздравляю вас с возвращением домой!

После чего он снова стал серьезным.

— Внимание! До 20 сентября все должны продолжать свою работу и трудиться, как всегда, добросовестно и с перевыполнением нормы. Не забывайте, что у нас Красное знамя ВЦСПС, и вы не можете перед отъездом испортить свою репутацию! Ёкояма, как говорит ваша японская пословица? «Даже птица, улетая, не оставляет грязи в своем гнезде».

Подавляя в себе радостное возбуждение, японцы тихо разошлись по баракам. Но через несколько минут изо всех бараков они хлынули наружу, послышались радостные крики:

— Ура! Банзай! Домой! Кикоку банзай!

Люди стали петь и плясать от счастья, музыканты заиграли на аккордеоне, барабане и других инструментах, и никто из русских охранников и офицеров не кричал и не приказывал: «Разойдись! Отбой!» Наоборот, охранники обнимали японцев и плясали вместе с ними.

Со следующего дня японцы с оживлением стали готовить лагерь к закрытию. По японской пословице о птице, которая, улетая, не оставляет грязи в своем гнезде, они старательно очистили бараки, в которых прожили ровно три года. Все музыкальные инструменты, театральные костюмы и другие актерские украшения они пожертвовали сиротскому дому в Заречной. Коров, лошадей, коней, свиней и домашнюю птицу подарили соседнему колхозу. Выращенный картофель, капусту, помидоры и остальной урожай буквально в последние дни собрали со своих полей, убрали в склад, а ключи от склада тоже подарили сиротскому дому.

К 27 сентября подготовка к закрытию лагеря была закончена, и утром 28 сентября японцы побригадно восходили на холм, где было кладбище. Там они низко кланялись могилам своих погибших товарищей и со слезами на глазах говорили им:

— Прощайте, братья! Завтра мы уезжаем на родину. Но мы не забудем вас. Мы обещаем, что обязательно будем навещать вас и передадим вашим родным точный адрес, где вы похоронены. Они обязательно приедут сюда поклониться вам!

После этого они посадили вокруг кладбища молодые березки, чтобы по этим березам родственники погибших всегда смогли их найти.

В тот же день в 13.00 все выстроились в центре лагеря. Началась прощальная церемония. Начальник лагеря Антоновский простился с японцами, комбат Якогава сказал прощальные слова русским офицерам и солдатам. Затем, взяв в руки свою непременную дощечку «гунпай», командир караульного взвода произвел самую последнюю перекличку и доложил Антоновскому:

— Товарищ командир лагеря, весь наличный состав в количестве 694 человек построен для отправки на станцию Заречная!

Антоновский сказал:

— Комбат Якогава, командуйте!

И комбат скомандовал:

— Смирно! Домой в Японию шагом марш!

Ворота лагеря широко распахнулись.

Около ворот стояли все русские офицеры, охранники, сотрудники и сотрудницы русского штаба.

Они кричали японцам, которые колонной шли мимо них, «банзай» и «счастливого пути».

Береза на прощание осыпала их своими желтыми листьями.

37

В Заречной на станции состав громыхнул сцепками товарных вагонов и остановился — это подали эшелон. Японцы легко разместились в теплушках, ведь их осталась ровно половина от полутора тысяч, которые три года назад приехали сюда из Маньчжурии.

Сгрудившись у дверей, они смотрели наружу. То, что они видели, многим слезило глаза. Вдоль всего эшелона стояли местные жители. Их было очень много, и все они были друзьями японцев. А многие женщины — их зазнобами.

Засвистел в свисток дежурный по перрону и дал отмашку красным флажком... Машинист дернул ручку паровозного гудка, паровоз издал протяжный прощальный гудок, дернулись шатуны паровозных колес, и клацнули буферами сцепки вагонов.

Махая руками, Зина и Таня, Шура и Катя, Нина и Наташа, Коля и Ваня, Петя и Сережа — все закричали во весь голос:

— До свидания, дорогие! Счастливого пути!

Юдзи не мог оторвать глаз от глаз своей Тани — глаз, полных горя и слез.

Комбат Якогава, плотно сжав скулы, смотрел на военврача Калинину. Она сильно располнела с тех пор, как стала лечить комбата Якогаву, и живот ее заметно округлился...

Медленно тронулся поезд, наступила минута расставания.

И в этот миг к станции подкатил трофейный «виллис», из него выскочили трое особистов в новеньких гимнастерках, кожаных портупеях и хромовых сапогах. Ускоряя шаг, они взбежали по ступенькам на перрон, спешно подошли к вагону, в двери которого стоял подполковник Якогава, и молча, без единого слова, сдернули его с подножки.

— В чем дело? — спросил он у них по-русски.

— Спокойно, кобель! Не выступай! — сквозь зубы ответил ему один из них.

Но русская толпа провожающих зароптала, и второй объявил громогласно:

— Тихо! Не шумите! Он поедет позже, в генеральском поезде.

И повели Якогаву в свой «виллис».

Между тем паровоз, рассыпая черный дым из высокой трубы, набирал скорость и увозил японцев со станции Заречная, где остались могилы их товарищей, приятельские отношения с русскими командирами и соседями и нежные чувства к русским женщинам, которые щедро дарили им свое тепло и свои сердца. А также их комбат подполковник Якогава...

Юдзи отошел от двери вагона и со слезами упал на пол. Танины глаза и тепло ее медового тела все еще держали его в своем русском плену.

***

С 1948 года в Японии, в гавани Вакаса, куда приходили пароходы с японскими репатриантами, к приходу каждого такого парохода собиралась чуть ли не вся страна. Поскольку имена возвращавшихся советская сторона не сообщала, все семьи 670 тысяч военнопленных — их матери, отцы, братья, сестры, жены и дети — часами стояли в порту, с трепетной надеждой ожидая прибытия каждого судна и напряженно высматривая родную фигуру и родное лицо среди спускавшихся по трапу мужчин.

Начавшаяся в 1948 году репатриация японских военнопленных закончилась только в 1956 году. Из 670 000 японцев, прибывших в 1945 году в СССР, почти 70 000 умерли в советских лагерях.

И в 1956 году последние баржи встречали уже только несколько тысяч — те, кто еще не простился с надеждой увидеть в живых своих сынов или мужей.

Но самую последнюю, в начале 1957 года, баржу, на которой было меньше сотни репатриантов, уже не встречал никто.

Среди этих последних был подполковник Якогава — седой и постаревший на десять лет. После Заречной он еще восемь лет провел в лагерях на строительстве Байкало-Амурской железной дороги. А доктор Ирина Калинина была уволена из МВД, и о ее судьбе он не знал ничего.

Якогава сошел на берег, прошел через небольшую молчаливую толпу прибежавших в порт в последнюю минуту и пешком отправился в горы. Там, в ста километрах от Вакасы, был его дом. Он шел туда двое суток.

Солнце уходило за горы, когда он подошел к родной калитке. За невысокой живой изгородью из японской жимолости патефон играл песню «Амэно фуруёру» («Ночной дождь») и слышались голоса. Он узнал их — его отец и мать, его жена и трое его детей, выросших без него, обсуждали какие-то местные новости.

Якогава набрал в легкие воздух и толкнул калитку.

Вся семья оглянулась на ее скрип и, замолчав, вопросительно уставилась на этого незнакомца — седого, заросшего, в линялой гимнастерке без погон и в каких-то странных обмотках на ногах.

А старый доберман, демонстрируя храбрость и верность хозяевам, вскочил на ноги и, ощерясь, взвился в воздух — прыгнул на чужака.

И только в воздухе, в прыжке вдруг поймал знакомый запах, задергался, рухнул на землю в пяти метрах от Якогавы и, виновато скуля, на брюхе пополз к его ногам — узнал хозяина.

...Позже, когда Якогава пришел в себя и освоился с домашними, он прочел в газетах и увидел в кинохронике гигантские манифестации бывших японских военнопленных, которые шли по Токио с красными знаменами и лозунгами, призывающими к построению коммунизма в Японии.

Мощными многотысячными колоннами они двигались по городским улицам и пели:

> Расцветали яблони и груши,
> Поплыли туманы над рекой.
> Выходила на берег Катюша,
> На высокий берег, на крутой...

2005—2008

Father's Dance,
или
Ивана ищет отца

В летнем кафе — небольшая крытая эстрада, перед ней танцплощадка с фонтанчиком и столики под навесом. Гремит новомодная музыка, на танцплощадке танцуют 13—14-летние подростки. Над эстрадой висят шары и гирлянда из букв: «С ДНЕМ РОЖДЕНИЯ, ЛЕНА!!!» Подростки отрываются в танце... Курят за эстрадой тайком от взрослых... Целуются в кустах над рекой... Выпивают...

Неожиданно музыка обрывается, массовик взбегает на сцену с микрофоном:

— Внимание! А сейчас еще одна фишка нашего праздника: father's dance! Для тех, кто не сечет по-английски: отец именинницы приглашает свою дочь! Маэстро, музыку!

Подросток-«диджей» врубает танго, отец именинницы встает из-за столика, идет к дочке и церемонно приглашает ее на танец. Высокий, моложавый и по-офицерски подтянутый, он красиво танцует со своей 13-летней красавицей дочкой. А вокруг стоят подростки — одноклассники и друзья именинницы, их много, и это в основном девочки... Они смотрят на танец отца и дочки, и среди откровенно завистливых лиц этих зрителей — наша Ивана и рядом с ней ее одноклассник Федя...

Между тем танец продолжается, и по его ходу то сыплются с эстрады конфетти... то гремит и рассыпается огнями фейерверк, который, по словам массовика, любящий отец дарит любимой дочке...

Шарах!

Это Ивана врывается в свою квартиру и с порога швыряет в угол, об стену свою сумочку.

30-летняя, в форме ж.-д. проводницы, мать Иваны, колдовавшая у плиты, и 50-летняя бабушка, строчившая на швейной машине цветастых «баб на чайник», в оторопи смотрят на нее.

Теперь мы можем разглядеть квартиру — типичную совковую малогабаритку в провинциальной хрущобе. Каким-то образом тут разместились и раскладной диван, и одежно-бельевой шкаф, и книжные полки, и письменный стол, и торшер, и телевизор — все старое, совковое...

— Ты чего? — изумилась мать.

— Где мой отец? — яростно сказала Ивана.

— А в чем дело? — спросила бабушка.

— Ни в чем! Я просто спрашиваю: где — мой — отец? Или я выблядок?

Бабушка возмутилась:

— Как ты смеешь?!

— Это не я! Это во дворе пацаны меня так называют.

Бабушка рванулась к окну:

— Мерзавцы! Сво...

— Подожди, — остановила ее мать и повернулась к Иване: — Ты же знаешь: твой папа погиб в Афганистане. Как герой...

— Врешь! — отмахнулась Ивана, прошла в туалет и хлопнула за собой дверью.

Мать и бабушка переглянулись.

Из санузла послышалось журчание.

Бабушка крикнула:

— Ты как с матерью разговариваешь?

Ответом был характерный обвал воды из туалетного бачка. Затем Ивана, на ходу раздеваясь, вышла из санузла.

— А так! Мне тринадцать лет! Я имею право знать, кто мой отец и где он!

— Мы же тебе сказали... — сказала бабушка.

— Хватит! — крикнула Ивана. — Понимаешь? Хватит мне лапшу вешать! Война в Афганистане кончилась в 87-м! Мне что — двадцать лет?

И Ивана ушла в спальню.

Бабушка и мать вновь переглянулись.

Бабушка сложила в картонную коробку штук двадцать «баб на чайник», изготовленных за день, затем разложила диван и стала стелить себе на ночь.

А в спальне Ивана, лежа на своей узкой койке, уже надела наушники от плейера и «улетела» в музыку модной среди подростков группы «Дважды два».

Когда мать вошла в спальню — крохотную, как пенал, комнатенку, вдоль стен которой с трудом разместились две односпальные койки и 50-летнее чешское трюмо с зеркалом, — Ивана все так же отрешенно, с закрытыми глазами лежала с наушниками на голове.

Помявшись, мать тихонько сняла с себя свою проводницкую форму, надела ночную рубашку и, собираясь лечь в свою кровать, выключила свет.

Но тут Ивана сорвала с головы наушники и рывком села на койке.

— Блин! Ты мне что-нибудь скажешь?

— Что? — испуганно спросила мать.

— Хотя бы его фамилию!

— У тебя есть фамилия. Давай спать.

— Я не могу спать! Он мне снится! Он жил с нами или не жил? Ты можешь мне сказать?

— Он не жил с нами.

— Это честно?

— Честно. Спи.

Ивана резко откинулась на койке — лицом к стене и поджав ноги.

А ей все равно снился летний парк, музыка, и в этом парке папа — молодой и высокий офицер — несет на плече трехлетнюю Ивану с красным шариком в руках.

В городском парке Ивана и Федя, положив на стойку тира школьные ранцы, достали из карманов своих потертых и дешевых курток какие-то смятые деньги, уплатили и получили ружье.

Ивана неумело пристроилась к прикладу, хозяин тира поправил и объяснил, как смотреть в прицел через мушку.

Стремительно бежит заяц-мишень.

Ивана стреляет, заяц падает.

— Я попала! Я попала! — счастливо запрыгала Ивана. — Еще раз!

Снова бежит заяц.

Ивана снова стреляет.

Заяц падает.

Ивана входит домой, победно бросает портфель и победно говорит бабушке, строчившей на швейной машине очередную партию «баб на чайник»:

— Я знаю, кто мой отец!

Бабушка испугалась, прекратила строчить:

— Кто?

— Офицер!

— С чего ты взяла?

— А я стреляю без промаха! Это у меня наследственное!

— Вот видишь, — нашлась бабушка и снова стала строчить на швейной машине. — Мы же тебе говорили...

— Нет, — легко отмахнулась Ивана, — вы говорили, что он летчик. Где мама?

— Ну где? В рейсе... — сказала бабушка.

В потоке прохожих Ивана шла по центральной улице, пристально разглядывая встречных мужчин. Музыка группы «Дважды два» звучала в ее душе, и от этого походка ее становилась эдакой игриво-танцующей.

Натыкаясь на ее взгляд, мужчины реагировали по-разному — кто изумленно... кто заинтересованно... а какая-то женщина, сопровождавшая одного из приметных мужчин, поспешно взяла его под руку и возмутилась:

— Вот сучки малолетние!

Но Ивана словно и не слышит этого, а идет себе дальше все той же игривой походкой, все так же пристально разглядывая мужчин. Один из них, оглянувшись, повернулся и пошел за ней следом.

— Девушка!

Ивана остановилась, и он подошел к ней.

— Договоримся? — спросил он негромко.

Ивана смерила его оценивающим взглядом.

— Конечно.

— Тогда пойдем, — сказал он. — Держись.

И сделал свой локоть колечком.

Ивана радостно взяла его под руку и пошла с ним по улице.

— Все-таки сколько? — сказал он на ходу.

— Что?

— Ну, на сколько договоримся?

— А! Ну, на алименты.

Мужчина остановился:

— Какие еще алименты?

— Небольшие, не бойтесь. Вы меня удочерите, и...

Мужик рассвирепел:

— Я?? Я тя удочерю? Я тя так удочерю! Иди отсюда!

Кассирша супермаркета брала с ленты кассового транспортера хлеб, молоко, пакеты с гречкой и еще какие-то скромные покупки, пробивала их по кассе и объявила сумму:

— Двести семнадцать четырнадцать.

Но мать Иваны, не реагируя, стояла как в столбняке, глядя на улицу через оконную витрину.

Ивана толкнула мать локтем:

— Ма...

И глянула по направлению взгляда матери.

За окном, на заснеженной автостоянке, сорокалетний усатый мужчина переложил из тележки в багажник светлого «форда» увесистые магазинные пакеты с покупками, закрыл багажник, сел за руль и уехал.

— Ма, кто это? — спросила Ивана.

— Никто, — буркнула мать и повернулась к кассирше: — Сколько вы сказали?

Дома бабушка, прервав свое шитье, увлеченно смотрела по телевизору старый сериал «Просто Мария». А Ивана с матерью перекладывали в холодильник свои покупки: молоко, капусту, картошку...

— Почему он алименты не платит? — вдруг сказала Ивана матери.

— Кто?

— Ты знаешь кто. Мы его только что видели. Почему он не платит?

Бабушка, увлеченная телевизором, сказала:

— Нет, вы только подумайте! Этот мерзавец бросил невесту, а она уже беременна! На пятом месяце!

Ивана усмехнулась, спросила у матери:

— У тебя тоже так было?

Мать вздохнула:

— Ива, перестань. Вырастешь, я тебе все расскажу.

Ивана возмутилась:

— Я уже выросла! У меня месячные!

— Правда? — обрадовалась бабушка. — Слава Богу! Наконец-то!

Стоя у школьной доски, учитель рассказывал о новгородском вече.

Ивана, сидя за одной партой с Федей, шепотом сказала ему:

— Я его видела! Понимаешь? Он загрузил все в машину и уехал!

— А какая машина? — спросил Федя.

— Козлов! — одернул его учитель.

Федя замолк, учитель продолжил рассказ о вече.

Федя, опустив голову, снова спросил:

— Машина какая?

— Откуда я знаю? — шепотом ответила Ивана.

— Ну хотя бы — «Жигули» или импортная?

Ивана пожала плечами.

— А номер? Номер запомнила?

Ивана, почесав в затылке, стала вспоминать, как за стеклянной витриной супермаркета мужчина, загрузив покупки в багажник «форда», уходит в кабину и машина отъезжает, ее номерной знак — «ВУ 651» — был виден целую секунду...

— «Вэ У 651», — сказала Ивана Феде. — А дальше не помню.

— Ты гений! — громко воскликнул Федя. — Дальше и не надо!

Все ученики оглянулись. А учитель сказал:

— Козлов и Малышкина, вон из класса!

Ивана попыталась разжалобить его:

— Егор Васильич, мы больше не...

Но Федя перебил:

— Будем, будем! — И потащил Ивану за руку. — Пошли! Быстрей!

— Куда?

Подхватив ранцы — свой и Иваны, — Федя двинулся из класса, на ходу сказав учителю «спасибо».

Внутри здания городской милиции и ГИБДД Федя и Ивана долго стояли в очереди к дежурному. Очередь была взрослая, с какими-то документами, бланками и взрослыми разговорами автомобилистов. Наконец дошел через Иваны и Феди.

— Так? А вам чего? — сказал им дежурный.

— Нам это... — вдруг замялась Ивана. — Нам узнать... Машина номер «Вэ У 651»...

— Ну и чего?

— Нам фамилию владельца, — сказал Федя.

— И адрес... — добавила Ивана.

— А чё было — наезд? Увечье?

— Ну вроде того, — соврал Федя.

— Тогда вам в тот подъезд, в милицию. Напишете заявление, они найдут.

— А без этого, просто так нельзя, что ли? — спросила Ивана.

Дежурный развеселился:

— А просто так знаешь что бывает?

— Знаю, — ожесточилась Ивана. — Кошки трахаются.

180

— Ну вот видишь, — сказал дежурный. — Ты уже образованная. Иди отсюда.

Выйдя на улицу, Федя снова потащил Ивану за рукав — теперь к подъезду, возле которого стояли ментовские машины. Но Ивана вырвала руку:

— Ты с ума сошел?! Я на родного отца заявление буду писать?!

Выждав, когда дома нет ни матери, ни бабушки, Ивана, нацепив на голову наушники с музыкой «Дважды два», произвела тщательный обыск квартиры. Пересмотрела в шкафу все вещи матери... все документы и фотографии в ящиках комода... и наконец в кладовке, на верхней полке, в коробке из-под обуви нашла старую записную книжку-еженедельник с потускневшей палехской обложкой — русская тройка скачет по зимней дороге.

Осторожно начала листать желтенькие, с обтертыми краями странички этой книжки с разными малозначительными записями типа: «Марина — тел. 5-61-17» или «Кате должна 4 рубля 30 копеек, отдать не позже 5.7.».

И вдруг на дате «9 сентября» — крупная, жирная запись:

«ЦАРИЦЫН Е.Н.»

— Так!.. — Ивана стала загибать пальцы. — Сентябрь, ноябрь, декабрь. Январь, февраль, март. Апрель, май, июнь! — и сделала победный жест кулаком: — Йес! Мой день рождения! Блин! Я Царицына!!! А не какая-то Малышкина!

Обрадованно подошла к зеркалу, стала принимать царственные позы. Затем, изображая то учителей, то себя, заговорила разными голосами.

За учителя:

— Так, Царицына, к доске!

За себя, величественно:

— Одну минуточку, слушаю вас...

За учителя:

— Царицына, тебе тройка!

За себя, царственно:

— Благодарю вас.

Прервав эту игру, подскакивает к телефону, набирает 09.

— Алло, справочная? Мне, пожалуйста, домашний телефон Царицына Е.Н., ну Евгений Николаича. Наверно...

— Девушка, — ответила ей телефонистка. — Информацию о домашних телефонах мы не даем.

— Как не даете? Почему?

— Новые правила. В целях борьбы с терроризмом...

За окнами автобуса — подмороженными, в инее и с круглыми продышанными проталинами — плыли улицы провинциального города. Чем дальше от центра, тем эти улицы все больше были похожи на деревенские.

Наконец, почти на окраине города, водитель автобуса показал на какое-то неказистое двухэтажное здание и сказал Иване и Феде:

— Вам сюда.

Зябко ежась в своих тощих куртках и прокатываясь на наледях, Ивана и Федя подошли к зданию с вывеской «ПАСПОРТНЫЙ СТОЛ».

Внутри, в окошке торчал стриженый затылок, наклонившийся к своей работе.

— Здравствуйте, — сказала Ивана затылку, — нам справку получить.

— Какую справку? — не отрываясь от работы, спросил затылок женским голосом.

182

— Домашний адрес Царицына Евгения Николаевича.

— Двадцать пять рублей, — сказал затылок.

Ивана и Федя переглянулись и принялись рыться по карманам. С трудом набрали 25 рублей, но — мелочью. И всю эту мелочь аккуратно, стопочками положили на стойку.

Служащая, подняв коротко остриженную голову, глянула на эти стопки, фыркнула, положила на стойку бланк:

— Заполняйте.

И снова склонилась к своей работе — пересчету каких-то квитанций.

Ивана и Федя отошли к столу, Ивана принялась заполнять бланк, старательно вписала: «ЦАРИЦЫН Евгений Николаевич» — и шепотом сказала:

— Тут надо год рождения. Какой написать?

— А твоей матери сколько лет? — шепотом спросил Федя.

— Тридцать.

— Иди ты! Она тебя чё — в семнадцать лет родила?

— А что?

— Не, ничё. Ну, ты ж его видела. Сколько ему?

— Я не разглядела.

— Ну, если с машиной, пиши сорок лет. Приблизительно.

Ивана вписывает, относит бланк в окошко. Служащая берет бланк, включает допотопный — трубой — монитор компьютера, неумело вызывает мышкой адресный поисковик и одним пальцем тычет в клавиатуру, вписывая по буквам фамилию «ЦАРИЦЫН».

Ивана нетерпеливо ждет, нервничает.

На стене под портретом Путина тикают большие настенные часы.

Наконец на мониторе появляется какая-то информация, служащая долго ведет «мышку» к иконке «печать», нажимает и уходит куда-то в заднюю комнату, откуда слышится характерный звук допотопного струйного принтера.

Ивана изумилась:

— Неужели я сейчас отца получу?

— И всего за 25 рублей, — сказал Федя.

Служащая появилась из задней комнаты, положила на стойку узкую полоску бумаги с двумя еле видными строчками и, опустив голову, опять принялась за свою работу.

— Извините, это мне? — спросила Ивана.

Но служащая, не отвечая, продолжала пересчитывать какие-то квитанции.

— Извините... — снова начала Ивана.

— Ну вам, вам! — сорвалась служащая. — А кому еще? Тут никого нет с восьми утра!

Быстро взяв полоску бумаги, Ивана выскочила на улицу. Федор — за ней.

На улице, разглядывая блеклые строчки на бумажной полоске, Ивана удивилась:

— А чё это она ему возраст поменяла?

— Где? — спросил Федя.

— Вот. На десять лет меньше.

— Ты адрес смотри. Какой адрес?

— Короленко, восемь. Самый центр. Но возраст? Он чё — с мамой ровесник?

— Ну и что? У меня соседи — он ее младше на четыре года! И живут! Автобус! Побежали!

Действительно, из-за угла промороженной улицы показался заиндевелый автобус.

— Стой, у нас же денег нет! — спохватилась Ивана.

— Ничего, бегом! — потащил ее Федя.

Они побежали к автобусу, но тот, не останавливаясь, пронесся мимо.

Федор в сердцах запустил в него куском окаменелого сугроба.

Старый, кирпичный, шестиэтажный дом на пять подъездов. На доме табличка «Улица Короленко, 8». Стоя перед домом, Федя изумленно развел руками:

— Блин, Ива! Он же многоквартирный! А у нас нет никакого номера квартиры.

— Все равно! — решительно сказала Ивана. — Пошли!

И они пошли по пыльным и замусоренным лестницам, от квартиры к квартире, стучали и звонили в двери и, если им открывали, спрашивали:

— Здравствуйте, здесь живет Царицын Евгений Николаевич? Нет? А вы знаете такого?

— Здравствуйте, у вас тут в соседях должен быть Царицын Евгений Николаевич. Не знаете такого?

— Здравствуйте, это квартира Царицына? Не знаете такого?

И так — с этажа на этаж, из подъезда в подъезд.

Наконец — когда они уже выдохлись из сил и потеряли всякую надежду — какая-то женщина сообщила:

— Спросите выше, на шестом этаже в сороковой квартире. Но он там не живет, там только мать его.

— Ой, спасибо! — обрадовалась Ивана и победно повернулась к Феде: — Йес!!!

Радостно перепрыгивая через две ступеньки, они рванули вверх по лестнице. Запыхавшись, остановились у квартиры с номером «40». Ивана с ходу жмет на звонок. И стоит, зажмурив глаза.

За дверью скрипит засов, и дверь открывает маленькая шестидесятилетняя женщина.

— Здравствуйте, бабушка! — радостно сказала ей Ивана. — Я ваша внучка, дочка Евгения Николаевича! Мне нужен его адрес или телефон. Пожалуйста!

— Чего? — протянула 60-летняя. — Ну-ка вон отсюда! Ходят тут!

Она хотела уже и дверь закрыть, но Федя поставил ногу в проем.

— Стоп! Бабушка! Она правда ваша внучка! Дочка вашего сына!

— Убери ногу, зверь! — сказала 60-летняя. — Счас милицию позову! Сюда знаешь сколько таких внучек ходит?! Пошли отсюда!

Оттолкнув Федю, шестидесятилетняя захлопнула дверь, задвинула изнутри засовы.

Ивана, рыдая, пошла вниз по лестнице, но слезы застили глаза, и она уткнулась лицом в угол лестничной клетки.

Федя мялся за ее спиной, потом стал осторожно гладить ее по спине, и она рывком повернулась к нему. Рыдая, спрятала лицо на его груди.

Федя обнял ее, стал успокаивать:

— Ну все, все, успокойся...

— Я... — произнесла она, заикаясь и захлебываясь слезами, — я х-х-хочу па-па-папу!!!..

И зарыдала в голос.

Федя прижал ее к себе, стал целовать мокрые от слез глаза... щеки... губы...

Тут наверху вновь открылась дверь сороковой квартиры, шестидесятилетняя «бабушка» с тяжелым ведром в руке подошла к краю лестницы и... с размаху окатила их водой из этого ведра.

— Твари! — крикнула 60-летняя. — Сволочи! Весь подъезд затрахали уже! Вон отсюда!

186

Мокрые и возбужденные, Ивана и Федя выскочили из подъезда и наткнулись на девятнадцатилетнего парня с детской коляской.

— Пацаны, — сказал им парень, — закурить не дадите?

Федя остановился, порылся в карманах.

Парень обратил внимание на их мокрые головы и куртки.

— Чё это с вами? Царицына, что ли? Из сороковой?

Федя протянул ему початую пачку сигарет.

— А ты ее знаешь, что ли?

Парень взял сигарету, одной рукой прикурил, а второй закачал коляску, в которой захныкал ребенок. И сказал:

— Кто ж ее тут не знает? Такая сука!

— А сына ее тоже знаешь?

— А то ж! — сказал парень. — Евгений Николаевич — клевый мужик! Не то что мать!

Ивана напряглась, смотрит на парня во все глаза. А Федя осторожно спросил:

— А как нам его найти? Очень надо.

— По делу. Честное слово, — добавила Ивана.

— Дак это легко, — сообщил парень, усиленно качая коляску с ребенком. — Четвертая жэ-дэ больница. За вокзалом.

Тут над ними, в окне второго этажа, распахнулась форточка, из нее высунулась юная мамаша:

— Алексей! Ты что? Над ребенком куришь?

Парень испуганно отбросил сигарету.

— Все, пацаны. Я спалился...

Школьный коридор был забит учениками старших классов. Шумная толчея, обрывки разговоров и музыки из плейеров и мобильных телефонов. Ивана стояла в стенной нише, Федя отгораживал ее от остальной толпы.

— Мы сегодня идем к твоему отцу или не идем?

— Не знаю, Федь...

— Так решай! У меня тренировка...

— Федь, я боюсь. Я о нем столько лет мечтала. А он... Вдруг он такой, как его мать?

Федя взял ее за руку:

— Поди сюда!

И решительно потащил по коридору.

— Куда? — спрашивала она на ходу.

Федя, не отвечая, распахнул дверь с табличкой «ДИРЕКТОР ШКОЛЫ». За дверью, в глубине кабинета за директорским столом сидела женщина лет сорока.

— Елена Викторовна, — сказал ей Федя, — можно, я от вас позвоню?

Елена Викторовна глянула на него с изумлением.

— Нам очень нужно, Елена Викторовна!

— Ну... — протянула она. — Позвони...

Федя подошел к столу, снял телефонную трубку, набрал 09.

— Справочная? Четвертую железнодорожную больницу, пожалуйста... Пишу... — И, взяв со стола ручку, записал на директорском листике для заметок. — 52-14-40. Спасибо.

Елена Викторовна изумленно следила за ним.

Федя дал отбой, тут же набрал номер больницы и повернулся к Елене Викторовне:

— Елена Викторовна, извините, это по личному...

Она не врубилась:

— То есть?

— Ну это конфиденциально, честное слово, — и глазами показал на дверь. — На одну минуту.

— Ну знаешь!

Тем не менее она встала и вышла из кабинета.

— Алло, больница? — сказал Федя в телефонную трубку. — Это из школы номер семнадцать, от директора. Я могу услышать доктора Царицына? Спасибо. — И протянул трубку Иване: — Держи, сейчас соединят.

— Ты сдурел!! — испугалась Ивана.

— Держи, я сказал!

Между тем в трубке уже звучал мужской голос:

— Алло! Алло, говорите!

— Минуту, доктор, соединяю, — сказал Федя в трубку и насильно сунул ее Иване.

— Евгений Николаевич? — трусливо сказала Ивана в эту трубку. — Здра-здравствуйте... З-знаете, я... Я хотела бы с вами встретиться...

— А по какому вопросу? — спросила трубка.

— По личному.

— Хорошо. Приходите сегодня до двух.

— Спасибо, — обрадовалась Ивана. — Я приду! Обязательно!

Она осторожно положила трубку, и счастливые слезы вдруг покатились по ее щекам.

— Ты чего? — спросил Федя.

— Я папу нашла...

Но тут Елена Викторовна заглянула в дверь:

— Разрешите?

С громким гудком и подняв колесами снежную замять, поезд с грохотом несся мимо них на восток. Десять вагонов... двадцать... тридцать... Какие-то цистерны, пульманы...

— Блин! Мы опаздываем! — крикнула Ивана.

Наконец, пропустив последний вагон, Федя и Ивана перешли пути и бегом припустили через привокзальную площадь к зданию с вывеской «ЖЕЛЕЗНОДОРОЖНАЯ БОЛЬНИЦА № 4».

В вестибюле пахло карболкой, несколько больных во фланелевых халатах общались с навестившими их родственниками, ели из баночек принесенную родственниками снедь. Тут же медсестры катили кого-то в инвалидном кресле, а уборщица мыла шваброй пол...

Ивана и Федя, запыхавшись, подошли к окошку регистратуры.

— Здравствуйте. Нам нужен Царицын Евгений Николаевич.

— Всем нужен Царицын, — сказала дежурная. — А вы записаны?

— Да, он сказал приехать до двух.

— Так уже два часа! Бегом на третий этаж!

Ивана и Федя ринулись к лестнице, но медсестра остановила:

— Стоп! Бахилы наденьте! Без бахил не положено! — и положила на стойку свернутые бахилы.

Неумело и торопливо натянув на обувь эти бахилы, Ивана и Федя снова ринулись к лестнице.

— Тридцать пятый кабинет! — вслед им крикнула медсестра.

По лестнице, где стояли женщины в больничных халатах, Ивана и Федя взбежали на третий этаж.

— Федя, **ты** будешь разговаривать, — на ходу сказала Ивана.

— Я? — удивился он. — Почему я?

— У меня колотун, я боюсь.

Оба влетели в кабинет № 35 с табличкой **«Доктор ЦАРИЦЫН Е.Н.»**.

За столом сидел молодой безусый мужчина в докторском халате. Над ним на стене висели плакаты про гигиену женщины.

— Здравствуйте, мы успели? — с ходу выпалил Федя врачу. — Мы вам звонили.

— Да, садитесь, я вас слушаю. Вы вдвоем? Или...

Но Ивана захлопала глазами:

— Извините, а у вас были усы?

Царицын посмотрел на нее в изумлении:

— Усы? У меня? С чего вы?..

— Минуту! — сообразил и Федя. — У вас какая машина?

— Обыкновенная. «Лада». А в чем дело?

Но Федя гнул свое:

— Номер «Вэ У 651»?

— Нет. «АИ 721». Вон она, за окном, красненькая. А в чем дело? Что за допрос?

— Вы Царицын Евгений Николаевич? — спросила Ивана.

— Да, я.

— И у вас нет усов и нет машины с номером «Вэ У 651»?

— Да, как видите — ни усов, ни машины.

— Извините, мы ошиблись.

Громкий паровозный гудок. Поднимая снежную замять, поезд с грохотом пронесся мимо Иваны и Феди. Но уже в другую сторону, на запад...

Дома, в крохотной спальне, лежа на своей узкой койке, стоящей рядом с кроватью матери, Ивана, глядя в потолок, вдруг спросила:

— Ма, кто такой Царицын?

Мать, уже засыпавшая, испуганно открыла глаза.

— Что?

— Ты слышала. Кто такой Царицын?

— А-а... а почему ты спрашиваешь? — осторожно спросила мать.

— В твоей записной книжке я нашла фамилию «Царицын Е.Н.». Кто это?

— А ты уже лазишь по моим записным книжкам?

— Да! — ожесточенно парировала Ивана. — Я хочу знать имя своего отца!

Но мать не ответила.

— Ну! — сказала Ивана.

Мать все молчала.

— Послушай! — не отступала Ивана. — Все, что у тебя было до меня, меня не интересует. Даже Царицын, если он к моему зачатию не имел отношения. Но он записан 9 ноября, то есть ровно за девять месяцев до моего рождения. Ты можешь объяснить этот факт? А? Ты слышишь?

— Слышу... — негромко ответила мать. — Царицын — он... доктор. А была я у него на приеме за девять месяцев до твоего рождения. Или за десять, я не помню.

— А кто мой отец — это ты хотя бы помнишь?

Мать лежала, не двигаясь, со слезами, беззвучно катящимися из глаз.

Ивана поглядела на нее и рывком отвернулась к стене.

В парке все аттракционы стояли под снегом, как мертвые, даже вышка для прыжков выглядела пусто и сиротливо.

Шагая по мокрой аллее среди слежавшихся сугробов, Федя на ходу сбивал с деревьев сосульки, а Ивана говорила ожесточенно:

— Она мне врет, понимаешь! Говорит, что была на приеме у Царицына до моего рождения. Но ты ж его видел — ему максимум 33! Четырнадцать лет назад он не мог быть врачом!

— Его отец мог быть врачом, — заметил Федя. — Может, у них династия...

Тут из боковой аллеи выскочила компания юных наркоманов-попрошаек с гитарой, одна из них стала нагло совать Иване свою шапку:

— Сестра, выручи! Пять рублей! Помираем...

Федя оттолкнул ее, вместе с Иваной пошел дальше, говоря на ходу:

— Ты же сама мне сказала: твоя мать замерла, когда увидела в «КУПИСАМе» *усатого* мужика. А у этого врача ни усов, ни машины с номером «ВУ 651».

Ивана остановилась перед заснеженной вышкой для прыжков.

— Слушай, а ты летаешь во сне?

— Конечно. Мы же растем. Ну, в смысле наше тело растет во сне. И кажется, что летаешь...

— А ты один летаешь или со мной?

Федя усмехнулся:

— Ну это как когда...

— А я с папой летаю, — сказала Ивана. — Вот с этой вышки прыгаем, но не падаем, а летим — над городом, над речкой... Может, мой папа летчик, как думаешь?

— Он усатый? — спросил Федя.

— Подожди... Усатый на своей машине ездит за продуктами в «КУПИСАМ». И значит...

— Ты будешь сутками дежурить у этого «КУПИСАМа»? — заключил Федя.

Но Ивана поглядела на него долгим взглядом.

И конечно, это Федя, а не Ивана, стоя возле кассы «КУПИСАМа», сноровисто укладывал в пластиковые куписамовские пакеты все покупки, которые передавала ему кассирша. И помогал покупателям докатить тележки с их покупками до машин. А на стоянке машин собирал пустые тележки и откатывал их в магазин. И при этом постоянно наблюдал за покупателями и их машинами, высматривая усатых водителей и машину с номером ВУ 651...

И наконец — бинго! — усатый мужчина лет 33—35, уплатив кассирше кредитной карточкой за покупки, бегом — под проливным весенним дождем — покатил тележку, доверху нагруженную покупками, к темно-серому «форду» с номером «ВУ 651 ПО»!

Федя (в куписамовском дождевике), оторопев от такой удачи, замер под дождем посреди автостоянки. А потом со всех ног бросился помогать этому усатому.

Вдвоем они стали перегружать пакеты с продуктами в багажник машины.

— Спасибо, пацан, — сказал усатый.

— Пожалуйста. А вас как звать?

— Олег Кириллович. А тебе зачем?

— А нас учат вежливому сервису — всех постоянных клиентов знать по имени-отчеству, — нашелся Федя. — Вы же у нас постоянный клиент, верно?

— Молодец, глазастый! — сказал усатый, закрывая багажник. — Далеко пойдешь. — И бегом пробежал в кабину, сел за руль. — Вырастешь, возьму на работу. Пока!

— А куда на работу?

Но усатый уже уехал.

Проводив его взглядом, Федя забежал под дождем в магазин, подошел к кассирше и показал ей через окно на машину усатого:

— Зоя Петровна, этот покупатель, усатый, он только что карточкой платил. На этой карточке есть его фамилия?

— Конечно, есть. А тебе зачем?

— Он меня на работу пригласил. Сказал, что он Олег Кириллович. А фамилию я не расслышал...

— Так это ж Карпатый! — сказала кассирша. — Хозяин стройтреста и депутат! Его весь город знает. Если он тебя приметил — далеко пойдешь!

— Ага, спасибо, — улыбнулся Федя. — Он тоже так сказал.

* * *

Глядя по телевизору местные новости, Ивана, ее мать и бабушка ужинали втроем. Диктор рассказывал о застройке городских окраин жилыми кварталами. Затем с вопросом о ходе строительства и планах на будущее телеведущий обратился к генеральному директору местного стройтреста Карпатому. Но едва на экране возникло усатое лицо Олега Кирилловича, как бабушка, зевнув, переключила телевизор на другую программу.

Усмехнувшись этой уловке, Ивана в упор спросила у матери:

— Это он?

— Кто «он»? — сказала мать.

— Мой отец?

— С чего ты взяла? — изумилась бабушка.

— Ма, я *тебя* спрашиваю! — сказала Ивана. — Этот Карпатый мой отец? Да или нет?

— Нет, — отрезала мать.

— А кто мой отец? Царицын? — зло сказала Ивана и сорвалась на крик: — Ну! Говори! Кто?

Мать, отшвырнув ложку, вскочила из-за стола и убежала в спальню. А бабушка залепила Иване пощечину.

— Дрянь! Как ты смеешь?!

— Да? Я дрянь? — сказала Ивана. — Еще скажи: я выблядок! Она меня в подоле принесла, да? С кем-то трахнулась, да фамилию забыла!

Бабушка снова ударила ее по лицу.

— Заткнись, дура!

— Ах, так?

Ивана бросилась в спальню. Там, стоя на коленях, мать, вся в слезах, молилась перед иконой.

— Нет, — сказала ей Ивана, — теперь не замолишь! Я все равно его найду!

195

И, заполошно схватив свой школьный рюкзак, куртку, плейер и еще что-то из одежды, стремглав выскочила из квартиры.

— Ты куда? — запоздало крикнула бабушка.

Мать вышла из спальни, спросила:

— Куда она ушла?

— Ну куда-куда? — сказала бабушка. — К подруге какой-нибудь, куда еще?

— Я боюсь, мама...

— А ты не бойся. Ты что, из дома не уходила? И я уходила. Придет.

Ранним утром следующего дня мать Иваны, одетая в свою проводницкую форму, стола у ворот школы, вылавливала одноклассников Иваны и спрашивала, не видели ли они Ивану.

Наконец из-за угла появился и Федя, она бросилась к нему:

— Федя, а где Ивана?

— Я не знаю, — удивился он. — Здравствуйте. А почему вы спрашиваете?

— Господи! — испугалась мать. — Да где же она?! Мне на работу!..

В отделение милиции они уже прибежали вдвоем. На компьютере у пожилой, с погонами капитана, дежурной был сайт «Одноклассники», и она лишь вполуха слушала сбивчивый рассказ матери Иваны.

— Ей тринадцать лет!..

— Почти четырнадцать, — поправил Федя.

— Ну и что? — сказала мать. — Куда она могла деться? — и дежурной: — Я вас прошу!

— Сколько суток? — спросила та, не отрываясь от экрана.

— Что «сколько суток»?

— Сколько суток, как сбежала?

— Почему сбежала? — сказала мать. — Вчера ушла, вечером. Но я вас прошу: ее надо найти! Запишите, пожалуйста: Малышкина Ивана, 13 лет, приметы...

Дежурная нехотя достала бланк розыска.

— Да подождите панику устраивать! Ну не ночевала, подумаешь! Или у подруги, или... Четырнадцать лет. Джульетта в четырнадцать лет уже домой водила... Как фамилиё?

— Федя, — сказала мать, — я тебя умоляю! Мне на работу! — и объяснила дежурной: — Я проводницей на поезде! У меня рейс...

— Бегите, — сказал ей Федя. — Я тут сам все скажу.

— Позвоните мне. Пожалуйста! — попросила мать дежурную и быстро написала на клочке бумаги: — Вот мой мобильный! Как найдете, звоните!

— Ага, разбежалась... — пробурчала ей вслед дежурная.

Не доверяя милиции, Федя сам отправился на поиски Иваны. Заглядывал в кафе... в библиотеки... в парк... на автовокзал... на рынок... в пивную... на речной вокзал... в котельные... И, наткнувшись на бомжей-наркоманов, которые рылись в мусорном ящике, спросил у них. Те ответили — мол, заплатишь, скажем. Пошарив по карманам, Федя отдал им все деньги, и они махнули ему рукой в сторону каких-то задворков. Федя рванул туда...

Отодвинув доску в глухом заборе вокруг заброшенного аварийного дома, он пролез через забор в замусоренный и грязный двор аварийного дома, нашел там лаз в подвал, спустился в него и оказался в бомжатнике — бывшем бомбоубежище, ставшем ночлежкой.

Здесь было сыро, темно, грязно. Облупившиеся бетонные потолки и стены в граффити. В углах грязные матрацы, на которых валялись бомжи и наркоманы. Кто спал, кто что-то ел из пластикового пакета, кто кололся, кто курил вонючую самокрутку. Полуодетая девица ходила по бомжатнику, по-птичьи размахивая руками и восклицая: «Я летаю!.. Я летаю!..»

Всматриваясь в темные фигуры на матрацах, Федя обходил бомбоубежище из комнаты в комнату и наконец наткнулся на Ивану. Скорчившись, она спала в углу, прямо на бетонном полу.

Федя попробовал разбудить ее, растолкать, но она была в полной отключке.

Взвалив ее к себе на спину, он поволок ее к лестнице. Несколько бомжей преградили ему дорогу, требуя выкуп. Денег у Феди не было, а без выкупа они его не выпускали. Пришлось отдать им куртку.

На свежем воздухе Ивана пришла в себя, и ее вырвало.

Затем, обняв измызганную, в грязной одежде Ивану, Федя повел ее по улицам. Ивану качало, она почти падала, и прохожие брезгливо обходили эту пару, отпуская презрительные реплики:

— Сволочи! С утра напились!..
— В милицию их нужно!..
— И куда токо родители смотрят?..
— Ну отстой! Убивать таких...

Дотащив Ивану до подъезда своего дома, Федя хозяйски открыл подъезд, завел Ивану в свою квартиру и прямиком — в ванную. Ивана была по-прежнему в отключке, еле стояла на ногах и слепо качалась из стороны в сторону. Не раздевая ее, Федя поставил Ивану в душевую кабинку, перевел регулятор воды на «хол.» и включил воду.

Под ледяным душем Ивана разом пришла в себя, открыла глаза и попыталась выскочить из кабинки. Но Федя не выпустил ее, насильно удержал под мощной струей холодной воды.

— Чем ты кололась? Говори, чем кололась?

— Пусти! Мне холодно! Пусти!

— Не пущу! Чем кололась?

Ивана расплакалась:

— Я не кололась! Я курила!

— Что ты курила?

— Я не знаю! Пусти!

Федя выпустил ее из душевой кабины. Трясясь от холода, она стала стаскивать с себя мокрую одежду.

— Уйди отсюда! Не смотри! Скотина!

Федя ушел, закрыл дверь.

Ивана разделась догола и, дрожа и кутаясь в полотенце, выскочила из ванной.

Федя показал ей на кровать в спальне:

— Ложись, согрейся.

Ивана нырнула под одеяло.

— Уйди отсюда, сволочь!

Но и под одеялом ее так трясло, что зубы стучали.

Федя посмотрел на нее, а затем разделся и лег рядом с ней.

— Не смей! — стала отталкивать его Ивана. — Уйди! Не трогай меня!

Но Федя обнял ее, и она сдалась, прижалась к нему и расплакалась, уткнувшись лицом в его плечо. Он стал целовать ее в мокрые глаза, щеки, губы...

Ивана и Федя снова стояли перед служащей паспортного стола. Та читала на бланке их запроса:

— «Карпатый Олег Кириллович»... — И подняла глаза. — Это какой Карпатый? Депутат?

— Он директор стройтреста, — сказал Федя.

— Но он депутат, — ответила служащая и вернула им бланк. — Адреса депутатов мы не даем.

— Почему? — спросила Ивана.

— Потому! Есть инструкция.

— Но он нам нужен!

— Нужен? — усмехнулась служащая. — Идите к нему в стройтрест. Если вас пустят.

Лузгая семечки и наблюдая за подъезжающими машинами, Ивана и Федя пятый день дежурили на автостоянке перед супермаркетом «КУПИСАМ». И на пятый день были вознаграждены за упорство — тут появился знакомый «форд» с номером «ВУ 651 ПО».

— Все, пошли! — решительно сказал Федя Иване.

— Нет, я боюсь, — вдруг струсила она.

— Опять?

Меж тем машина запарковалась, из нее вышли Карпатый и 14-летний подросток.

Федя и Ивана переглянулись в замешательстве — этого они не ожидали.

А Карпатый и подросток уже зашли в магазин.

Федя и Ивана последовали за ними.

В магазине, взяв тележку, Федя и Ивана нашли Карпатого в вино-водочном отделе. Делая вид, что изучают марки выставленных на полках вин, Федя и Ивана приблизились к нему. А Карпатый, стоя у витрины дорогих подарочных коньяков, обсуждает их с 13-летним подростком.

— А если б у тебя был день рождения, ты бы что хотел в подарок? — говорил подросток.

— Ну я! — отвечал Карпатый. — Я люблю текилу! Но не такую, как тут, а голубую. Которую я из Мексики привожу. А Сорока текилу не пьет.

— А что он пьет? — спросил 13-летний. — Ты же с ним двадцать лет дружишь — должен знать...

Тут к отделу подошел Царицын, и тоже с тележкой.

— О-о! Кого я вижу?! Привет! — сказал он.

— Здравствуйте, дядь Женя, — ответил 13-летний.

Царицын пожал руку Карпатому, похлопал по плечу 13-летнего.

— Растешь, Витюша! — И Карпатому: — Ну что? Выбрал? А давай мы Сорокину от нас двоих купим. — Он взял с полки коллекционную водку в роскошной подарочной коробке с хрустальными рюмками. — Например, эту «Царскую».

Но Карпатый язвительно усмехнулся:

— Ага, счас! Ты Царицын и водка «Царская». Получается твой подарок за наши бабки.

Царицын поставил водку на место.

— Извини, не подумал. Тогда действительно вы свой подарок покупайте, а я куплю что-нибудь другое, не алкогольное. Пока! До завтра. Встретимся в «Речном».

И Царицын ушел.

— Па, по-моему, он обиделся, — сказал 13-летний Витюша.

— Он? — улыбнулся Карпатый. — Да нет! Мы с ним и Сорокой неразлейвода! В таких заворотах бывали!

Он поставил в тележку большую коробку с подарочным виски и направился к кассе. Федя и Ивана двинулись следом.

— В каких? — спросил на ходу Витюша у отца.

— Мал еще, — ответил Карпатый. — Вырастешь, расскажу.

— А я и сам знаю, — ухмыльнулся Витюша.

— Что ты знаешь?

— А я у бабушки одну газету видел, старую...

Карпатый разом остановился, дал сыну подзатыльник.

— Заткнись! — И, оглянувшись по сторонам, понизил голос: — Ты чё при людях? Я ж депутат!

Тут за окном магазина громыхнул гром, это в городе начиналась весенняя гроза.

Весенняя гроза секла окна библиотеки и стучала по ним ветками уличных деревьев.

В пустом библиотечном зале Ивана листала подшивки старых, тринадцатилетней давности, газет. Эти пожелтевшие страницы пестрели броскими заголовками тех сумасшедших времен:

«БАНДЫ ЗАКАЕВА И ГЕЛАЕВА ЗАХВАТИЛИ УРУС-МАРТАН»
«Теракт в токийском метро! Погибли 11, пострадали 5000!»
«ЕЩЕ ОДИН МАНЬЯК В НАШЕЙ ОБЛАСТИ!»

Наконец Ивана находит то, что ищет, — заметку с хлестким заголовком:

СВАДЬБА ИЛИ СРОК!
17-ЛЕТНИЙ СЫН ГЕНЕРАЛА СОРОКИНА ЖЕНИТСЯ, ЧТОБЫ ИЗБЕЖАТЬ СРОКА ЗА ИЗНАСИЛОВАНИЕ

Ивана, помертвев, стала читать эту заметку, но тут к ней подошла старушка библиотекарша:

— Девушка, восемь часов, мы закрываем.

— Еще минутку, — попросила Ивана. — Пожалуйста!

Библиотекарша заглянула на газетную страницу и сказала печально:

— Да, вот мы в какое время живем. Эти мерзавцы втроем девочек портили, а генерал их отмазал. Только тебе-то это зачем?

— Нет, это я случайно... — ответила Ивана.

— Все, заканчивай.

Библиотекарша ушла в книгохранилище и стала щелкать там выключателями, выключая свет.

А за окнами продолжалась гроза, и при очередном раскате грома Ивана решительно вырвала из газеты кусок страницы с роковой заметкой.

В пустом парке было темно, мокро и мусорно после грозы.

Ветер скрипел железяками мертвых аттракционов, раскачивал люльки чертова колеса и редкие фонари в темных аллеях.

Стоя под вышкой для прыжков с резиновым канатом, Ивана достала из-за пазухи фломастер и кусок газеты с роковой заметкой, написала на этом куске: *Все, мама! Я улетела! Ивана...*, спрятала газету за пазуху и решительно полезла вверх по мокрым перекладинам металлической лестницы. Порой ее руки соскальзывали с этих перекладин и казалось, что она сорвется. Но она продолжала взбираться все выше.

С высоты ей открылся темный, в редких огнях ночной город над рекой.

В голове гремела музыка группы «Дважды два».

Наконец Ивана достигла верхней площадки — крохотной, два на два метра. Вылезла на эту площадку, легла на ней, отдышалась, а затем встала в полный рост и распахнула руки, как для полета.

Ветер тут же надул ее кофту и рукава.

Ивана наклонилась навстречу ветру и сделала шаг вперед.

Теперь она стояла на самом краю площадки, в последний раз посмотрела на город, на дальний пароходик на реке и вниз, на черную землю.

— Ну! — громко сказала она самой себе. — Прыгай же, дура! Прыгай! — и расплакалась. — Я не могу... — и тут же озлобилась: — Можешь! Давай! Ты никто! Ты выблядок! Прыгай!

Но не так-то просто кончить жизнь самоубийством!

Сникнув, она отступила от края площадки, снова легла на нее и, разозлившись, принялась сдирать с себя одежду и швырять ее вниз — кофту, майку, юбку, кроссовки...

Катившая по темным аллеям парка патрульная ментовская машина проезжала мимо вышки, и одна из кроссовок Иваны шлепнулась ей на лобовое стекло.

Менты остановились, вышли из машины, задрали головы вверх и в изумлении открыли рты — на вышке, на ее самой верхней площадке сидела голая Ивана, болтала ногами и в полный голос горланила какой-то новый шлягер группы «Дважды два».

— Эй! — крикнул ей один из ментов.

— Тихо! — одернул его второй. — Ты чё? Напугаешь — свалится к чертям! Она ж пьяная в жопу!

— А чё делать?

— Не знаю. Я не полезу.

— Ладно, ну ее на хрен...

Менты сели в машину и укатили.

Ивана посмотрела, как милицейская машина удалилась в черной аллее, вздохнула и попробовала сама спуститься с вышки. Но это оказалось трудней и страшней, чем подниматься, — она не видела нижних перекладин, руки и ноги скользили...

Зависнув на высоте, Ивана стала скулить и плакать от страха:

— Спасите!.. Эй!.. Люди!.. Ну, пожалуйста! Эй!..

Но никто не отвечал, только вдали прогудел и прокрацал по рельсам скорый поезд.

Так, скуля и дрожа от холода, Ивана все-таки спустилась с вышки на землю, стала собирать свою одежду...

Ночью мать Иваны, стоя на коленях пред иконой Пресвятой Ксении великомученицы, беззвучно благодарила ее за спасение дочери.

Лежа в своей кровати и отрешенно глядя в потолок, Ивана спросила:

— Ма! Почему ты не сделала аборт?

— Какой аборт? — испугалась мать.

— Обыкновенный. Они тебя изнасиловали втроем.

— Кто меня изнасиловал?? С чего ты взя...

— Молчи. Я все знаю. Карпатый, Царицын и Сорокин. Ты с ними в одной школе училась.

— Откуда... Кто тебе сказал? — спросила мать помертвевшим голосом.

Ивана достала газетную заметку, прочла вслух:

— «Сын генерала Сорокина и дети «новых русских» Олег Карпатый и Евгений Царицын совращали или насиловали своих одноклассниц и избежали тюремных сроков только ценой свадьбы...» Ну? Какой ты у них была по счету?

Мать молчала.

Но Ивана не унималась:

— Почему ты не сделала аборт?

Мать продолжала молчать.

Ивана села в кровати и крикнула:

— Отвечай!!!

Но мать молчала.

— Как мне с этим жить, мама? — негромко произнесла Ивана.

Мать не ответила и на это.

— Почему ты их не судила? — спросила Ивана.

Мать все молчала.

— Да отвечай же! — снова крикнула Ивана. — Я имею право знать! Почему ты не сделала аборт?

Мать кивком головы показала ей на икону:

— Она мне не разрешила.

Тут в дверь заглянула сонная бабушка:

— Что тут за крик?

— Мама, уйди, — сказала ей мать Иваны.

— Ты опять скандалишь? — спросила бабушка у Иваны.

— Ма, она все знает, — сообщила ей мать.

Бабушка изменилась в лице.

В ресторане «Речной» гремела музыка. Но теперь на веранде за столиками под навесом была взрослая публика. Впрочем, были и подростки — дети этих взрослых. И среди них — та самая Лена, чей день рождения здесь отмечали почти год назад. Она сидела за центральным столом с матерью и отцом-подполковником ВВС. Здесь же, за этим столом, — Карпатый с женой и 14-летним сыном, Царицын с женой и двумя сыновьями-погодками, еще кто-то...

Неожиданно музыка оборвалась, массовик взбежал на сцену.

— Внимание! — сказал он в микрофон. — А сейчас еще одна фишка нашего вечера — белый танец! Но — особенный! Дочери приглашают отцов! Маэстро, врубай!

Подросток-диджей включил вальс.

Лена поднялась, церемонно пригласила отца.

А перед Карпатым вдруг возникла Ивана. Она была в материнском, в крупный горошек, платье времен 90-х годов. Но если несколько месяцев назад, когда она надевала его дома перед зеркалом, оно было ей великовато, то теперь — в самый раз.

Церемонным книксеном Ивана пригласила Карпатого на танец. Карпатый удивленно переглянулся с женой, однако встал и повел Ивану на танцплощадку. Там Ивана положила ему руку на плечо, и они стали танцевать.

— Тебе сколько лет? — спросил Карпатый с усмешкой самоуверенного жуира.

— А вы сами посчитайте, — улыбнулась Ивана.

— Ну как я могу? Наверно, пятнадцать, шестнадцать...

— Моя фамилия Малышкина. Мария Малышкина — помните такую?

Карпатый остановился как громом пораженный.

— Нет, вы танцуйте, танцуйте, — сказала Ивана. — Иначе я вам счас по морде дам! При всех! Ну, танцуйте!

Карпатый принужденно продолжил танец.

Издали за ними наблюдали жена и сын Карпатого, а также Царицын с женой и сыновьями-погодками. При этом Царицын озадаченно тер свой лоб, пытаясь что-то вспомнить.

А с края танцплощадки за танцем Иваны с Карпатым следил Федя.

Танцуя с Карпатым, Ивана остановилась у центрального столика, подошла к Царицыну и сделала книксен перед ним.

Царицын, озабоченно переглянувшись с Карпатым, встал и пошел танцевать с Иваной.

— Мне кажется, я вас где-то видел, — сказал он в танце. — Вы были у меня на приеме?

— И не раз, — усмехнулась Ивана.

— Правда?

— Ага. Первый раз это было пятнадцать лет назад. У вас дома. Тогда вы меня принимали втроем — вы, ваш дружок Карпатый и вот этот подонок, — Ивана кивнула на Сорокина, отца Лены, танцующего с дочкой. — Ну? Теперь узнаете? Я дочка Маши Малышкиной из десятого «А». И вас троих. Вы танцуйте, не останавливайтесь! А то я вас всех могу засудить. Потому что срок давности за изнасилование — пятнадцать лет. А мне только четырнадцать, даже меньше. Так что я еще год могу вас иметь по 47-й статье.

Ивана остановилась перед вальсирующими Леной и ее отцом-именинником, тронула Лену за плечо:

— Махнемся, Ленок...

— Зачем? — сказала та. — Я с папой танцую.

— Ничё, я тебя старше на месяц. Иди потанцуй с дядей Женей.

И Ивана властно взяла именинника за плечо и за руку и увела в вальсе.

— А ты мне нравишься, — сказал ей именинник. — Решительная девушка!

— Еще бы! Я же старшая дочь. Вся в родителей.

— Интересно, — игриво сказал именинник. — И кто же родители?

— А у меня их трое!

— Иди ты! Как это?

— А так. Мою маму три подонка изнасиловали. Вы, Царицын и Карпатый. Я Малышкина. Ты помнишь Малышкину из десятого «А»? Она в этом платье в школу ходила. Вспомнил? Ты танцуй, папаня, не останавливайся! А то я вас всех могу по 47-й упечь. Хоть завтра... Но ты знаешь, что я думаю? Что я *твоя* дочь. И знаешь почему? Ты спроси, не стесняйся.

— Ну... — принужденно спросил именинник. — Почему?

— Во-первых, ваша троица не только мою маму... Ленкину тоже. Но Ленкина мать именно тебя заставила на ней жениться. Почему? Наверно, ты был тогда самый главный и решительный — и с ней, и с другими. Вот и выходит — если Ленка твоя дочь, то и я тоже. Только я старше. А еще... Знаешь, когда я вижу во сне отца, он на тебя похож. То есть это на уровне генетической памяти. Ну и последний аргумент — я метко стреляю. Это у меня тоже от тебя, наследственное... Но ты расслабься, папаня! Я вас не разведу на бабки. Просто я всегда мечтала с отцом потанцевать.

Издали Федя напряженно смотрел на Ивану, вальсирующую с отцом.

Тут ведущий опять выскочил на сцену, схватил микрофон и объявил:

— А теперь — внимание! Главный сюрприз нашего вечера: друзья именинника дарят ему на день рождения группу «Дважды два»!!!

И грянула музыка этой группы, и под восторженный визг подростков на сцену ураганом вылетели кумиры Иваны и ее сверстников — подростковая группа «Дважды два». Они пели песню о том, что рано или поздно все взрослеют — даже маленькие дети рано или поздно становятся взрослыми...

Продолжительный звонок в дверь разбудил Ивану, ее мать и бабушку.

Поскольку бабушка спала на диване в гостиной, она, набросив халат, заспанно подошла к двери.

— Кто там?

— Малышкины тут живут? — спросил из-за двери мужской голос.

— Тут... тут... — проворчала бабушка, отпирая и открывая дверь.

К ее изумлению, за дверью на лестничной площадке стоял доктор Царицын.

— Доброе утро. А Мария дома?

Но бабушка не успела ответить, поскольку мать Иваны уже вышла из спальни, и Царицын сам увидел ее.

— Здравствуй, Маша, — сказал он. — Я пришел поговорить. Можно войти?

Но вместо матери ответила бабушка:

— Нет! С подонками нам не о чем разговаривать! Вон отсюда!

И резко захлопнула дверь.

Однако Царицын успел вставить ботинок в дверной проем.

— Подождите, — сказал он через щель. — Мы открыли счет...

— Вон отсюда! — перебила бабушка и с такой силой саданула дверью по ноге Царицына, что он выпростал ее из дверного проема, и дверь захлопнулась.

Прихрамывая, Царицын вышел из подъезда, подошел к своей красной «Ладе», открыл ее и сел за руль.

210

— Ну? — сказал с заднего сиденья Карпатый.

— Вытурили, — сообщил Царицын, заводя машину. — Слова не дали сказать.

Машина тронулась и выехала со двора.

Сверху, из окна третьего этажа, за ней смотрели Ивана и ее мать Мария.

Издали доносился утренний перезвон церковных колоколов.

В этот ранний час в пивном баре было не накурено и почти пусто.

Царицын, Сорокин и Карпатый стояли за столиком, пили пиво из кружек.

— Чё будем делать? — сказал Карпатый.

Царицын и Сорокин хмуро молчали.

— Они нас будут теперь кошмарить, как захотят!..

Тут к ним подошел один из первых посетителей, обратился к Карпатому:

— Олег Кириллович, я к вам как к депутату...

— Слушай, отвали, а! — сорвался Карпатый. — У меня сегодня выходной, понимаешь?

— Но я к вам как к депутату...

— А депутаты тоже люди, — объяснил Сорокин. — Может он спокойно пива выпить?

Мужик неохотно отошел.

— Вот что! — решительно сказал Карпатый Сорокину. — Ты был зачинщиком, ты и решай вопрос. И срочно, понял? Пока до суда не дошло.

— А может, ты? Все-таки депутат...

— Вот я тебе, как депутат, и поручаю.

Сорокин тяжело вздохнул, повернулся к Царицыну:

— Ладно, давай сберкнижку.

Царицын полез в карман.

Выйдя с потоком школьников из школы, Ивана и Федя направились домой. Весна уже полностью вошла в свои права, и город дышал расцветающей сиренью, липовым и яблоневым цветом.

Ивана сняла с уха один наушник и дала Феде послушать новый хит группы «Дважды два».

Под эту музыку они и шагали, когда Федя обратил внимание на серую «тойоту», которая медленно катила за ними.

— По-моему, это за нами... — сказал Федя.

Они остановились, выжидающе развернулись к машине.

«Тойота» тоже остановилась. Солнце отражалось в лобовом стекле, и потому ни Феде, ни Иване не было видно водителя.

Ивана и Федя пожали плечами и пошли дальше.

Но и «тойота» двинулась следом.

Федя круто развернулся и пошел к «тойоте».

Но машина вдруг резко рванула вперед и умчалась.

Затененные боковые стекла так и не позволили им разглядеть водителя.

Но когда — уже к вечеру — Ивана подошла к своему дому, «тойота» стояла там, при въезде во двор. И, увидев Ивану в боковом зеркале, Сорокин предупредительно открыл правую дверь.

Ивана, поколебавшись, села в машину.

— Здравствуй, дочка, — сказал Сорокин.

Ивана не ответила, а, не глядя на Сорокина, смотрела прямо перед собой.

— Я хочу поговорить с тобой... — произнес он и замолчал выжидающе.

212

— Вы уже говорите, — ответила она после паузы.

— Да, действительно... Не знаю, с чего начать...

— Начните с того, что вы боитесь суда.

— И это тоже... — согласился он. — Но если ты нас посадишь, кто выиграет?

Ивана наконец повернулась к нему:

— Справедливость.

Глядя ей в глаза, он пожал плечами:

— Может быть... Но будут разбиты еще три семьи и пять детей останутся без отцов. Как ты себя будешь чувствовать после этого?

— Замечательно. Они будут знать, как я себя чувствовала четырнадцать лет!

— Но они же перед тобой не виноваты.

— А кто? Кто ответит за то, что я выблядок? — сорвалась Ивана. — Кто?!

— Я отвечу, — сказал Сорокин, достал пистолет и положил на сиденье между собой и Иваной. — Можешь меня убить.

Ивана с оторопью посмотрела сначала на пистолет, потом на Сорокина, потом снова на пистолет.

Затем вдруг усмехнулась, с любопытством взяла пистолет. На его ручке было выгравировано: «Лейтенанту А. Сорокину за храбрость. Генерал Романов. Чечня, 1993 год».

Прочитав надпись, Ивана посмотрела на Сорокина.

— Он заряжен, — сказал тот и показал: — Вот здесь снимается с предохранителя.

Ивана усмехнулась:

— А ты не боишься, что я действительно...

— Боюсь, — признался Сорокин. — Но что делать? Надо отвечать за...

Он не договорил, повисла пауза.

Ивана положила пистолет между собой и отцом.

— Хорошо, — сказала она. — Чего ты хочешь?

Он снова полез в карман, достал сберкнижку:

— Вот, это твоя. Мы открыли счет на твое имя, положили каждый по тысяче долларов. Конечно, нужно больше, но сейчас кризис. Обещаем до твоего совершеннолетия каждый год класть еще по тысяче. Все трое. Возьмешь?

Ивана посмотрела на эту сберкнижку, на пистолет и снова на сберкнижку. Затем — на отца. И усмехнулась:

— То есть я — дочь полка? Не было ни одного отца, а теперь сразу трое? Да? Сволочь ты, папа! И все вы сволочи! — Она дернулась открыть дверь машины.

Но он удержал ее за плечо:

— Подожди...

— Не трогай меня! — вырвалась она и — уже вся в слезах — принялась дергать дверь, которая никак не открывалась. — Открой мне дверь!

— Но послушай...

— Я плевала на ваши деньги! — закричала она. — Открой мне дверь!

— Сейчас. — Он вышел из машины, обошел ее и открыл правую дверцу.

Ивана выскочила из машины, но Сорокин не отступил, а стоял, преградив Иване путь.

— Пусти! — крикнула она в истерике.

— Ударь меня.

— Пусти, я сказала!

— Ударь меня. Пожалуйста.

Она ударила.

— Еще.

Она ударила.

— Сильней.

Она ударила изо всей силы, но он сказал снова:

— Еще.

И она стала бить его кулаками в грудь, по плечам, по шее, бить изо всех сил, но он стоял, не защищаясь, и только просил:

— Еще... еще...

Выдохшись, она, рыдая, уронила голову ему на грудь.

Он поднял ладонь и нерешительно, неумело погладил ее по голове.

— Дочка...

— Пусти меня!.. — сказала она.

Он выпустил ее, и она убежала в свой подъезд.

А он, нервно закурив, все стоял в темноте вечера у своей машины и смотрел на окна третьего этажа.

А там, на третьем этаже, Ивана стояла у окна спальни и, не зажигая света, смотрела вниз, на Сорокина.

Но потом за ее спиной дверь спальни открылась, в дверном проеме возникла бабушка:

— Ты идешь ужинать?

Ивана не ответила.

Бабушка подошла к ней, посмотрела в окно.

Внизу, в темноте вечера, мужская фигура стояла возле «тойоты».

— Это еще кто? — спросила бабушка.

— А мама где?

— В рейсе, где же еще? А кто это? Твой поклонник?

— Это мой отец... Сорокин...

— Сорокин?? — изумилась бабушка. — Убить его мало!

Поезд-экспресс стремительно пронесся мимо камеры...

Утром в школе был переполох — из рук в руки переходила местная газета с броским заголовком:

СПУСТЯ 14 ЛЕТ ПОСЛЕ ИЗНАСИЛОВАНИЯ ЖЕНЩИНА ПОДАЛА В СУД НА СВОИХ ОДНОКЛАССНИКОВ

Кто-то из учеников вслух читал:

— «В городской суд поступило исковое заявление ж.-д. проводницы Марии Малышкиной с требованием привлечь к ответственности за изнасилование весьма влиятельных людей нашего города — депутата городской думы Олега Карпатого, полковника ВВС Алексея Сорокина и врача Евгения Царицына...»

Входя в класс, Ивана в оторопи и ужасе от этих слов замерла на пороге.

А читавший продолжал:

— «По утверждению Малышкиной, изнасилование произошло 14 лет назад, когда она и трое обвиняемых заканчивали десятый класс...»

Но тут Ивана, придя в себя, стремительно подбежала к читавшему, вырвала из его рук газету и опрометью бросилась вон из класса.

Свист и улюлюканье одноклассников неслись ей вслед.

Выбегая из школы, Ивана чуть не сбила с ног Федю, который попытался ее остановить.

— Ива! В чем дело? — крикнул он ей в спину.

Она, не ответив, убежала.

И столь же стремительно, запыхаясь, взлетела по лестнице на третий этаж, ворвалась в свою квартиру.

— Где мама?!

— А что такое? — спросила бабушка, строча на ножной швейной машине очередную цветастую «бабу на чайник».

— Я спрашиваю, где мать?! — заорала Ивана.

— Тихо, тихо. Она в рейсе, — продолжала строчить бабушка. — А в чем дело?

— А вот в чем! Бля! — Ивана шлепнула газету на доску швейной машины.

Бабушка изумленно подняла на нее глаза:

— Ты что, сдурела? Материться стала?

— Ты читай! Читай! Блин!!

Бабушка мельком посмотрела на газету и пожала плечами:

— Да я читала уже... — И кивнула на тумбочку, где лежала точно такая же газета. — Ну и что?

— Читала? — изумилась Ивана. — вы... вы охренели? Зачем вы это сделали?

— Ты свой язык-то прикуси, — сказала бабушка. — Совсем уже...

Ивана подскочила к ней вплотную:

— Я тя спрашиваю: зачем вы это сделали?! Отвечай!

— Так ты ж сама хотела. Ты ж кричала матери, что надо их под суд. Вот она и...

— Да мало ли что я кричала! Идиотки! Как я теперь буду в школу ходить? — Ивана заметалась по квартире. — Когда ее поезд приходит?

— Не знаю. Может, уже пришел. Успокойся. Их давно нужно было судить. Но лучше позже, чем...

Но Ивана уже не слышала ее — выскочила из квартиры.

Однако, выбежав из подъезда, замерла на месте, поскольку тут ее поджидали четверо подростков — Лена

Сорокина, Витюша Карпатый и двое погодков-сыновей Царицына.

— Вот она! Бей ее! — крикнула Лена и первой набросилась на Ивану. — Сука! Стукачка!

Следом подключились остальные.

Они повалили Ивану на землю и избивали всерьез, не по-детски, а кулаками, ногами и в кровь.

— Сволочь! Выблядок! Паскуда! Стукачка!

Какой-то прохожий попытался вмешаться, но подростки грубо отмахнулись:

— Вали отсюда! Не встревай, курва! Яйца оторвем!

И прохожий, струсив, ушел.

Когда окровавленная Ивана, уже не сопротивляясь, мертвым кулем лежала на земле, Лена Сорокина объявила ей приговор:

— Значит, так, сеструха! Или твоя мать срочно заберет заявление, или я тебя лично убью на хрен! — И тряхнула Ивану: — Ты поняла?

Разбитым в кровь ртом Ивана утвердительно промычала в ответ.

Оставив ее на земле возле подъезда, подростки закурили и спокойно ушли.

Из открытого окна чьей-то квартиры гремела музыка очередного хита группы «Дважды два».

Но самое поразительное случилось не в этот день, а в последующие. Потому что газетная публикация произвела совсем не тот эффект, на который рассчитывала редакция. Вместо осуждения названных в газете насильников обыватели города стали кошмарить — кого бы вы думали? Марию Малышкину! Ее оскорбляли соседи, материли прохожие, выталкивали из городского транспорта, пинали в магазинах...

218

— Паскуда!..

— Да сама небось первая легла!..

— Нашлась, бля, правдоискательница!..

— Убивать таких надо! Сучка!..

Ивана, Мария и бабушка боялись выйти из дома и жили теперь как в осаде.

— Встать, суд идет!

В небольшом зале заседания суда народу было тьма — вся местная пресса, родственники подсудимых, просто любопытные.

Но судья, заняв свое место, объявил:

— Заседание суда будет закрытым, прошу всех посторонних освободить помещение.

Поднялся недовольный гул и ропот:

— На каком основании?

— Не имеете права!

— У нас свободная страна...

Но судья был непререкаем. Он дождался, когда пресса унесет свои телекамеры и все остальные тоже покинут зал. В зале остались только Мария Малышкина, трое обвиняемых — Карпатый, Царицын и Сорокин, — их адвокат, молоденький районный прокурор и стенографистка. После чего судья объявил:

— Итак, слушается дело об изнасиловании Марии Малышкиной ее одноклассниками Олегом Карпатым, Евгением Царицыным и Алексеем Сорокиным, которое случилось четырнадцать лет назад. Стороны имеют ходатайства?

— Я имею, — встала Мария Малышкина.

— Слушаю.

— Я хочу забрать свое исковое заявление и прошу прекратить дело.

— Почему? На вас оказали давление?

— На меня оказывали давление, но заявление я забираю не поэтому.

— А кто и какое на вас оказывал давление? — спросил молодой прокурор.

— Назавтра после публикации статьи мою дочь избили.

— Кто ее избил?

— Она не говорит.

— Со дня публикации прошло три месяца, и, значит, ее избили три месяца назад. Почему же вы тогда не забрали свое заявление?

— Я же сказала: я забираю заявление не из-за этого.

— А из-за чего?

— Из-за того, что я верующая. Я съездила в Петербург к Пресвятой Ксении, и она велела мне их простить. — Мария впервые повернулась к обвиняемым: — Я вас прощаю. Идите с миром.

И — не сводя взгляда с Сорокина — перекрестила всех троих.

Сорокин не отвел глаз, он смотрел на Марию, и в глазах его было изумление, благодарность и еще что-то неясное, но ликующее...

Однако молодой прокурор сказал:

— Ваша честь. Прокуратура протестует. Факт изнасилования имел место, обвиняемые его не отрицают. А то, что истица забирает свое заявление, для правосудия значения не имеет. Правосудие должно свершиться, и преступление должно быть наказано.

Судья повернулся к обвиняемым:

— У вас есть ходатайство?

Но Сорокин не отреагировал, он продолжал неотрывно смотреть на Марию. Зато встал адвокат обвиняемых:

— Есть, ваша честь. Я, как адвокат обвиняемых, хочу обратить ваше внимание на несколько обстоятельств чрезвычайной важности. Во-первых, прошу учесть, что преступление было совершено не этими взрослыми людьми, а несовершеннолетними подростками. То есть мы имеем если не юридический, то моральный казус — можно ли взрослых людей судить за хотя и очень серьезное, но, по сути говоря, детское правонарушение?

Прокурор вскочил:

— Я протестую...

Но адвокат поднял руку:

— Минуточку, я не закончил. Суть моего ходатайства в другом. Ваша честь, перед вами трое взрослых, состоявшихся людей, которые еще три месяца назад пользовались огромным уважением в городе и в своих семьях. Обращение в суд гражданки Малышкиной и последовавшая за этим публикация в газете буквально сломали их карьеру и разрушили жизнь. Доктор Царицын лишился всех пациентов — теперь, как вы понимаете, к нему, как к гинекологу, не обращается ни одна женщина. Олег Карпатый лишился звания депутата городской думы. А у полковника Сорокина распалась семья. Таким образом, ваша честь, они уже понесли наказание, и даже если бы вы действительно «отпустили их с миром», как выразилась тут истица, они свое клеймо и свой крест будут нести теперь всю жизнь...

— Так в чем ваше ходатайство? — спросил судья.

— Очень простое: по просьбе истицы закрыть дело.

Но молодой прокурор вновь вскочил:

— Ни в коем случае! Прокуратура протестует! Ваша честь, адвокат обвиняемых выставил тут своих клиентов этакими пострадавшими овечками — семья распалась, звания лишились, пациенток лишились! Но вы-то прекрасно знаете, что все эти три месяца весь город был расколот надвое, причем большая половина, да что там половина! — восемьдесят процентов почему-то кошмарили именно истицу, именно пострадавшую! Я не знаю почему, я не знаю, что у нас за люди, но именно за то, что она назвала насильников и подала на них в суд, — именно за это ее же публично кошмарили и угрожали побоями, а дочь ее действительно избили. И потому — несмотря на христианское смирение и всепрощение гражданки Малышкиной — я от имени прокуратуры настаиваю на судебном разбирательстве по существу.

Судья деревянным молотком стукнул по столу:

— Суд удаляется на совещание.

И ушел, а следом за ним вышли молодой прокурор и стенографистка.

Дорогой читатель! Позволь мне прервать мое повествование и предложить тебе несколько вариантов финала этой истории. То есть представь себе, пожалуйста, что ты посмотрел эту историю в кино и в самом конце фильма на экране вдруг появляется надпись:

ФИНАЛ ИСТОРИИ ПО ВЫБОРУ ЗРИТЕЛЕЙ

ВАРИАНТ ПЕРВЫЙ

В зале остались только обвиняемые со своим адвокатом и Мария Малышкина. И томительная пауза повисла между ними.

Но Сорокин прервал ее.

Он встал, подошел к Марии и опустился перед ней на колени:

— Маша, ты правда меня простила?

— Правда, встань... — тихо ответила Мария. Слезы подступали к ее глазам.

— Сердцем простила?

— Да, сердцем. Встань, Алеша.

— Ты святая...

— Встань, Алеша...

Но он, стоя на коленях, взял ее руку и поцеловал:

— Спасибо за дочь, Маша. Она моя дочка. Я... я хочу ее удочерить...

За кадром звучит романтическая мелодия группы «Дважды два».

Под эту музыку Сорокин, Мария и Ивана выходят из здания суда.

И снова надпись:

ВАРИАНТ ВТОРОЙ

Судья возвращается в зал заседаний.

— Встать! Суд идет!

Судья занимает свое место и объявляет:

— Решением суда Олег Карпатый, Евгений Царицын и Алексей Сорокин приговариваются к двум годам исправительно-трудовых работ условно...

Карпатый, Царицын и Сорокин триумфаторами выходят из здания суда.

За кадром звучит бравурная песня группы «Дважды два».

А когда вслед за триумфаторами на улице появляются Мария и Ивана, толпа свистит, улюлюкает и швыряет в них яйца и помидоры...

Последняя надпись:

ВАРИАНТ ТРЕТИЙ

Судья в своем кабинете набирает номер на мобильном телефоне.

— Алло, Николай Петрович, это я... Ну я не знаю, как быть... С одной стороны, истица сама забирает свое заявление, а с другой стороны, прокуратура требует... Что? Нет, ну вы же губернатор, как вы скажете, так я и...

Отъезд камеры. Музыка или песня группы «Дважды два», в этой песне открытым текстом зрителей спрашивают, какой вариант финала они предпочитают или считают наиболее реалистичным.

P.S. От автора: Дорогой читатель, мне очень интересно, какой финал вы хотели бы увидеть на экране. Напишите мне на адрес Издательства АСТ:

Москва, Звездный бульвар 21, Издательство АСТ, художественная редакция, Эдуарду Тополю.

Ритуальное убийство

Театральный процесс
в двух действиях
и четырех стенограммах

УЧАСТНИКИ ПРОЦЕССА

Председатель суда, Прокурор, Судебный пристав, Стенограф

Поверенные гражданской истицы: Замысловский, Шмаков, Дурасевич

Адвокаты защиты: Карабчевский, Грузенберг, Маклаков

Эксперт обвинения: патер Пранайтис

Эксперты защиты: профессора Троицкий, Коковцов, Тихомиров

Журналисты, мальчишки

Киев, 20—28 сентября 1913 года

Желательно до начала спектакля воссоздать в фойе театра обстановку Киева во время судебного процесса по делу Бейлиса — репринты газет «Киевлянинъ» и «Русские ведомости» с репортажами Короленко и Бонч-Бруевича из зала суда, листовки «Черной сотни» и «Двуглавого орла» с призывами к еврейским погромам и требованием выселить евреев из России, «Обращение к обществу» Максима Горького, Мережковского, Блока и еще семидесяти писателей и общественных деятелей в защиту Бейлиса, фотографии Бейлиса и участников процесса, прочие документы, которые можно в изобилии найти в библиотеках и в Интернете.

По радио могут звучать лозунги антисемитских митингов, которые происходили перед зданием суда.

ДЕЙСТВИЕ ПЕРВОЕ

Зал судебного заседания.

Входят Поверенные представители истца и Адвокаты защиты, рассаживаются.

Затем входят Стенограф и Судебный пристав с Экспертами.

Стенограф садится за свой столик, раскладывает блокноты, чернильницу с пером.

Судебный пристав (показывает Экспертам их места): Вам сюда. Садитесь.

Эксперты садятся.
Входят Председатель суда и Прокурор.

Судебный пристав: Встать. Суд идет!

Все встают*.

Судебный пристав (подходя к рампе, в зал, зрителям): Господа присяжные заседатели! По законам Российской империи при начале судебного заседания и появлении

---

* В очерках В. Короленко сказано: «Каждый раз, когда начинается заседание суда, повторяется неуклонно одна и та же выразительная сцена: «Суд идет!» Публика подымается, входят судьи с цепями и занимают места за длинным столом. Публика опять усаживается. Но тотчас же судебный пристав провозглашает вновь: «Прошу встать!»

Председателя суда все обязаны встать. Извольте встать, господа! *(Настойчиво.)* Извольте! И вы, барышня! И вы, сударь! *(Добивается, чтобы все зрители встали. Председателю суда.)* Ваша честь!

Председатель, выдержав паузу, садится.

Все на сцене садятся.

Судебный пристав (в зал, зрителям): Присяжные, извольте сесть.

Следит и ждет, пока зрители усядутся.

Председатель: Слушается дело об убийстве Андрея Ющинского. Господа эксперты, представьтесь. *(Пранайтису.)* Вы, патер.

Пранайтис (вставая): Патер Пранайтис, бывший преподаватель древнееврейского языка в Католической духовной академии в Санкт-Петербурге, магистр богословия.

Председатель (*Троицкому*): Ваше имя?

Троицкий (вставая): Троицкий Иван Гаврилович.

Председатель: Вы православный?

Троицкий: Да.

Председатель: Но владеете еврейским языком?

Троицкий: Я профессор Санкт-Петербургской духовной академии по кафедре еврейского языка и библейской археологии.

Председатель (Коковцову): Вы, сударь?

Коковцов (вставая): Коковцов Павел Константинович. Профессор на кафедре еврейского языка и еврейско-арабской литературы Киевской духовной академии.

Председатель (Тихомирову): Вы?

Тихомиров (вставая): Тихомиров Петр Викторович, профессор Нежинского историко-филологического института.

Председатель: Вы читали еврейские религиозные книги?

Тихомиров: За научные работы в области еврейского языка, религии и культуры был избран членом Академии наук.

Председатель: Благодарю вас. Присаживайтесь. Сейчас я ознакомлю вас с обвинительным актом. *(Читает.)* «20 марта 1911 года, в Лукьяновке, на окраине Киева, в одной из находящихся там неглубоких пещер, на расстоянии 150 сажен от улицы, был обнаружен труп мальчика. Руки были подогнуты за спину и в кистях туго связаны бечевкою. Рядом с трупом были пять тетрадей с надписью «ученика приготовительного класса Андрея Ющинского». На голове и теле трупа оказались поранения, частью в виде уколов, частью — щелевидной, овальной и треугольной формы. Всего поранений и уколов больше сорока, а на голове 13. Потеря крови от полученных повреждений была столь значительна, что тело оказалось почти обескровленным. Но следов крови в пещере не было. Отсутствие крови указывает на то, что Ющинский был убит в другом месте и затем втащен в пещеру. По началу расследования у следствия среди подозреваемых имелся целый ряд лиц с преступным прошлым, включая даже мать и отчима мальчика, которые могли совершить это убийство из опасений, будто мальчик может выдать их преступный род занятий — грабежи и разбой. Однако особая обстановка убийства ребенка, исключительно своеобразный способ лишения его жизни послужили распространению в обществе мнения, что Ющинский убит евреями из религиозных побуждений, а именно убит Менделем Бейлисом, приказчиком кирпичного завода, на территории которого Андрей Ющинский и другие дети нередко играли на мяле. Посему следствие обратилось за экспертизой к врачу-психиатру, профессору Киевского университета Сикорскому. Опираясь на данные вскрытия трупа, а также исходя из соображений исторического и антропологического характера, профессор Сикорский заявил, что психологической основой такого рода убийств являются «расовое мщение и вендетта сынов Иакова» к субъектам другой расы, которые имеют для убийц значение религиозного акта. На основании этих обстоятельств Мендель Бейлис обвиняется в том, что с обдуманным заранее намерением, из побуждений религиозного изуверства, для обрядовых целей умертвил Андрея Ющинского, причинив ему тяжкие и продолжительные страдания». *(Закончив чтение.)* Подсудимый себя виновным не признает. Обвинение и защита выставили вас, господа, как экспертов в области иудаистики и еврейской религии. Суд интересуют вопросы наличия ритуальных убийств у евреев, употребления ими крови при выпечке мацы и другие аспекты их религиозных правил, обрядов и привычек. Каждому из вас эти вопросы были разосланы загодя. Считаете ли вы себя достаточно осведомленными, чтобы быть экспертами по данным темам? Патер Пранайтис?

Пранайтис: Да, считаю.

Председатель: Профессор Троицкий?

Троицкий: Да, ваша честь. Считаю.

Председатель: Профессор Коковцов?

Коковцов: Да, считаю.

Председатель: Профессор Тихомиров?

Тихомиров: Считаю, ваша честь.

Председатель: Прошу вас дать присягу на Библии. *(Судебному приставу.)* Пристав...

Судебный пристав кладет перед экспертами Библию.

Эксперты, по очереди положив руку на Библию, произносят присягу.

Председатель (выслушав присягу): Хорошо, приступим. Начнем с заключения эксперта обвинения. Патер Пранайтис.

Пранайтис (вставая): Позвольте мне начать с вопроса: что такое Талмуд? В буквальном смысле это означает «наука», «предание». По мнению еврейского народа, когда Бог дал им свой закон, то Моисей кое-что записал, но многое осталось не записанным, оно переходит в устной передаче из поколения в поколение. Посему Талмуд — громадная книга, там все науки находят себе место, но главным образом там проявляется нетерпимость по отношению к иноплеменным, в особенности — к христианам. Все, что там сказано относительно войны с амаликитянами, относительно их истребления, относится таким же образом и к христианам. Относительно же того, как надлежит евреям поступать с христианами, сказано, что надо их избегать, не иметь с ними никаких сношений, всячески стараться им вредить, не спасать от опасности и вообще вредить им так, чтобы их совсем истребить. Истребление христиан — главная цель евреев-талмудистов, к этой цели направлены все молитвы, все действия, это — даже обязанность, каждый еврей должен вредить христианам, а если он не вредит им, тогда он даже не настоящий еврей. Убийство христиан — есть единственная богоугодная жертва после разрушения Соломонова храма в Иерусалиме римлянами в 70 г. по Р.Х. Чтобы больше вредить христианству, Талмуд разрешает все средства: ложь, обман, ростовщичество и даже принятие христианства. Известный еврейский историк Грец говорит об известном писателе Генрихе Гейне, что он только кажущимся образом принял христианство, как враг, который берет в руки чужое знамя, чтобы тем лучше погубить своего врага. В таком же талмудическом духе следует отметить Каббалу. По этому учению, при создании душ божество перешло в израильские души, но некоторые искры попали и не в израильские, эти искры ждут освобождения. Еврейство всегда называется внутренним ядром Мироздания, а другие народы — скорлупой, шелухой. Это ядро — согласно Каббале — надо освобождать, оно освобождается путем добрых дел по отношению к евреям и принесением жертвы, т.е. убийством неевреев. В Каббале каждая буква еврейского алфавита означает число, и потом эти числа слагаются. Если одно и то же число происходит от разных слов, то считается, что эти слова относятся одно к другому. Например, слово, которым в Талмуде пишется имя нашего Спасителя — Ишу, — означает цифру 316: 3, 10 и 6 — означает Иисус. Но слово «пустота», «мерзость» — тоже получается 316, а это, согласно Каббале, значит, что Христос то же самое, что и мерзость...

Председатель: Каким способом рекомендует Талмуд добывать кровь из тела в случае надобности в ней?

Пранайтис: Для добывания крови христианской, о которой говорится в Талмуде, есть два способа: или колют или ущемляют, но не режут.

Председатель: Каково отношение Талмуда к иноплеменникам, не содержится ли в нем прямых указаний на то, что убийство иноплеменника дозволено и является актом, угодным Иегове?

Пранайтис: После разрушения храма, говорится в Талмуде, нет другой жертвы Иегове, как принесение в жертву христиан.

Председатель: Из какого места тела, по толкованию Талмуда и Каббалы, выходит душа вместе с кровью?

Пранайтис: Указывается прямо, что душа выходит с кровью из шеи.

Председатель: Когда появилось среди евреев учение неохасидов и какое отношение оно имеет к учению Каббалы?

234

Пранайтис: Это учение ·является как бы расцветом Талмуда и Каббалы. Талмуд учит, что раввины чуть ли не уподобляются самому Богу и что даже Бог должен считаться с мнением раввинов. В позднейшее время было сказано еще яснее, что раввины неохасидизма суть не что иное, как воплощение самого Божества.

Председатель: Были ли в Средние века и в наше время случаи осуждения евреев по обвинению в убийстве христиан с религиозной целью, причем евреи были изобличены, как собственным сознанием, так и нахождением, по их указанию, останков замученных ими детей?

Пранайтис: В Средние века было много случаев, когда евреи были изобличены и казнены по уликам и по сознаниям. И не только в Средние, но вплоть и до наших дней. Последнее из таких дел Саратовское. Там все участники дела были обвинены по указаниям свидетелей, осуждены и наказаны. Просмотрел я и Велижское дело, где обвиняемые были оправданы лишь потому, что свидетелей не нашлось, хотя и было обнаружено обескровление жертвы. У меня есть нотариально засвидетельствованный документ о еврейском убийстве в 1753 г. в Житомире. Я вполне убежден, что если такие зверские убийства существовали раньше, то они существуют и по сие время. Однако евреи тем не менее защищают виновных, говоря, что этого не может быть, и призывают экспертов и ученых со всего света с опровержениями ритуальных убийств, — вот в этом-то и есть слабая сторона их дела, показывающая, что все они к этим делам причастны. А сколько писалось ими, будто бы есть папские буллы, запрещающие даже говорить об осуждении евреев в употреблении христианской крови! Приводятся буллы XIII века, которых чуть ли не двадцать. Из них я нашел в Санкт-Петербургской академии одну-единственную буллу папы Иннокентия IV, в которой говорится лишь, чтобы не преследовали евреев ранее суда и их осуждения.

Председатель: Заключается ли в учении еврейской религии, как древней, так и позднейшей — Зогар и другие, — предписание об умерщвлении христиан с ритуальной целью?

Пранайтис: Таких указаний, где бы прямо говорилось об убийствах с ритуальной целью, разумеется, не существует, ибо есть предание, которое можно записывать, и есть такое, которое Талмуд запрещает записывать. О том, что употребляют кровь, можно сказать лишь на основании повторяющихся убийств. Употребление крови было видно из того, что она собиралась и посылалась в закупоренных бутылках, потом кровью пропитывался холст, и куски пропитанного кровью холста также рассылались. Это ясно видно по Саратовскому делу, где в доме обвиняемых был найден холст, пропитанный кровью, и обвиняемые не могли объяснить, откуда эта кровь взялась; сначала говорили, что это, мол, дети играли, когда гусей резали, и испачкались в крови и потом спрятали. Но когда была произведена экспертиза, то оказалось, что это — кровь млекопитающего. О добывании крови как о ритуале тоже нет письменных указаний; но существуют каббалистические символы, которые они в своем изуверстве могут употреблять, например 13 уколов...

Председатель: Имеются ли данные и какие именно, что убийство Андрея Ющинского совершено из побуждений религиозного изуверства, вытекающего из вероучений еврейской религии или ее сект, и в последнем случае каких именно?

Пранайтис: Прямых указаний на это, кроме 13 уколов и раны в шею, не имеется, однако, повторяю, число 13 — священное.

Председатель (Прокурору): У вас есть вопросы к эксперту?

Прокурор: Скажите, с какого года вы состояли лектором древнееврейского языка в Духовной академии?

Пранайтис: С 1884 по 1902.

Прокурор: Вы специально интересовались вопросом ритуальных убийств евреями христианских детей? Это ведь не касается кафедры еврейского языка.

Пранайтис: Этот вопрос меня всегда интересовал, и я о нем слышал с самого детства, так как там, где я вырос, все уверены, что это так и есть.

Прокурор: Есть ли в Талмуде такой текст, что «дозволено приносить в жертву нееврея даже в день прощения обид, приходящийся на субботу»?

Пранайтис: В Талмуде сказано, что все жертвоприношения после разрушения храма заменены жертвоприношением иноплеменников.

Прокурор: Можно ли сказать, что заповедь Библии «не убий» евреи истолковывают лишь как «не убий еврея»?

Пранайтис: Да, все, что говорится о «ближних», относится только к евреям, а остальные не только не считаются ближними, но даже не считаются людьми. И вообще, что написано в Библии, для евреев не обязательно, они имеют Библию, но они ее не понимают.

Прокурор: Есть ли такой текст в Талмуде: «Отнимай жизнь у нечистого, убивай его, тогда Царь Небесный засчитает это тебе наравне с воскурениями и жертвами»?

Пранайтис: Да, такой текст есть.

Прокурор: Есть ли затем еще другой текст: «Кто проливает кровь нечестивых, тот столь же угоден Богу, как приносящий жертву»?

Пранайтис: Это написано в Талмуде.

Прокурор: Насколько я понимаю, ваше положение сводится к тому, что у евреев человеческие жертвоприношения вытекают из основного их закона о том, что жертва должна быть и что она очищает от грехов?

Пранайтис: Да.

Прокурор: В Зогаре говорится о «смерти их ам-хаарец» — что это означает?

Пранайтис: «Ам-хаарец» — неуч, невежда, в переносном смысле — всякий нееврей. Об их смерти говорится: «и смерть их пусть будет при заткнутом рте, как у скота, который умирает без голоса и речи». В молитве же при убийстве резник должен говорить: «Нет уст, чтобы отвечать, нет чела, чтобы поднять голову». Потом 12 испытаний ножа и удар ножом, то есть всего 13 ударов.

Прокурор: Значит, ритуальные убийства должны происходить при заткнутом рте, и требуется при этом 13 уколов — так что убийство Ющинского соответствует этим требованиям и признакам?

Пранайтис: Да.

Прокурор: Было ли установлено в Саратовском деле в 1853 году, что любавическому раввину Шнеерсону, которого мы теперь хорошо знаем, были отправлены две бутылки с кровью?

Пранайтис: Да, были.

Прокурор: Затем вы говорили, что по Велижскому делу в 1823 году состоялся оправдательный приговор по недостатку улик?

Пранайтис: Да.

Прокурор: Но не состоялась ли по этому делу резолюция императора Николая Павловича, не можете ли вы ее воспроизвести?

Пранайтис: Могу. «Разделяя мнение Государственного Совета, что в деле сем, по неясности законных доводов, другого решения последовать не может... считаю, однако, нужным прибавить, что внутреннего убеждения, что это убийство евреями совершено не было, я не имею и иметь не могу. Неоднократные примеры подобных убийств, с теми же признаками, но всегда непонятных... доказывают, по моему мнению, что между евреями существуют, вероятно, изуверы или раскольники, которые считают христианскую кровь необходимой для своих обрядов».

Шмаков: Не помните ли вы, какое первое убийство христианского ребенка евреями занесено в анналы истории?

Пранайтис: Это было в XI веке.

Шмаков: А относительно убийства девушки Агнесы Грузы в Богемии в 1899 году не можете ли вы объяснить суду, какое значение Каббала придает убийству христианских девушек?

Пранайтис: Убийство девиц считается жертвой в каббалистическом смысле, путем такого убийства ускоряется пришествие Мессии.

Шмаков: Скажите, ведь из основного положения Талмуда, что мы не люди, не следует ли заключить, что евреи юридически не способны совершить по отношению к нам преступление?

Пранайтис: Да, разумеется, раз жертва не считается человеком, то убивается не человек, а животное. Евреи считают также, что имущество неевреев есть собственность евреев, и когда еврей берет чужое, он не ворует, а лишь берет обратно свое.

Председатель: Господин поверенный истца, такого рода вопросы не относятся к настоящему делу.

Шмаков: Все мои вопросы касаются того, как в Талмуде определяется отношение к неевреям. *(Пранайтису.)* Вы говорили о стремлении евреев к господству. Нет ли в Талмуде указания, что это стремление будет продолжаться, «пока мы не истребим правителей акумского народа»? Не можете ли вы объяснить нам значение слова «акум»?

Пранайтис: Это слово составлено из начальных букв слов «Абоде Кохабим Умаззалиот», что означает «поклонники звезд и планет». Со времен Маймонида, еврейского талмудиста XII века, это слово относится ко всем неевреям, поскольку в ту эпоху уже никаких идолопоклонников не было.

Замысловский: У меня только один вопрос: о папских буллах. Вы говорили, что не нашли булл, которые осуждали бы обвинение евреев в ритуальном убийстве?

Пранайтис: Да, таких булл нет.

Замысловский: А есть только булла папы Иннокентия IV о том, чтобы евреев не обвиняли без доказательств, по одному только предрассудку?

Пранайтис: Да, и чтобы не наказывали без разбирательства дела.

Замысловский: Такие буллы есть, но они истолковывались в другом смысле?

Пранайтис: Да, евреи их толковали так, будто бы они запрещали даже верить такому обвинению, и чтобы никогда впредь таких обвинений не было, так как это якобы невозможно.

Замысловский: Не известно ли вам, что в одном судебном деле о ритуальном убийстве было указано, что кровь убитого была употреблена для окропления при закладке синагоги?

Пранайтис: Есть такое указание, что кровью окропляли синагогу...

Грузенберг: В какой книге вы нашли проповедь, что евреи учат убивать девушек?

Пранайтис: Есть еврейские книги, которые издаются целиком, а есть — с пропусками. Есть Талмуд полный, а в позднейших изданиях есть пропуски. Указание на убийства девушек находятся в книге Хаима Витала.

Грузенберг: Как эта книга называется?

Пранайтис: «Сефер Галикутим».

Прокурор: Есть ли в Талмуде текст «Сефер», в котором указывается, как должны совершаться жертвоприношения? Сколько лиц должны принимать в этом участие?

Пранайтис: Должны присутствовать 6 человек.

Грузенберг: Вы сказали, что есть еврейские издания, в которых пишется все, и есть особые издания, где опасные места опускаются. Я хотел бы вас спросить: по каким же книгам вы ознакомились с этими опасными местами? У вас были в руках эти особые издания?

Пранайтис: Да, были. Я знакомился с Талмудом на основании текстов Буксдорфа — величайшего ученого, знатока Талмуда. Три поколения этой семьи, отец, сын и внук, занимались Талмудом и были профессорами. По их указаниям я познакомился с редчайшим изданием Талмуда 1644—1646 годов, которое имеется в Санкт-Петербургской католической академии. Это издание без всяких пропусков. Потом у меня есть еще бердичевское издание 1894 года, и там именно тех мест, которые имеются в Амстердамском издании 1644 года, нет.

Грузенберг: Значит, ваши ссылки на Талмуд мы можем проверить?

Председатель: Господин поверенный обвиняемого, показания эксперта мы проверять не можем, это не богословский спор. Для разрешения сомнений вы можете обращаться к другим экспертам, а уже дело суда поверить тому, что сказал эксперт, или нет.

Грузенберг: Не известно ли вам, что в период разбирательства по Велижскому делу Министерство внутренних дел повторило Высочайшее повеление от 6 марта 1817 года, чтобы не ставить дел по обвинению евреев в ритуальном убийстве единственно потому, что люди верят этим убийствам, а требовать для разбирательства этих убийств таких же улик, как и для других убийств?

Пранайтис: После Велижского дела последующие процессы не могли возбуждаться по недостаточности улик, так как свидетели устранялись.

Карабчевский: Вы говорили тут о процессах прошлых столетий. Не можете ли вы перечислить процессы ведьм и колдунов, которые в то время также были сожжены?

Пранайтис: Не знаю таких процессов.

Председатель (поглядев на карманные часы): Суд вопросов к эксперту обвинения больше не имеет. Патер, вы вольны остаться и вольны быть свободны.

Патер Пранайтис уходит.

Председатель: Переходим к экспертам защиты. Профессор Троицкий, вопросы для всех были одинаковы. Прошу дать ваше заключение: какое значение имела кровь жертв при храмовых жертвоприношениях у евреев?

Троицкий: Жертвенная кровь имела значение очистительное. На такое ее значение ясно указано в Библии, в XVII главе книги Левит: «кровь душу очищает». Точно так же на это значение указано в Послании апостола Павла к евреям.

Председатель: Есть ли указания в Библии на человеческие жертвоприношения у евреев?

Троицкий: Да, существуют указания относительно жертвоприношения Авраамом своего сына Исаака и относительно принесения в жертву Иевфаем своей дочери. Но эти факты требуют разъяснения. Именно относительно жертвоприношения Авраамом Исаака надо иметь в виду, что повеление о нем было испытанием, которое Господь Бог дал Аврааму, чтобы испытать силу его преданности Господу. Фактически же это жертвоприношение не состоялось, и Исаак был заменен агнцем. Относительно принесения Иевфаем дочери своей в жертву после возвращения его с победой тоже существуют разногласия. Древние толкователи, как святой Иоанн Златоуст, готовы были предполагать, что Иевфай действительно принес свою дочь в жертву, и видели в этом факте, до некоторой степени противоестественном, несогласном с родительскими чувствами, наказание Иевфаю за то легкомыслие, с которым он дал свое обещание. Но позже исследователи этого вопроса говорили, что тут не было жертвоприношения в полном смысле этого слова, а было только посвящение Иевфаем своей дочери во служение при скинии, где дочь его осталась девственницей до своей смерти. Во всяком случае, в Библии относительно жертв указывается, что вообще человеческие жертвы были строго воспрещены законом еврейским. Предписания Библии в XX главе книги Левит говорят, что всякий, кто будет служить Молоху, должен быть предан смерти. Служение же Молоху состояло в принесении родителями в жертву своих детей перед изображением Молоха, причем эти дети полагались на простертые руки его и сжигались. Моисеев закон строго, под страхом смерти, запретил подобное жертвоприношение.

Председатель: Есть ли указание в Библии, что убийство некоторых людей и избиение иноплеменников считалось евреями фактом, угодным Иегове?

Троицкий: Тут можно указать только на один факт: повеление Божие относительно избиения амаликитян, которые навлекли на себя особый гнев Божий вследствие проявленного ими коварства и жестокости, когда евреи, освободившись от фараона, направились к Земле обетованной. В то время они находились в опасности от преследовавших их египтян и при отсутствии пищи испытывали страшные неудобства в окружающей их дикой пустыне. Этим воспользовались коварные амаликитяне, преградили в узком месте путь евреям и напали на них. И вот за то, что они хотели препятствовать народу, который по воле Божией стремился к цели своего путешествия, Бог повелел истребить их из поднебесья. Библейская история знает только один этот факт, да и то истребление врагов являлось актом, угодным Господу Богу. Что касается семи ханаанских народов, которых евреи должны были лишить права на владение Палестиной, то относительно их не было прямого определения их истребить, а только — изгнать или, в случае сопротивления, истребить. Однако прямого указания на то, что все эти ханаанские племена были преданы истреблению, нет. Вообще повеление об этих народах далеко не исполнилось: многие из этих ханаанских племен остались жить в Палестине.

Председатель: А каково отношение Талмуда к иноплеменникам? Не содержится ли в нем прямых указаний на то, что убийство иноплеменника дозволено и является актом, угодным Иегове?

Троицкий: Если иноплеменник исполняет семь заповедей Ноя, которые, по еврейскому преданию, были даны Господом Богом Ною и которые обязательны для всех людей, верующих в живого Бога, — повиновение правительству, удаление от богохульства, идолослужения, разврата, убийства, грабежа и вкушения живого кровавого мяса, — такой иноплеменник может рассчитывать на полное благоволение со стороны всякого последователя Талмуда. Но если иноплеменник является идолопоклонником, хулителем имени Божьего, развратником, покровительствует убийству, грабежу, вкушает живое мясо и так далее, — то против такого иноплеменника действительно направляется грозное предписание Талмуда. Однако в Талмуде есть выражения, которые подавали повод обличать талмудистов в человеконенавистничестве. Это выражение, на которое часто ссылаются, следующее: «лучшего из гоев убей». Но тут нужно сказать, что это выражение цитируется неточно. Как видно из некоторых мест Талмуда, оно должно иметь формулировку: «лучшего из гоев, то есть идолопоклонников, убей во время войны». В такой формулировке это выражение ничего угрожающего для иноплеменников не представляет, оно имеет указание на обычное право убивать во время войны тех лиц, которые по своей храбрости, умственным достоинствам и силе являются лучшими представителями военной силы врага. Это обычное военное право в древнее время.

Председатель: Какие разоблачения сделали франкисты по поводу человеческих жертвоприношений у евреев на диспуте во Львове в 1759 году?

Троицкий: На основании того, что я читал у Франка и его последователей, я прихожу к заключению, что, строго говоря, несмотря на все обличения франкистов, они все же не доказали, что у евреев существуют человеческие жертвоприношения.

Председатель: Были ли в Средние века и в наше время случаи осуждения евреев по обвинению их в убийстве христиан с религиозными целями, причем евреи бывали изобличены и собственными сознаниями, и нахождением, по их указанию, останков замученных ими жертв?

Троицкий: Я должен сказать, что этот вопрос не совсем правильно сформулирован. Вы говорите об убийстве христиан с религиозной целью. Насколько я знаю, с религиозной целью не было убийств и, собственно говоря, этого обвинения никогда не предъявляли к евреям, потому что еврейская религия вообще против убийств. Основная заповедь евреев заключается в том, что им запрещены идолопоклонство, разврат и убийство. Так что с религиозной целью убийств быть не может. Здесь надо сказать: по побуждению религиозного изуверства. Если бы было сказано так, то я должен был бы ответить, что мне известно дело относительно убиения младенца Гавриила, которое было совершено в 1690 году в Белостоке. Потом из других святых упоминается имя Евстратия, о котором в археологическом музее на польском языке написано, что он замучен в 1761 году от жидов. Мое знакомство по данному вопросу ограничивается только этими документами и делами Гродненским, Велижским и Саратовским. Но насколько я познакомился с историей относительно убиения младенцев и убиения дьякона Евстратия, я не нахожу в них указания, что убийства эти совершались с целью ритуальной, об этом нигде не говорится, а только говорится, что убийства были совершены евреями. Но даже если убийства были действительно совершены евреями, то это отнюдь не говорит за то, что в еврейской религии есть какой-то обряд, который требует убиения младенцев и добывания крови, а это говорит только за то, что в еврействе существуют преступные типы, от которых сами евреи отказываются. А еврей, чтущий заветы своей религии, никогда не решится на такое убийство, так как убийство по еврейской религии является одним из самых страшных грехов, лишающим еврея права на вечную жизнь. Кроме того, следует иметь в виду вообще отрицательное отношение еврейства к употреблению крови в пищу, как об этом ясно говорится в книге Левит.

Председатель: Содержатся ли в Талмуде противонравственные учения?

Троицкий: Конечно, в Талмуде можно найти выражения, которые до некоторой степени отзываются фанатизмом, но что касается общей морали Талмуда, то это мораль закона Моисеева. Особенно рельефно она выступает в «Поучении отцов», «Пирке Авот», которое печатается в приложении к еврейским молитвенникам. Эта мораль совпадает с моралью древних христиан, ничего отличного от нее в ней не содержится, и она не встретила осуждения Спасителя. Он говорил: «То, что фарисеи говорят, вы исполняйте, но не подражайте им, потому что они не делают того, что говорят». В этих словах я могу характеризовать содержание Талмуда в отношении нравственного учения и морали. Что же касается некоторых отзывов Талмуда относительно Христа...

Председатель: Я прошу Христа не касаться. Встречаются ли в Талмуде какие-нибудь указания о христианах и если имеются, то какие именно?

Троицкий: Нужно сказать, что упоминаний о христианстве в Талмуде очень мало. Но в трактате «Таанит» упоминается, что евреи постятся в первый день недели, в наше воскресенье, причем Талмуд называет христиан «ноцри», — это одно из немногих мест, в которых встречается упоминание о христианах.

Председатель: Заключается ли в учении еврейской религии, как древней, так и позднейшей — Зогар и другие, — предписание об умерщвлении христиан с ритуальной целью?

Троицкий: Упоминания об умерщвлении христиан с ритуальной целью в еврейской религии, как древней, так и позднейшей, не заключается.

Председатель: В каком отношении стоит Талмуд к Библии, и дает ли он основания для обвинения евреев в употреблении христианской крови?

Троицкий: Основанием Талмуда служит Библия, он базируется на Библии, и, стало быть, оснований к обвинению евреев в употреблении христианской крови он не дает. А сама Библия имеет у евреев значение Священного Писания, все благочестивые евреи стараются приобрести Ветхий Завет — Библию — и в субботу занимаются чтением ее. Священное Писание пользуется у евреев уважением не меньшим, чем у христиан.

Председатель: Имеются ли данные и какие именно, которые указывали бы на то, что убийство Андрея Ющинского совершено из побуждений религиозного изуверства, вытекающего из вероучений еврейской религии или ее сект, и в последнем случае каких именно?

Троицкий: Насколько я помню, таких данных не существует.

Председатель: Защита имеет вопросы?

Карабчевский: Мы пока не имеем вопросов.

Прокурор: Я позволю себе привести стих из 13-й главы Исхода и текст из Талмуда. Там так сказано: «И сказал

Господь Моисею, говоря: освяти мне каждого первенца, разверзающего всякие ложесна между сынами Израилевыми, от человека до скота: Мои они». Как это понимать?

Троицкий: Закон посвящения Богу первенцев еврейских дан был при выходе евреев из Египта. Тогда все первенцы еврейские были посвящены Богу, поскольку евреи, как говорится в XIX главе книги Исход, призваны были к служению Господу Богу. Однако *служителями* Бога могли быть не все, а только избранные, о чем говорится в XXIV главе книги Исход. Когда был построен жертвенник по числу 12 колен Израильского народа, то для совершения жертвы были избраны юноши из 12 колен, это и были первенцы еврейского народа. Но после временного отступления евреев от культа истинного Бога, после поклонения их тельцу, этого права лишены были все колена, за исключением колена Левиева. Так что право быть священниками и совершать служение Богу было присвоено колену Левиеву, которое и заменило собой первенцев еврейского народа. Но чтобы все же увековечить в памяти народа, что все первенцы во всякой семье должны быть посвящены Богу, был установлен особый выкуп за каждого первенца. Выкуп этот равнялся пяти сиклам, а сикл равнялся 85 копейкам во времена Иисуса Христа.

Прокурор: Тут сказано, что «от человека до скота». Первенцы от скота приносятся в жертву?

Троицкий: Первенцы от скота вообще посвящались Богу.

Прокурор: И обязательно приносились в жертву?

Троицкий: Нет, это не обязательно. В жертву приносились только чистые животные — волы, тельцы, козлы и так далее и птицы — голуби, горлицы.

Прокурор: Позвольте окончательно сформулировать мое мнение. При выходе евреев из Египта за те мучения, которым они подвергались от египтян, Бог покарал египтян. Все первенцы египетские были истреблены, и в благодарность был установлен обряд пасхальный...

Троицкий: Посвящение первенцев.

Прокурор: Вы говорите «посвящение», а в Исходе, в главе XIII, говорится так: «Господь ожесточил сердце фараона. Господь умертвил всех первенцев, и отсюда приносят *в жертву* всех первенцев человеческих и скота».

Троицкий: Здесь неточный перевод. Посвящение — это еще не указывает на то, что приносят в жертву закланием. Если я пожертвовал в церковь что-нибудь, это не значит, что я пожертвовал собой, это значит просто посвящение Богу.

Прокурор: Значит, вы относитесь отрицательно к вопросу об употреблении в жертву человеческой крови? Скажите, профессор, а когда прекратились кровавые жертвы?

Троицкий: В 70-м году, после того как Иерусалимский храм был сожжен императором Титом. После этого кровавых жертв не было.

Прокурор: А может быть, в воспоминание об этих событиях установлен обряд и после храма все-таки приносятся кровавые пасхальные жертвы?

Троицкий: Никоим образом.

Прокурор: Кровь очищает от грехов?

Троицкий: Да.

Прокурор: Не отметила ли история попыток евреев восстановить кровавые жертвы после сооружения храма?

Троицкий: Такие попытки мне неизвестны, мне известны попытки евреев восстановить храм Иерусалимский во времена Юлиана Отступника. Но когда приступили к закладке храма, то выходили языки огненные из земли и разогнали рабочих. Согласно словам Спасителя, камня на камне не останется от храма, то есть сам Бог не разрешил строить храма. Без восстановления же храма невозможно приношение жертв.

Прокурор: В Библии подробно указано, как совершается обряд жертвоприношения. Вы можете вкратце сказать, как приносятся жертвы?

Троицкий: Главные моменты такие: сначала еврей приводил жертвенное животное к жертвеннику. Приносящий жертву непременно должен привести ее сам. Затем он налагал на нее руки и при этом умственно должен был произносить слова молитвы, потом это животное передавали священнику, после чего животное закалывалось известным образом. Потом снималась шкура, и животное обмывалось водою. Смотря по характеру жертвы, она сжигалась целиком или часть ее. Кровь жертвенного животного непременно сливалась у жертвенника, выливалась в сосуд, и священник кропил ею на жертвенник или в храм. Вот в главных чертах картина жертвоприношения.

Прокурор: В чем тут символическое значение кровавого обряда?

Троицкий: Грешный человек, преступивший закон, в наказание за преступление воли Творца сам должен подлежать смерти. Но человек вместо себя, по особому милосердию Божьему, может принести другое живое существо, и это живое существо заменяло своей жизнью его жизнь, и символом этого являлась кровь, так как кровь была условием очищения.

Прокурор: Так что кровь имеет значение громадное?

Троицкий: Громадное.

Прокурор: И придается значение тому способу, которым эта кровь извлекается? Этого вы не отрицаете?

Троицкий: Непременно так.

Прокурор: Не заключается ли в том тексте, который я вам сейчас прочту, решение вопроса? «Кто проливает кровь безбожника, совершает этим дело, равноценное жертвоприношению»?

Троицкий: «Кто проливает кровь безбожника»? Это имеет только каббалистическое, философское значение.

Прокурор: Я позволю себе напомнить текст из Зогара, где идет речь о том, что человек «Ам-хаарец» умирает при заткнутом рте и смерть его уподобляется животному, которое умирает под ножом резника, закалывается. Некоторые интерпретаторы говорят, что под этим надо понимать раскаявшегося грешника из евреев. Но не происходит ли спор между учеными, которые говорят, что это не раскаявшиеся грешники, а именно иноплеменники?

Троицкий: Я должен сказать, что под словом «Ам-хаарец» в этом месте Зогара разумеются евреи.

Прокурор: Это ваше мнение, а все-таки спор ведется?

Троицкий: Спор идет относительно понятия «Ам-хаарец». «Ам-хаарец» в Талмуде означает невежда-еврей, неуч, не исполняющий обрядовых постановлений.

Прокурор: Я не могу понять — смерть человека сопоставляется с закалыванием животного, и говорится о 12 испытаниях ножа и 13-м уколе. Что это?

Троицкий: Вещь совершенно простая. Описывается двоякого рода смерть: одна без покаяния, а другая с покаянием. Мы говорим о тех «Ам-хаарецах», которые каются, — они умирают со смирением.

Прокурор: Почему при закрытом рте?

Троицкий: Заткнутый рот — это восточная поговорка, у евреев очень часто встречающаяся. Если кто-нибудь слишком превозносится и кричит — ему говорят: «Закрой свой рот!» Если говорится относительно умирающих со смирением, то их смерть уподобляется смерти животных, которые умирают, не открывая рта, с закрытым ртом.

Прокурор: Насколько я понял из ваших слов, вы не изучали вопроса об убийствах детей, совершенных евреями. И хотя православная церковь канонизировала их, вы тем не менее отрицаете возможность совершения евреями убийства с ритуальными целями, а в то же время допускаете, что отдельными изуверами могут быть совершены преступления. Я этого не могу понять. Вы, с одной стороны, допускаете, что изуверства отдельных сектантов возможны, но, с другой стороны, вы говорите, что раз их религия таких убийств не допускает, то и вы их отвергаете. А если я так поставлю вопрос: с разрушения Иерусалимского храма прекращаются кровавые жертвы. Кровавые жертвы ничем не заменяются, кроме молитвы, но изуверы с этим не смиряются, кровавая жертва у них приносится из первенцев иноплеменников, которыми разрушен Иерусалимский храм. Или этого вы тоже не можете допустить?

Троицкий: Никоим образом этого нельзя допустить, потому что по строго определенному закону еврей мог приносить в жертву только волов, овец и козлов, а прочее он не имел права принести.

Прокурор: Это еще когда не был разрушен Иерусалимский храм?

Троицкий: Теперь тем более он не мог принести человека, потому что человеческие жертвы строго запрещены. Следовательно, если бы даже нашелся какой-нибудь изувер-еврей, то для того, чтобы принести жертву, он взял бы корову, взял бы быка, ибо жертва эта была бы понятна, но чтобы взять человека, это может сделать разве какой-нибудь сумасшедший.

Прокурор: Однако изуверы как раз и принадлежат к числу фанатиков, которые нормальны только для самих себя.

Троицкий: У изуверов есть определенная планомерность, у изуверов она есть преувеличение одного момента, из определенной схемы. Во всяком случае, их образ действий понятен из какого-нибудь одного свойственного им акта сознания.

Прокурор: Не будем касаться психологии, эта область нам недоступна. Так как вы, ученые, все знаете, то я хочу спросить: вы знаете сочинения Серафимовича, Неофита, правда, бывших евреев, но тем не менее сознающихся в том, что кровавые жертвы приносятся. И таких сочинений не одно, есть еще сочинение Пикульского, с этим сочинением вы, вероятно, знакомы? Следовательно, раз приносят жертвы (говорят, в пасхальные опресноки кровь попадает), откуда это взялось? Что это — фантазия сумасшедших людей? Однако мы видим эти сочинения в библиотеках.

Троицкий: Я должен сказать, что к этого рода свидетельствам надо относиться с большой осторожностью. Они говорят, что евреи примешивают кровь в мацу, но это я считаю фантастическим бредом. Насколько я знаком с приготовлением мацы, здесь не только что кровь, но даже прикосновение нечистого человека воспрещается. Ригорист-еврей не допустит, чтобы христианин даже ходил около того места, где приготовляют мацу. В ней не допускается ничего квасного, кровь же содержит в себе значительную по составу часть «хомеца»; откуда подобного рода легенда исходит и как она создается, я совершенно не понимаю. Насколько я научно знаком с предметом и из своих личных отношений с евреями — у меня были ученики-евреи и знакомые среди евреев, которые со мной всегда откровенны, ничего от меня не скрывали, — насколько я знаком со всем этим, я совершенно этого не допускаю.

Прокурор: Вы не допускаете, потому что вы неоднократно беседовали с евреями и у вас евреи знакомые. Больше я вопросов не имею.

Замысловский: 13 — это то слово, с которым должен умирать каждый правоверный еврей. Оно имеет у евреев огромное значение. Вот производится 13 испытаний ножом...

Троицкий: 13 манипуляций с ножом производятся так: сначала резник попробует нож на ногте 12 раз, а на тринадцатый отрезает.

Замысловский: Известно ли вам, что во Львове на диспуте одна часть евреев публично обвиняла другую часть в том, что она имеет тайну крови?

Троицкий: Неизвестно.

Замысловский: Вы говорите, что у Неофита всё басни, что вы даже допустить не можете употребления крови. Но ведь нашлись евреи, и довольно много их было, которые решились на публичном диспуте с текстами и доказательствами в руках обвинять других евреев в том, что они употребляют кровь. Как же вы совмещаете ваше заявление, что все это средневековые басни и дикие фантазии, с тем, что одна часть евреев публично предъявила другой обвинение и привела целый ряд текстов — правильно или неправильно, но так было на публичном диспуте?

Троицкий: Я бы дал ответ, если бы мне представили эти книги, обличающие евреев в ритуальном убийстве, и я бы там увидел действительные доказательства того, о чем вы говорите...

Замысловский: Но это факт, что одна часть евреев с книгами в руках публично обвиняла другую часть. Это исторический факт.

Троицкий: Но подробностей этого факта я не знаю. Мне желательно знать, какие там книги были предъявлены.

Замысловский: Но вам должно быть известно, что все книги, неугодные еврейству, вредные для еврейства, роковым образом делаются библиографической редкостью и исчезают из книгохранилищ. Этот факт известный, вы не будете его отрицать?

Троицкий: В настоящее время много из того, что было вычеркнуто цензорами из Талмуда, вновь воспроизведено, и замечательно, что сами евреи способствуют восстановлению того, что у них когда-то цензорами было вычеркнуто. Я из этого факта отнюдь не вижу, чтобы евреи уничтожали свою собственную литературу с какой-либо целью.

254

Замысловский: Но вам ведь известно, что была выпущена изобличающая евреев книга Пикульского. Теперь ведь это редчайшая книга.

Троицкий: Я не читал ее, не знаю.

Замысловский: И ни в каком книгохранилище не видали ее?

Троицкий: Я слышал, что книга такого автора под названием «Злость жидовская» есть в Петербургской академии, но не читал.

Замысловский: Во всяком случае, вы не будете отрицать, что она есть библиографическая редкость?

Троицкий: Да, я это готов допустить.

Замысловский: Теперь далее. Как по-еврейски «красное вино»?

Троицкий: У них это будет «Яин эдом».

Замысловский: А как будет «христианское вино»?

Троицкий: «Яин ноцри».

Замысловский: А известно ли вам, что на этом диспуте было сказано, что красное вино «Яин эдом» и христианское вино тоже «Яин эдом»? Разница только в зигеле, то есть точке.

Троицкий: Видите ли, была попытка сказать, что «Эдом», который буквально означает «красный», означает в Талмуде и христианина. И вот отсюда выводят, что «Яин эдом» — «красное вино» — означает и «вино христианское». Но этим допускается подстановка терминов, которая не оправдывается талмудической терминологией. Термином, обозначающим в Талмуде христианина, является «ноцри», который происходит от слова «назарей». Поэтому называть христианина «эдомом» — большая неточность.

Замысловский: Совершенно верно, это неточность с точки зрения ученого. Но тем не менее эти франкисты говорили на диспуте, что все евреи именно так понимают слово «эдом» и что между словами «красное вино» и «христианское вино» разница заключается в одной точке.

Троицкий: Франкисты были каббалисты, а у каббалистов сильно развита фантазия.

Замысловский: Не можете ли вы объяснить значение точки в еврейском правописании? Ведь они в корне меняют значение слова.

Троицкий: Они менять корни не могут, потому что корни составляются из согласных, а эти точки и гласные имеют второстепенное значение.

Замысловский: Выходит, если между словами «красное вино» и «христианское вино» разница только в одной точке, а в Талмуде этих точек нет, они выпущены, то при известной фантазии, распаляемой фанатизмом, можно читать и так и иначе. Ведь это вы нам сказали, что в Талмуде точки не пишутся?

Троицкий: Это совершенно верно.

Замысловский: Перейдем к тексту: «Лучшего из гоев умертви». Этот текст повторяется в нескольких трактатах, причем иногда говорится «гой», а иногда «акум». Вы объясняли, что это значит «убиение гоев на войне».

Троицкий: Во время войны.

Замысловский: И объясняли так, что на войне, естественно, очень важно выбить из строя лучшего из врагов.

Троицкий: Да.

Замысловский: А не встречается ли этот текст в таком сочетании слов: «справедливейшего из гоев убей»?

Троицкий: По-еврейски читается так, что во время войны убей лучшего из иноплеменников. Встречается это место в Мехилте, и там сказано «лучший», затем помещено и в Талмуде, и там также сказано «лучший».

Замысловский: Не смею этого оспаривать, но в Софериме сказано «справедливейший». Не согласны ли вы, что под ваше толкование слово «справедливейший» не подойдет, потому что зачем же на войне выводить из строя справедливейшего?

Маклаков: Я заявляю...

Замысловский: Прошу наконец не перебивать меня, это возмутительно.

Председатель: Позвольте ему кончить допрос.

Маклаков: Представитель истца удостоверяет то, чего нет, поэтому я и возражаю. Трактат Соферима относится к двум положениям: и «лучший», и «справедливейший». Здесь нет двух трактатов, о которых он говорит.

Замысловский: Не известно ли вам, что этот текст, «лучшего из гоев убей», употребляется в таком сочетании: «лучшего из гоев убей, самой красивой змее размозжи голову»?

Троицкий: Это слова толкователя Библии и Талмуда Раши, и это место объясняется в толковании к книге Исход, глава 14. Там говорится, что за евреями погнался фараон с 600 колесницами. И тут Раши обращается с таким вопросом: откуда фараон мог добыть коней для колесниц, ведь сказано раньше, что весь скот у египтян умер от моровой язвы? Оказывается, те египтяне, которые боялись Бога и слушались предсказания Моисея, свой скот убрали, и у них этот скот остался. Но когда явилась надобность для фараона запрячь в колесницы коней, то ему египтяне доставили свой скот, и он погнался за евреями. По этому поводу Раши замечает, что тут имеется в виду коварство египтян, которые, с одной стороны, были обязаны Моисею, а с другой стороны, они все-таки напали на евреев. По этому поводу и сказано, что красивейшей змее, но только не размозжи голову, а, кажется, мозг змеи из головы выдави.

Замысловский: Значит, «лучшего из гоев убей, самой красивой змее размозжи мозг или голову». Не находите ли вы, что это сочетание противоречит тому толкованию, которое вы даете? Ведь со змеями войны не бывает, их надо уничтожать?

Троицкий: Змея опасна в смысле врага.

Замысловский: Но это враг постоянный, с ним нет периодов войны или мира?

Троицкий: Тем не менее это послужило историческим поводом для этого выражения. Это место есть в толковании к книге Исход.

Замысловский: Так что вы признаете, что сочетание «лучшего из гоев убей, самой красивой змее размозжи мозг», что оно как будто стоит в противоречии с тем объяснением, которое вы давали, что убивать можно только во время войны, ибо змей надо уничтожать всегда.

Троицкий: Это лишь сравнение.

Замысловский: Перейдем к уголовным делам. Вы говорили, что евреи убивают христиан, что этого отрицать вы не можете, но что это вовсе не убийства ритуальные, а обычные. Но позвольте, значит, вы объединяете все убийства: скажем, какое-нибудь воровство, ограбление и убийство евреем христианина, скажем, еврей, участвовавший в революционной организации, убил бомбой или из «браунинга» христианина, вы все объединяете в одно целое с Саратовским делом и с Велижским делом?

Троицкий: Мне был поставлен вопрос: имеются ли данные, что это убийство вытекало из вероучения еврейской религии и совершено с религиозной целью. Я отвечал, что убийства совершались не потому, что еврейский ритуал требует совершения таких убийств, а потому, что и среди евреев существуют преступные типы, от которых отказывается сам еврейский закон. Они могут совершать эти убийства ради грабежа, воровства, иногда, может быть, с целью мщения, в состоянии ожесточения, гнева, допускаю, даже убийства с целью издеваться над религией христиан — я и это допускаю. Однако я должен сказать, что благочестивые евреи относятся с уважением к благочестию христиан, потому что для евреев страх Божий везде существует. Так вот, и относительно этого убийства я говорю, что это не было убийство с религиозной целью, потому что такого требования в еврейской религии нет.

Замысловский: Так что всякий благочестивый еврей от таких злодеев отстранится. А не известно ли нам, что в Саратовском деле было ходатайство от еврейского общества, от выдающихся еврейских деятелей о том, чтобы это дело совсем прекратить? Другими словами, еврейство не только не отстранялось от лиц, осужденных по Саратовскому делу на каторгу, но утверждало, что дела этих лиц есть дела всего еврейства?

Троицкий: Хотя я читал Саратовское дело, но не так внимательно, чтобы запомнить все детали. Я думаю, раз предъявлялось обвинение не просто в убийстве, а в убийстве по требованию еврейской религии, то это уже было обвинение не к отдельным личностям, а ко всей религии, и для меня вполне понятно, что еврейству нужно было заступиться за права своей религии. Если бы это было доказано, то не только этих двух преступников, а вообще всю нацию еврейскую надо было бы истребить как преступную. Так что для меня вполне вероятно, что еврейство встало на защиту.

Замысловский: А известно ли вам, что по Велижскому делу было выяснено, что был убит мальчик четырех лет от роду?

Троицкий: Известно.

Замысловский: Известно ли вам, что ему тоже был нанесен ряд колотых ран инструментом, похожим на гвоздь, у которого острый конец нарочно отломан, то есть колюще-режущим орудием?

Троицкий: Сейчас я этих деталей не помню.

Замысловский: Известно ли, что у него рот был завязан и, по удостоверению врача, он был «рассудительно замучен», как выразился врач? Это по Велижскому делу вам известно?

Троицкий: Нет, неизвестно.

Замысловский: Раз вам неизвестны такие детали, которые, по-моему, очень существенны, как же вы решаетесь говорить, что это убийство не ритуальное?

Председатель: Господин поверенный гражданского истца, входить в спор с экспертом не разрешается.

Замысловский: Тогда я иначе поставлю вопрос. Ввиду того, что теперь прочитаны такие детали, которые вам неизвестны, но которых вы не отрицаете, не перемените ли вы своего мнения о том, что, может быть, это убийство было ритуальное: кровь выточена, уколы нанесены?

Троицкий: Велижское дело произвело на меня такое впечатление, что там свидетелями были какие-то эксцентричные личности, разные распутные женщины и всякий сброд, так что следователю было невозможно добраться до истины. И в конце концов, ведь Государь Николай Павлович не утвердил приговора.

Замысловский: Обвинительного приговора — совершенно верно. Но я говорю не о свидетельских показаниях, а о том, в каком виде был труп. Вы, конечно, делаете разницу между трупом и теми, кто это сделал.

Троицкий: Относительно трупа факт представлялся, несомненно, в том виде, как его описывали судебный следователь и врач. Нужно было допытаться, где причина такого состояния трупа, и для этого явились свидетели, но эти свидетели оказались совершенно не удостоверяющими то, что убийство это было совершено евреями. Доказательств такого обвинения не было.

Замысловский: Вы нам говорили, что в отношении евреев есть разница между их словами и делами, так как

Иисус Христос сказал, что слова, которые говорит фарисей, ничего худого не заключают в себе, вы должны следовать им, но не должны следовать их делам. Вам, как ученому, слова еврейства хорошо известны?

Троицкий: Известны.

Замысловский: А известны ли вам дела еврейства, то есть жили вы в местности, населенной евреями?

Председатель: Господин поверенный, вы говорите не по вопросу. Эксперт может отвечать только как ученый, на основании научных данных, а если он будет говорить, что жил между евреями, и будет высказывать свои впечатления, это уже не будет научная экспертиза.

Замысловский: Таким образом, сведения, которые получает эксперт не из ученых книг, а из того, что он вращается в еврейской среде и знакомится с ее нравами и обычаями, исключаются?

Председатель: Я только хотел устранить свидетельские показания.

Замысловский: Я хочу установить, что эксперт профессор Троицкий знает еврейство только по книгам, но не из жизни. Как ученый знает слова еврейства, а не знает дел еврейства. А он сам говорил, что слова их разнятся от дела.

Председатель: Господин поверенный, вы об этом можете сказать в своей речи.

Замысловский: Если вы устраняете этот вопрос, то я больше вопросов не имею.

Шмаков: Тогда мы поговорим о книгах. Вы ссылались на Франка, на Делича, а известны ли вам труды профессоров Геллани и Таубера?

Троицкий: Известны.

Шмаков: У Геллани, в книге «Ритуальные преступления у древних евреев», и в других, которые я назвал, приводится та же точка зрения, как у вас, или противоположная?

261

Троицкий: Противоположная. Но эта точка зрения не признана как среди ортодоксального еврейства, так и среди ортодоксального христианства. Я игнорирую эти сочинения.

Шмаков: Значит, вы признаете, что работы этих ученых существуют?

Троицкий: Да.

Шмаков: И имеют противоположное содержание, но вы их не признаете?

Троицкий: Да, не признаю.

Шмаков: А такое сочинение, как Огюста Гильома, вам известно?

Троицкий: Я с этим сочинением не знаком.

Шмаков: Стало быть, вы знаете некоторые сочинения, на которые ссылались, на другие сочинения противоположного характера вы не обращаете внимания, а третьих вы совсем не знаете?

Троицкий: На сочинения с противоположным содержанием я обращаю некоторое внимание, но не придаю им руководящего значения.

Шмаков: Знать не хотите. Хорошо. Возвращусь еще раз к вопросу о библейских текстах. Покорнейше прошу ответить — существует ли в Зогаре утверждение, что евреи сейчас находятся в четвертом периоде пленения и что кто господствует над Израилем, тот господствует над всем миром? И что им принадлежит весь мир, так как они составляют весь мир.

Троицкий: Я об этом не припоминаю.

Шмаков: Затем, не сказано ли там, что израильтяне будут действовать так, чтобы господство над другими народами перешло только в еврейские руки, и что по поводу этого в Зогаре приведена та лестница, которую Иаков видел во сне?

Троицкий: Не помню.

Шмаков: Тоже не помните? А трактат, что надо так действовать, что христиане «ноцри» не будут иметь никакого господства над израильтянами, даже самыми незначительными?

Троицкий: Я не помню такой концепции у евреев и не помню, чтобы так говорилось о христианах.

Шмаков: Не сказано ли дальше: «Наше пленение будет продолжаться до тех пор, пока не прекратится владычество акумов»?

Председатель: Господин поверенный истца, этот вопрос я устраняю.

Шмаков: Если было разрешено спрашивать об отношениях еврейства в Талмуде к иноплеменникам, то мне кажется, что эксперту можно предложить и такой вопрос. Затем вы цитировали выражение «Лучшего из гоев убей на войне». Но ведь это выражение «на войне» находится только в одном трактате, именно в Абодазара. Значит, из трех трактатов, где это упоминается, только в одном указана эта оговорка, что «на войне». Затем я хотел еще спросить относительно жертв иудейских. Вот вы сказали здесь, что раз предъявляется обвинение в ритуальном убийстве, то нет ничего мудреного, что все евреи идут на помощь для собственного спасения. Но если говорить не о ритуальном убийстве, а о преступлении из религиозного изуверства, почему же тогда еврейство идет на помощь обвиняемым?

Троицкий: Не думаю, чтобы оно шло на помощь, потому что есть масса таких фактов, где являются подсудимыми евреи, обвиняемые в убийствах и других преступлениях, и евреи относятся к этому апатично.

Шмаков: А вы знаете, что по настоящему делу подсудимый Бейлис обвиняется в совершении преступного деяния из побуждений религиозного изуверства, и вам, может быть, известно, что все еврейство...

Председатель: Это вопрос совершенно не религиозного свойства.

Шмаков: Если бы эксперт не заявлял об этом, то я бы его не поставил.

Карабчевский: Скажите, пожалуйста, выражение: «Убей лучшего из гоев, лучшего из акумов» — вам ясно, что здесь идет речь о войне?

Троицкий: Да.

Карабчевский: А затем: «красивой змее разбить голову» — не есть ли это уподобление тому, что внешние качества не должны парализовать, не должны мешать отношению к внутренним качествам? Ведь и по представлению христиан, и по представлению евреев, образ змеи всегда представлялся в виде чего-то враждебного, отвратительного, заслуживающего смерти? Ведь змея соблазнила Еву на грехопадение...

Троицкий: Змея — это символ хитрости, злобы и коварства.

Карабчевский: Скажите, пожалуйста, такое выражение: «Ты умрешь смиренный, с закрытым молчащим ртом», — неужели вы это можете приурочить к вопросу о каком-то заклании христиан?

Троицкий: Это никакого отношения не имеет.

Карабчевский: Это очень красивый образ смиренного, умирающего праведника. Теперь скажите относительно выражений, которые пытаются отождествить с наименованием христианина, — относительно выражения «гой». Не относилось ли это к безбожнику, преступнику из евреев?

Троицкий: Выражение это указывает на известный национальный характер, а выражение «акум» — на религиозные предпочтения. Причем слово «акум» составлено из четырех слов: «овед коховим и мазолот», то есть берутся начальные буквы, соединяются, и получается слово «акум» — тот, кто поклоняется звездам и знакам зодиака.

Карабчевский: Значит, «акум» — это человек, который не верит в Бога живого, а верит в идолов, в планеты, в звезды и так далее? Ваши доводы основаны на изучении самого текста Священного еврейского Писания? Вы владеете древнееврейским языком?

Троицкий: Я читал Библию, Талмуд, Зогар и другие, так что первоисточники еврейской религии я изучал очень много раз. И то, что я показывал сейчас, я показываю на основании первоисточников.

Карабчевский: И на основании знакомства с первоисточниками вы приходите к заключению, что всякий вывод относительно того, что евреи употребляют христианскую кровь, не имеет никакого основания?

Троицкий: Да, на этом основании.

Грузенберг: Скажите, вот вас спрашивал прокурор относительно жертвоприношения по Библии, и вы сказали, что окроплялись кровью стены храма, что, значит, кровь имела значение для евреев. Ведь это относится ко времени Библии — сколько именно лет тому назад?

Троицкий: Всего получается 1843 года.

Грузенберг: 1843 года назад. А вам говорят, что это имеет отношение к настоящему времени. Но не все ли народы в то время приносили в жертву животных?

Троицкий: В древности, конечно, и даже теперь, я думаю, у некоторых племен жертвоприношение животных является обычным явлением.

Грузенберг: Ведь и у славян до принятия христианства были жертвоприношения?

Троицкий: И у славян жертвоприношения животных совершались.

Грузенберг: Теперь отбросим это недоразумение — то, что имело место 1843 года тому назад у всех народов. Но я хочу отбросить и другой вопрос. Вам говорили о сочинении Пикульского, относящемся к 1660 году, и о том, что евреи приняли меры к тому, чтобы эта книга не появилась в печати. Книга имеется у нас в библиотеке, имеется в других местах империи. Разве могут евреи помешать кому-то вновь отпечатать эту книгу?

Троицкий: Конечно, нет.

Грузенберг: Затем, известно ли вам, что Государственный совет разобрал книжку «Еврейское слово против Бога и против ближнего» монаха Неофита и что сказал Государственный совет?

Троицкий: Относительно монаха Неофита Государственный совет вынес самое нелестное мнение. Было обращено внимание на то, что места из Талмуда, которые в этой книге приводятся, не отысканы.

Грузенберг: Государственный совет проверил книгу Неофита и убедился, что его ссылки на Талмуд неверны. Вы читали эту книгу?

Троицкий: Я ее пробегал, но вынес самое невыгодное впечатление.

Грузенберг: Самое невыгодное впечатление. А как книга значится, какое заглавие, греческое или молдавское?

Троицкий: Переведена с молдавского. Полный заголовок: «Опровержение религиозного культа евреев и обычаев их с доказательством из Священного Писания. Составлена на молдавском языке Неофитом, монахом из евреев. Переведена Иоанном Георгием. Издание 1861 года».

Грузенберг: Что значит по-гречески «неофит»?

Троицкий: Новорожденный. Когда в древнехристианской церкви язычники обращались в христианство, то на первый день после обращения они назывались неофитами, рожденными для новой жизни.

Грузенберг: Вы говорите, что по приговору Государственного совета видно, что самое нелестное впечатление было вынесено?

Троицкий: Да, я читал и сам вынес нелестное мнение о Неофите.

Грузенберг: Будьте добры сказать. Вот вас спрашивали о том, что по еврейскому закону три тысячи лет тому назад было жертвоприношение животными, что непременно первенцев животных надо было убивать. Когда приводили животных в храм, разве они шли непременно для того, чтобы заколоть, или шли на содержание клира и на помощь нищим?

Троицкий: Первенцы скота не обязательно приносились в жертву, а они вообще приводились в храм, а там от священства зависело, давать им то или другое назначение.

Грузенберг: Или на помощь бедным, или на содержание храма — это делали сами священники? Вы рассказывали, что три тысячи лет назад, когда было жертвоприношение животными, было установлено вместо этого давать выкуп. Так вот, выкуп куда шел, на добрые дела или этим от Бога откупались?

Троицкий: Я сказал: первенцев от скота посвящали храму, а что касается первенцев от людей — малолетний ребенок, когда его приносили в сороковой день в храм, когда было очищение матери (то, что в православной церкви вспоминается в Сретение Господне), то за них приносился выкуп. Этот выкуп по закону Моисея равнялся пяти сиклам, что по нашему теперешнему курсу — 4,5 рубля. Выкуп шел на удовлетворение нужд храма, этот сбор опускался в особую кружку.

Грузенберг: Теперь позвольте вас спросить. Вы — профессор Духовной академии, знаете еврейский язык, не только этот, но и древний, скажите, есть такое место, что будто евреям разрешается принимать христианство, чтобы потом уронить этим христианскую веру?

Троицкий: Насколько я знаю, такого места нет. Говорили, что в Шулхан-Арухе это указывается в главе об «акумах», но в действительности там этого места нет. Там говорится об идолопоклонниках, но не о христианах, и говорится совершенно не о крещении, а о том, что должен предпринимать еврей, если он подвергается преследованию со стороны других людей, если они угрожают его жизни, что он должен в этом случае предпринимать.

Грузенберг: А не сказано там, наоборот, когда преследует тебя опасность и если тебя спросят, не еврей ли ты, то ты не имеешь права отречься, а обязан сказать: «Нет, я еврей», так что даже в смертельной опасности евреи не имеют права отказаться даже словесно, что он еврей?

Троицкий: Да, не имеют права отказываться.

Грузенберг: Тут патером Пранайтисом говорилось, будто еврейские ученые, которых нам не называли, и ученый Маймонид говорят, что то, что относится к амаликитянам, и все, что говорится об идолопоклонниках, говорится о христианах.

Троицкий: В таком смысле отзыва о христианах нет. Должен сказать, что Маймонид был большой философ и относился к христианскому учению не особенно благоволительно, но тем не менее Маймонид высоко ценил культурное значение христианства, он говорил, что распространение христианства способствует распространению закона Моисеева. Это был удивительный исследователь теологии. Он не мог высказать таких мыслей, что можно убивать христиан без всякого повода.

Грузенберг: Знаете ли вы, что такое уважительное отношение к христианам было не только у Маймонида, но и другие еврейские писатели говорили: «Хотя мы не разделяем взглядов христиан, но это ведет к вере в единого Бога». Среди писателей-евреев и ученых много было, которые относились к христианам с полным уважением. Не знаете ли вы такого выражения, что набожный христианин православный, или лютеранин, или католик ближе к Богу, чем неверующий еврей?

Троицкий: Такого выражения я не помню.

Грузенберг: Если понадобится, я укажу этот текст. Еще вы говорили, что евреи, начиная уже от ранних времен, чувствовали отвращение к крови, например, при приготовлении пищи не имели права есть мясо с кровью. Что они делают, чтобы есть мясо?

Троицкий: Они его предварительно вымачивают в сосуде так, чтобы кровь вся вышла.

Грузенберг: Теперь дальше. Здесь говорили, что евреями-медиками предписывалось иногда кровопускание и что сказано в Талмуде: если кто болен, то надо из него выпускать кровь. Из кого — из еврея или из христианина?

Троицкий: Из еврея.

Слышен перезвон церковных колоколов.

Председатель (поглядев на карманные часы): Профессор Троицкий, у суда к вам больше нет вопросов, вы свободны. *(Приставу.)* Перерыв.

Судебный пристав: Объявляется перерыв!

Председатель суда, Прокурор и профессор Троицкий уходят.

Защитники подсудимого встают и уходят к левой кулисе.

Поверенные истицы уходят к правой кулисе.

По сцене пробегают журналисты и мальчишки с газетами «Киевлянинъ» и «Русские ведомости», с листовками общества «Двуглавый орел» и криками:

— Православные священники отвечают за жидов!

— Греция заявила протест Российскому правительству за процесс над Бейлисом!

— Сахарный богатей Бродский купил адвокатов для убийцы Ющинского!

— В нашей газете писатель Короленко печатает очерки прямо из зала суда! Читайте очерки писателя Короленко!

269

— В Госдуме депутаты требуют выселить евреев из России!

— Писатели Максим Горький и Мережковский собирают подписи под Обращением к обществу и государю в защиту евреев!

— «Черная сотня» и «Двуглавый орел» готовят еврейские погромы!

Газетный фотограф с тяжелым аппаратом подбегает к оставшимся экспертам и поджигает магний — фотографирует.

Защитники (меж собой, у левой кулисы):

— Это прямо какая-то Лысая гора, а не суд!

— Дело до такой степени бесстыдно, что даже удивительно!

— Не знаю, как вам, а у меня впечатление, что первый раунд мы проиграли.

— Ничего мы не проиграли! Это была боевая ничья!

— Смотрите, что делается у Софийского собора! «Черная сотня» уже изготовилась к погромам!

— В нашем случае ничья — это проигрыш. Профессор Троицкий — кто его рекомендовал в эксперты?

— Ну знаете, господа! Когда на вас наваливаются сразу и Председатель суда, и Прокурор, и депутат Государственной думы, тут любой может сломаться...

Присяжные поверенные истца (меж собой, у правой кулисы):

— Мы их добьем, это однозначно!

— Главное — склонить присяжных, что жиды на каждую Пасху убивают наших детей!

— Представляете, что начнется! Наконец мы вырежем всех жи...

— Тихо! А правда, что в Талмуде сказано «лучшего из гоев убей»?

— Вы знаете, что за процессом следит сам Государь Император?

— И не только следит, а собирается сам приехать в Киев!

Защитники (меж собой, у левой кулисы):

— Одного не понимаю: откуда взялась эта ненависть к нам?

— Тут и понимать нечего! Мы с вами в Киеве с 941 года. Тогда киевский князь Игорь пошел набегом на хазар, а в ответ хазарский царь захватил Киев. Но не сжег его по законам того времени, а ушел, оставив тут сотню своих торговцев. И эти торговцы так понравились местным женщинам, что через какое-то время киевскому князю пришлось ввести штраф: если какая баба будет замечена, что по ночам шастает до жидов, то ее муж платит князю десять гривен. Вот оттуда все и идет. Разве могут какие-то десять гривен остановить русскую женщину?

Присяжные поверенные истца (меж собой, у правой кулисы):

— А вы давно были на Крещатике? Это же просто ужас! Как красивая русская баба, так обязательно с жидом!

— Все, пора с этим кончать!

Фойе театра. В антракте желательно — хотя бы средствами радио — передать здесь атмосферу и шум антисемитских митингов и собраний общества «Двуглавый орел» у здания суда. Листовки, мальчишки с газетами и выкриками самых горячих заголовков.

В фойе появляется Судебный пристав с колокольчиком, объявляет, что перерыв в судебном заседании окончен.

271

ДЕЙСТВИЕ ВТОРОЕ

На сцену выходит Судебный пристав, подходит к рампе.

Судебный пристав (в зал, зрителям): Встать, суд идет!

Судебный пристав наблюдает, как зрители встают.

Стенограф, Защитники, Представители истца и эксперты Коковцов и Тихомиров занимают свои места.

Следом занимают свои места Председатель суда и Прокурор.

Все некоторое время стоят, глядя в зал и дожидаясь пока все зрители встанут.

После паузы Председатель суда садится.

Затем садятся все Участники процесса.

Судебный пристав (зрителям, в зал): Извольте сесть.

Председатель: Продолжаем. Профессор Коковцов, пожалуйста. Какое значение имела кровь жертв при храмовых жертвоприношениях у евреев?

Коковцов: Я всецело присоединяюсь к мнению профессора Троицкого. Очистительное значение крови при жертвоприношениях ясно указано в самой Библии, книга Левит, 17.11. Оно явствует также из церемониала кропления кровью жертвенника, как это описано в 16-й главе той же книги.

Председатель: Есть ли указания в Библии на человеческие жертвоприношения у евреев?

Коковцов: Я точно так же согласен с тем, что было сказано по этому поводу профессором Троицким. Принесение в жертву дочери Иевфая является совершенно исключительным случаем, отмечаемым как таковой самим библейским повествованием в заключительных словах

272

рассказа. Человеческие жертвоприношения в законодательстве Пятикнижия считаются «мерзостью» и караются смертью. Принесение человеческих жертв некоторыми израильскими и иудейскими царями жестоко порицается пророками и ставится библейскими повествователями в прямую связь с падением того и другого царства и уведением народа в плен.

Председатель: Чем у евреев заменено принесение в жертву Иегове еврейских первенцев и распространена ли эта замена на первенцев врагов из другого племени?

Коковцов: Согласно постановлению книги Чисел, принесение в жертву человеческих первенцев было заменено посвящением Богу всех сынов Левиевых. Этим решается в отрицательном смысле вторая часть вопроса.

Председатель: Есть ли указания в Библии или в Талмуде на то, что избиение и убийство иноплеменников считалось евреями актом, угодным Иегове?

Коковцов: К тому, что было сказано по этому вопросу профессором Троицким, я должен прибавить, что Талмуд возлагает на еврея в отношении единоверца большие обязанности, чем в отношении нееврея, и поэтому устанавливает в некоторых случаях известное неравноправие еврея и нееврея. Но отсюда еще далеко до того, чтобы он предписывал или дозволял причинять умышленный вред нееврею, а тем более убивать нееврея. Убийство вообще считается одним из трех величайших грехов, по теории раввинизма. Весьма характерны для определения предписываемых Талмудом обязанностей в отношении неевреев такие постановления, как, например: «Следует призревать бедных иноверцев наравне с бедными израильтянами и навещать больных иноверцев наравне с больными израильтянами». Эти постановления тем более замечательны, что относятся к неевреям талмудической эпохи, то есть преимущественно к язычникам. Изречение «лучшего из неевреев убей», приписываемое таннаиту Шимону бен-Иохаю, в Вавилонском Талмуде не находится и представляет случайное единичное выражение личного негодования, объясняющееся обстоятельствами жизни упомянутого раввина. В Иерусалимском Талмуде встречается аналогичное выражение: «Лучшего из неевреев убей; лучшей из змей раздроби мозг» с добавлением: «Самая дельная женщина — ведьма». Это проливает полный свет на обстоятельства возникновения приведенных выше изречений.

Председатель: А что такое, в сущности, Талмуд, Шулхан-Арух, Каббала и заключаются ли в них указания на употребление евреями христианской крови?

Коковцов: Тут в дополнение к сказанному профессором Троицким я должен отметить, что Талмуд — это не учение. Талмуд состоит из сборника традиционных постановлений — Мишны, редактированного приблизительно в начале III века по Р.Х., и истолкования этого сборника — Гемары, редактированного приблизительно в конце V века по Р.Х. Однако окончательные решения в Талмуде часто не даются, и приходится их выводить самому путем разных соображений. Поэтому вскоре возникла необходимость в особых кодексах. Одним из таких кодексов был Шулхан-Арух, составленный в XVI веке Иосифом Каро. Таким образом, и Талмуд, и Шулхан-Арух представляют собой законоположительные сборники. Наоборот, Каббала есть не что иное, как религиозно-философское учение, не вторгающееся в область религиозного закона и не имеющее поэтому никакой обязательной силы для еврейства. Ни в Талмуде, ни в Шулхан-Арухе, ни в Каббале никаких указаний на употребление евреями христианской крови не находится.

274

Председатель: Какое значение имело число 13 в Талмуде и Каббале?

Коковцов: Тут я могу прямо сказать, что ни в Талмуде, ни в Каббале это число никакого символического значения не имеет.

Председатель: Из какого места тела, по толкованию Талмуда и Каббалы, выходит по преимуществу душа вместе с кровью?

Коковцов: Весьма сомневаюсь, чтобы в Талмуде имелось какое-либо по этому предмету указание.

Председатель: Какие разоблачения сделали франкисты по поводу человеческих жертвоприношений у евреев на диспуте во Львове в 1759 году?

Коковцов: Я не могу ответить, так как не знаком с материалами диспута. Но знаю, что в своем манифесте, обнародованном около того же времени, франкисты ни слова не говорят о человеческих жертвоприношениях раввинистов.

Председатель: Были ли в Средние века и в наше время случаи осуждения евреев по обвинению их в убийстве христиан с религиозными целями, причем евреи бывали изобличены и собственными сознаниями, и нахождением, по их указанию, останков замученных ими жертв?

Коковцов: О разных средневековых и новейших процессах в различном их освещении я, конечно, в прессе читал, но принять эти сведения без проверки я решительно не в состоянии ввиду возможности умышленных извращений фактов, и потому должен отказаться от прямого ответа.

Председатель: Каково отношение еврейства к употреблению крови в пищу?

Коковцов: Запрет употребления крови всегда соблюдался строжайшим образом евреями в течение тысячелетий. Для характеристики еврейского консерватизма в этом отношении можно указать на скромную попытку благочестивого, но философски образованного писателя Иосифа Альбо в XV веке, автора знаменитого сочинения на еврейском языке о догматах. Он высказал предположение, что когда-нибудь, может быть, такие запреты, как тука и крови, будут отменены при изменившихся обстоятельствах жизни. Эти слова вызвали бурю негодования против автора, и его труд, озаглавленный Сефер Иккарим («Книга догматов»), был назван Сефер Окрим, то есть «Книга разрушителей».

Председатель: Встречаются ли в Талмуде какие-нибудь постановления о христианах, и если имеются, то какие именно?

Коковцов: Насколько мне помнится, в Талмуде ни одного постановления, относящегося именно к христианам, не находится. Что касается термина «гой», то под ним подразумевается всегда только язычник. Термин «ам-хаарец» исключительно обозначает невежду, необразованного человека и только при полном незнакомстве с талмудической терминологией может быть понят в значении «христианин».

Председатель: Заключается ли в учении еврейской религии, как древней, так и позднейшей, предписание об умерщвлении христиан с ритуальной целью?

Коковцов: Тут можно дать только отрицательный ответ. Ни Библия, ни Талмуд не требуют ритуальных убийств. В каббалистической литературе я менее осведомлен, но с некоторыми важнейшими произведениями знаком и на основании этого знакомства считаю совершенно немыслимым, чтобы еврейская теософия, занимающаяся вопросами отвлеченного характера, требовала человеческих убийств. По этому поводу уместно коснуться некоторых мест из трех каббалистических сочинений, где, по сведениям пражского профессора Ролинга, будто бы такое

276

требование убийства христиан имеется и где даже будто бы описано, как именно такое убийство должно совершаться. Тридцать лет назад эти указания пражского богослова Ролинга наделали много шуму. К тому, что сказал об этих местах профессор Троицкий, я прибавлю следующее. Первое из этих мест, Зогар, лист 119a, не говорит ни слова ни о христианах, ни о каком-либо убийстве, ни о 13 поранениях. Речь идет о евреях, не соблюдающих предписаний еврейского закона, а не о христианах. Повествователь говорит, что если эти грешники покаются и не будут роптать на Бога, то они умрут с закрытым ртом, то есть без ропота, как животные. Другое сходство, которое сообщает Ролинг: мол, и те и другие умирают с тринадцатью, потому что первые, умирая, произносят слово «Эхад» (един), последнее слово исповедания единства Божия: «Слушай, Израиль, Господь Бог наш, Господь един», числовое значение которого равно 13. И животные якобы тоже умирают с тринадцатью, так как при убое их резник 12 раз пробует нож, и, таким образом, эти 12 проб ножа вместе с самим ножом тоже дают 13. Насколько это реальное сходство, судите сами. Второе место находится в сочинении «Шаар ха-Хакдамот» известного ученика Исаака Лурье, Хаима Виталя. Здесь будто бы, по словам Ролинга, указывается, что «убийство скорлуп», то есть не-евреев, необходимо для ускорения пришествия Мессии. Но слова «убийство скорлуп» не находятся в тексте и совершенно бессмысленны с точки зрения идей книги Зогар, потому что «скорлупы» — это духовные субстанции, а не материальные, и убийство их потому невозможно. В третьем месте, в сочинении «Сефер ха-Ликкутим» того же Виталя, точно так же не говорится ничего об убийстве девушек (бетулот), как сообщал Ролинг, а говорится только о девственной крови (дам бетулим). Упомянутые места, таким образом, совершенно безвредны и не дают основания думать, что в Каббале предписываются ритуальные убийства.

Председатель: Дает ли основание Ветхий Завет для обвинения евреев в употреблении человеческой крови?

Коковцов: Тут можно отвечать только отрицательно. Поскольку Ветхий Завет устанавливает догмат неупотребления всякой крови, в том числе и человеческой, то для обвинения евреев в употреблении человеческой крови не может быть никакого основания. Это же относится и ко всем еврейским сектам, в частности к караимам, которые запрет употребления человеческой крови выводят в отличие от раввинистов прямо из ветхозаветного текста.

Председатель: Имеются ли данные, которые указывали бы на то, что убийство Андрея Ющинского совершено из побуждений религиозного изуверства, вытекающего из вероучений еврейской религии или ее сект, и в последнем случае каких именно?

Коковцов: На этот вопрос можно ответить только отрицательно. Решительно никаких данных, которые указывали бы на то, что убийство Андрея Ющинского совершено из побуждений религиозного изуверства, вытекающего из вероучений еврейской религии или ее толков, не имеется. Что касается обескровления трупа, то судебно-медицинская экспертиза не дает, мне кажется, основания считать доказанным, что оно было умышленно произведено; но и в последнем случае решительно невозможно допустить, чтобы обескровление было сделано евреем ради получения человеческой, в частности христианской, крови. Совершенно невероятно, чтобы какой-либо еврей, соблюдающий свой закон и верящий, что закон этот дан самим Богом, мог решиться на убийство ради не только бессмысленного с точки зрения его религиозного закона поступка, но если дело идет об употреблении крови в пищу, то и поступка, строго запрещаемого тем же законом. Я скажу прямо, что, если бы где-либо был найден обескровленный труп христианина и было бы доказано, что убийство совершено евреем, я предпочел бы допустить какие угодно мотивы убийства, за исключением желания получения человеческой крови.

Председатель: Желают ли стороны задать вопросы эксперту?

Прокурор: Я имею вопросы. Вы так же смотрите, профессор, на Неофита и его сочинения, как и ваш предшественник?

Коковцов: Произведение Неофита представляется мне весьма подозрительным. Мне представляется невероятным, чтобы сын еврея написал произведение, в котором попадаются такие выражения о евреях, как «нечестивый народ» или «весь еврейский народ подлежит проклятию» и так далее. Не мог сын еврея выразиться так о народе, к которому принадлежал его родной отец. Подозрительным кажется мне затем нелепое выражение «фарисеи, которые называются хасидимами». Особенно странным представляется мне в устах сына раввина указание на то, что раввины будто бы не уверены в том, что Иисус Христос не был Бог, то есть колеблются в отношении своего догмата единобожия. Еврейство много страдало за верность своей религии; при таком колебании эти страдания за веру представлялись бы непонятными.

Прокурор: У правоверных евреев маце и опреснокам придается очень большое значение. Вы слышали из хода процесса, что маца пеклась в имении Зайцева, у которого много лет работает подсудимый Бейлис?

Коковцов: Мне известно, что печение мацы совершается с особой осторожностью исключительно ради того, чтобы в мацу не попал никакой квасной элемент.

Прокурор: Вам известно, что одним из пап римских было сделано распоряжение о сожжении Талмуда как заключавшего в себе ряд суеверий, и действительно Талмуд был сожжен в 1224 году?

Коковцов: Это не единственный случай. Талмуд сжигался много раз, и не только Талмуд, но и разные другие книги. Я не думаю, чтобы из этого можно было бы извлечь выводы в том смысле, что он был опасен.

Прокурор: Мне хотелось бы выяснить, известно ли вам, чем вызывалось такое распоряжение папы.

Коковцов: Это был донос.

Прокурор: Не это одно. Это распоряжение вызывалось тем, что Талмуд был наполнен богохульством и суеверием. Вы, эксперты, сами приводили из Талмуда изречения и говорили, что тут кто хочет укажет изречения, которые могут быть названы суеверием.

Коковцов: Кто знает Талмуд, кто читал его довольно много, тот сумеет разобраться, и такие изречения могут вызвать только улыбку.

Прокурор: Так что он невинно изложен и богохульства не заключает?

Коковцов: Не заключает.

Прокурор: А по отношению к христианскому кресту?

Коковцов: Конечно, евреи не верят во Христа, но богохульства у них нет.

Председатель: Прошу относительно богохульства вопросов не касаться.

Прокурор: Я только в общих чертах; я, конечно, не буду выяснять эти вопросы.

Шмаков: Я прошу занести в протокол, что эксперту Коковцову не известны богохульства.

Грузенберг: Вот вас спрашивал прокурор о том, что какой-то папа приказал сжечь Талмуд, и вы сказали, что не один такой случай был. А не известно ли вам, что по распоряжению мусульман была сожжена целая библиотека, где были выдающиеся произведения ума человеческого?

Коковцов: Да.

Грузенберг: А что у язычников сжигались книги христианские?

Коковцов: Да.

Грузенберг: Перейду к деловым вопросам. Скажите, есть текст, позволяющий евреям принять христианство с единственною целью уронить потом эту новую религию?

Коковцов: Я знаю, что такого текста нет, и совершенно невероятно, чтобы он мог быть.

Грузенберг: Здесь много говорилось о догматах крови, и вообще все обвинение построено на том, что Ющинский умертвлен хасидом Бейлисом ради получения крови для выпечки мацы. Зная Талмуд, зная еврейские богослужебные книги, вы не допускаете мысли об употреблении евреями христианской крови?

Коковцов: Я не могу допустить этого, потому что это было бы бессмысленно с точки зрения еврейского закона и вместе с тем опасно. Выходило бы, что ради исполнения бессмысленного с точки зрения религии дела еврей нарушал бы основной запрет закона Моисеева и к тому же подвергал бы большой опасности и себя самого, и весь свой народ. Так что это положение допустить невозможно.

Грузенберг: Здесь также говорилось, будто после разрушения храма жертву нельзя было приносить. Так вот скажите: чем после разрушения храма заменено жертвоприношение животных?

Коковцов: Две обычные жертвы всесожжения, которые совершались в храме утром и после обеда (так называемый тамид), заменены двумя соответствующими молитвами (стефиллами) из 18 благословений. Затем очистительные жертвы, в особенности церемониал очищения грехов, заменены покаянием…

Грузенберг: То есть все жертвы заменены молитвами?

Коковцов: И покаянием.

Грузенберг: И ничего другого вместо жертв не допускается?

Коковцов: Нет. Это и невозможно: до восстановления храма в Иерусалиме считается невозможным вообще жертвоприношение.

Грузенберг: Вы говорили относительно 13 уколов, причем относительно текста вы повторили Троицкого, что это есть недобросовестный перевод.

Коковцов: Я так не выразился. Моя мысль была та, что это перевод неправильный. Пользуясь имевшимися в моем распоряжении текстами и имея в руках перевод Ролинга, я пришел к заключению, что он неверен.

Грузенберг: Вы изучали, значит, все тексты и тот самый текст, на который ссылается Ролинг?

Коковцов: Я имел возможность пользоваться двумя изданиями XVI века, мантуанским и кремонским, сличил этот текст с текстом двух амстердамских изданий, сообщенным Деличем, и с текстами, по которым сделан перевод Меркса и Ролинга, и убедился, что еврейский текст всех изданий здесь одинаков, но перевод Ролинга не соответствует оригиналу.

Грузенберг: И вы убедились, что Ролинг допустил, мягко говоря, неправильный перевод, недобросовестный?

Прокурор: Этого слова не было. Я прошу ваше превосходительство указать, что это слова защиты, а что профессор их не говорил.

Грузенберг: Профессор Троицкий сказал, что перевод недобросовестный.

Председатель: А профессор Коковцов сказал, что он неправилен.

Коковцов: Я сказал, что вопрос считается решенным в том смысле, что наука признала правильными переводы Делича и Меркса и затем к этому вопросу больше не возвращалась, так что на перевод, который дал Ролинг, не обращается больше никакого внимания.

Грузенберг: И текст в переводе Ролинга, который приводился о деле убийства, тоже неправильный. Там даже вставлено два слова, которых нет в оригинале, не так ли?

Коковцов: Это в переводах Ролинга сочинения Хаима Виталя, где говорится об убийстве скорлуп; я сказал, что скорлупы нельзя убить, потому что дело идет о духовных существах. Сличив текст Ролинга с текстом подлинного сочинения, я убедился, что эти два слова («убийство скорлуп») самовольно вставлены Ролингом, как и несколько слов вначале. Я здесь увидел некрасивые передержки.

Грузенберг: Некрасивые передержки?! Ролинг вставил два слова в начало, изменил текст в середине! А на самом деле у Хаима Виталя никаких указаний на приношения в жертву нет!

Карабчевский: Затем я хотел еще спросить по поводу следующего. Как исторические критики относятся к указаниям на процессы, которые были в Средние века, и каким образом те из ученых, которые приходят к заключению, что рассказы об употреблении крови вымысел, каким образом они относятся к этим историческим событиям или рассказам?

Коковцов: Они подвергают это большим сомнениям.

Карабчевский: Вам известен Вагензейль, что он — еврей или нет?

Коковцов: Я не знаю, еврей или нет, я знаю, что это был враг еврейства и что он написал известную книгу против еврейства.

Карабчевский: По поводу полемики с этим автором и другими вы можете назвать ряд ученых имен, которые указывают, каким образом в Средние века нарождались подобные процессы, какими побуждениями и кто ими руководил?

Коковцов: Я подробностей не могу припомнить.

Карабчевский: Я говорю, что раз исторический критик приходит к заключению, что это есть вздор, то у него есть аргументация.

Коковцов: Да, конечно, они оспаривают разные измышления и наветы.

Карабчевский: Тут говорили о разных процессах. Не известны ли вам по Саратовскому делу следующие обстоятельства? Говорилось, что обыкновенно преступления ритуального характера приурочиваются к весне, к Пасхе. Не знаете ли вы, Саратовское убийство когда имело место?

Коковцов: Одного мальчика убили в декабре, другого в январе.

Карабчевский: Были ли там какие-нибудь специфические уколы, из которых делались выводы, что это преступление крови?

Коковцов: Насколько мне помнится, большого количества уколов не было, но над обоими мальчиками было совершено обрезание.

Карабчевский: По поводу Велижского дела вам известно, что после окончательного приговора осужденные были признаны невиновными и были освобождены, причем было ясно доказано, что они невиновны?

Коковцов: Да, мне помнится это.

Маклаков: Не помните ли беседы Гилеля с одним язычником, который просил рассказать ему сущность учения Талмуда, а Гилель сказал, что расскажет в течение того времени, пока можно простоять на одной ноге?

Коковцов: Да, помню.

Маклаков: Скажите, кто был Гилель?

Коковцов: Это был один из древнейших и авторитетнейших представителей раввинизма, он жил в I веке до Р.Х.

Маклаков: А такая беседа была?

Коковцов: Он сказал, что вся сущность еврейского закона заключается в том, чтобы не делать другому того, что самому неприятно.

Маклаков: Так что сущность еврейского закона — «не делай другому того, что тебе неприятно». Вот это изречение Гилеля не сходно ли с одним из христианских изречений? Нет ли у нас, христиан, в этом же роде изречения?

Коковцов: Оно подходит к евангельскому изречению «люби ближнего, как самого себя», которое, впрочем, встречается уже в книге Левит.

Маклаков: И в этом Гилель видел всю сущность еврейской религии?

Карабчевский: Позвольте мне еще вопрос. Здесь говорилось о раввине Шнеерсоне в том смысле, будто ему отправлялись бутылки с кровью. Не имеются у вас более специальные сведения о Залмане Шнеерсоне, основателе хасидизма?

Коковцов: Мне о нем очень мало известно.

Карабчевский: Скажите, не известно ли вам, что его личная жизнь отличалась крайним благочестием и чистотой нравственности?

Коковцов: Я подробностей не помню, но я читал о Шнеерсоне.

Карабчевский: Не известна ли вам, например, его патриотическая деятельность во время Отечественной войны?

Коковцов: Да, кое-что я читал, но точных сведений не имею.

Карабчевский: Я больше вопросов не имею.

Маклаков: Профессор, вот тут говорили о франкистах, о секте, основанной Франком, о диспуте во Львове. Вы знаете, кто такой Франк?

Коковцов: Он хотел реформировать еврейство. Он был последователем Саббатай-Цеви, который выдавал себя за Мессию.

Маклаков: А потом, после диспута, не выдавал ли себя Франк за вновь воскресшего Иисуса Христа?

Коковцов: Не помню.

Маклаков: А как он окончил свою жизнь, не был ли он шпионом?

Коковцов: Он находился долгое время в тюрьме в Ченстохове.

Маклаков: По обвинению в шпионаже?

Коковцов: Я не помню.

Прокурор: Вы тут сказали, что вам неизвестен текст, в котором сказано, что принять крещение, с тем чтобы обмануть христиан, еврею дозволено и он даже заслуживает за это уважения. Между прочим, патер Пранайтис указал на Иоре Деа, где значится: «Если еврей может обмануть акумов, заставляя их верить, будто и он сам акум, то это дозволено». А под акумом понимается христианин.

Коковцов: Виноват, под акумом нет возможности понимать христианина. Во всех старых текстах и рукописях в тех местах, где в новых изданиях значится «акум», стоит слово «гой». Слово «акум» — позднейшая, цензорская поправка.

Прокурор: Тогда, значит, можно обмануть гоя. Заставить их верить, будто он сам гой, — это дозволено. Есть такое выражение?

Коковцов: Это выражение, вероятно, заключается в тексте, который говорит о законности обмана, когда приходится или умереть, или обмануть, и говорится, что в таком случае он может обмануть — одеться в платье христианина — и что этим он не совершает ничего худого в таких случаях.

Прокурор: Это вы так толкуете?

Коковцов: В опасном положении, например, когда евреев убивают, тогда допускается обман, но тем не менее можно только переодеться, но запрещается назвать себя неевреем.

Прокурор: Тогда я позволю себе спросить, вы с «Историей евреев» профессора Греца знакомы; не помните ли вы там такое место в панегирике Берне и Гейне, где он бросает крестившим их священникам такой упрек: «Они же оба наружно отреклись от иудейства, но только как борцы, овладевающие доспехами и знаменем врага, чтобы поразить его тем вернее и тем основательнее его умертвить»? Это говорит Грец. Вы это отрицаете?

Коковцов: Я не отрицаю, но и не могу признать.

Прокурор: Вы не отрицаете этого места?

Коковцов: Я не отрицаю, но я не хорошо помню это место, а потому не могу ничего сказать положительного.

Шмаков: Скажите, профессор, что, для христиан имеются в Талмуде различные псевдонимы?

Коковцов: Я не совсем понимаю.

Шмаков: Например: ноцри, акум...

Коковцов: Таких наименований для христиан я не знаю.

Шмаков: Этих наименований вы не знаете?

Коковцов: Для неевреев вообще есть наименование «гой», другого выражения я не знаю.

Шмаков: А «гой» как понимать?

Коковцов: Это выражение вообще обозначает нееврея, лицо, не принадлежащее к евреям.

Шмаков: А акум?

Коковцов: Я уже сделал поправку в этом отношении. Это выражение было введено с конца XVI века, со времени введения христианской цензуры для еврейских книг. Для того чтобы не было подозрения, что идет речь о христианах, вместо «гой» было введено слово «акум».

Шмаков: Значит, «гой» и «акум» друг друга заменяют?

Коковцов: Слова стоят одно вместо другого, но не заменяют.

Шмаков: Вы сами признали, что «акум» и «гой» употребляются одно вместо другого.

Коковцов: Не везде.

Шмаков: То есть что это неевреи, стало быть, христиане?

Коковцов: Это зависит от того, в каком тексте это выражение употреблено. В более поздних текстах слово «гой» заменено цензурой словом «акум»...

Шмаков (перебивая): Отвечайте на вопрос прямо.

Председатель: Поверенный истца, дайте профессору закончить.

Коковцов: Первоначально для всех неевреев употреблялся термин «гой». Но с распространением христианства и мусульманства под термином «гой» стали разуметься люди различных религий, и так как раввинизм не мог остаться индифферентным к этому, то касательно слова «гой» были сделаны разъяснения. Так что, употребляя слово «гой», надо делать различие между христианами и язычниками.

Шмаков: Значит, «гой» относится к христианам, мусульманам и язычникам?

Коковцов: Да, но соответственно указанному разъяснению.

Шмаков: А слово «акум» стоит вместо слова «гой»?

Коковцов: В позднейших изданиях, но не в оригинальном тексте Талмуда.

Шмаков: А не знаете ли вы такого места в Талмуде, что когда еврей молится и ему навстречу идет акум с крестом в руках и еврей вместо молитвы наклоняется, то он не должен наклоняться, хотя бы его мысли были обращены к Богу?

Коковцов: Это место очень сомнительное, я должен видеть оригинал.

Шмаков: Вот относительно того места из Иоре Деа, где сказано, что нельзя продавать воду, если еврей знает, что ею будет совершено крещение, есть такое место?

Коковцов: Я не могу этого сказать.

Председатель: Господин поверенный истца, я опять попрошу вас держаться ближе к вопросу.

Шмаков: Здесь утверждается, что акум не есть христианин.

Председатель: Господин поверенный, вы уклоняетесь.

Шмаков: Акум — это значит «идолопоклонник»?

Коковцов: Сомнительно, чтобы могли называть христианина идолопоклонником. В старых изданиях везде стоит «гой», там нет выражения «акум».

Шмаков: Я спрашиваю, имеется ли в Талмуде постановление, касающееся христиан?

Председатель: Здесь не богословский спор. Мы не спорим о богословских вопросах. Прошу задавать вопросы по содержанию.

Шмаков: Я говорю об отношении Талмуда к христианам. Здесь было высказано такое положение, что евангельские правила...

Председатель: Нам дорого время, будьте любезны обратиться к делу.

Шмаков: Тогда позвольте спросить вас, известно ли вам сочинение профессора Соколова, в Казани, об обрезании?

Коковцов: Я этого русского сочинения не знаю, потому что пользуюсь иностранной литературой, которая всегда опирается на первоисточники.

Карабчевский: Таким образом, вы удостоверяете, что слово «акум» заменено христианской цензурой, а в подлинном тексте этого слова нет?

Коковцов: В подлинных старых изданиях и во всех рукописях XI, XII и XIII веков нигде слова «акум» нет.

Карабчевский: Еще вопрос. Вся эта литература, начиная с Талмуда, и последующие сочинения написаны, так сказать, языком кратким, сжатым — или, наоборот, это образная восточная форма, как бы поэтическое произведение?

Коковцов: Трудно установить такое определение. Законоположительные части Талмуда писаны преимущественно сжатым, сухим языком, но Агада написана поэтическим языком, в ней встречаются гиперболы и сравнения.

Шмаков: Вы говорите, что цензура ввела слово «акум» вместо слова «гой», какая же цель была в этом?

Коковцов: Цель та, чтобы нельзя было понимать под гоем христианина; если стоит «акум», то подразумевается язычник, потому что «акум» значит «почитающий звезды» и планеты, а «гой» обозначает вообще нееврея. Поэтому то, что относится к акуму, не относится к христианину.

Грузенберг: А в еврейской литературе, в ученых сочинениях, что говорят относительно христиан — надо их выделять из этой общей массы или нет?

Коковцов: Да, но чтобы евреи считали дозволенным обманывать христиан, этого совсем нет.

Грузенберг: Значит, вы устанавливаете, что начиная с X века еврейские книжники и ученые предписывают относиться к христианам добросовестно и честно?

Коковцов: Начиная приблизительно с XI—XII веков в еврейской литературе начинают появляться систематические увещания относиться к нееврям совершенно так же, как к евреям, а затем позже такие же специальные увещания касательно отношения именно к христианам.

Грузенберг: Начинают предписывать относиться к христианам добросовестно и честно?

290

Коковцов: Да.

Грузенберг: Не указывают ли они, эти сочинения, кроме того, что выделяют христиан и мусульман как верующих в единого Бога, в которого веруют иудеи?

Коковцов: Да, такая точка зрения на христиан высказывается.

Грузенберг: Так что евреи, несмотря на разномыслие, ибо иначе они не были бы евреями, относятся к христианам с уважением и говорят, что они верят в единого Бога, как и евреи?

Коковцов: Да, об этом есть много цитат, например, в таком роде, как что все, евреи и неевреи, равны пред престолом Божьим.

Шмаков: А нет ли такого закона в Талмуде: «Когда израильтянин и гой являются на суд, то оправдывай еврея, если можешь оправдать на основании еврейских законов. Когда гой станет жаловаться, говори: но он прав, таковы его законы. Если же еврей может быть оправдан на основании узаконений народов земли, оправдывай его и говори — таковы законы ваши, а когда ни то ни другое невозможно, действуй против гоя, выдумывая на него, как учит рабби Измаил».

Коковцов: Если не ошибаюсь, дальше сказано следующее: «А рабби Акиба советует не прибегать ко лжи, чтобы не посрамить имени Божьего в случае изобличения еврея во лжи». А мнение рабби Акибы предпочитается.

Шмаков: Это ваше мнение, что рабби Акибе нужно отдать предпочтение?

Коковцов: Это закон. Если рабби Акиба спорит с кем-либо, закон всегда согласно рабби Акибе.

Шмаков: Нет ли в Талмуде такого рода постановления, что евреи, живущие среди акумов, не могут иметь соединения с акумами?

Коковцов: Это я в первый раз слышу.

Шмаков: А существует такое постановление?

Председатель: Господин поверенный гражданского истца...

Шмаков: Профессор сказал по общему вопросу, что в еврействе проповедовалось в XII веке уважение к христианам и дружелюбное к ним отношение. А теперь я спрашиваю в частности.

Коковцов: Эта цитата, по вашим словам, из Талмуда. Но последний редактирован в конце V века, а я говорю о том, что происходило позже, в Средние века. Талмуд был закончен в VI веке.

Шмаков: А рабби Акиба когда жил?

Коковцов: Во II веке.

Председатель: Поверенный гражданского истца...

Шмаков: Я ставлю вопрос, есть ли в Талмуде такое учение, вы говорите, что Талмуд был закончен в VI столетии, а не сказано ли там, что везде, куда вступают евреи, они делаются господами?

Коковцов: Я не могу ничего сказать, мне нужно видеть оригинал, на который вы ссылаетесь.

Грузенберг: Мы обращаемся к суду с ходатайством: поверенный гражданского истца цитировал тут Талмуд, а эксперт отвечал: предъявите мне книгу, не могу же я помнить сотни книг, и тогда я переведу вам с древнееврейского и скажу, так ли это. Вот мы и просим предъявить профессору эти книги, чтобы он мог прочесть и сказать.

Председатель: Ходатайство защиты отклоняется.

Грузенберг: Помилуйте! Дело идет о ссылке на определенный текст. Поверенный гражданского истца говорит, что в таких-то сочинениях написано то-то, а я буду говорить, что этого там нет. Как же присяжные могут решить, кто из нас прав и кто нет? Поэтому-то мы и ходатайствуем...

* * *

Слышны все нарастающий рев толпы и антисемитские выкрики.

Председатель и Прокурор встают и спешно уходят.

Председатель (на ходу, Коковцову): Вы свободны. *(Уходит.)*

Профессор Коковцов уходит.

Судебный пристав: Перерыв не объявлен. Всем оставаться на местах.

Вбегают мальчишки с листовками и выкриками:
— Православные эксперты куплены жидами!
— Эксперты хотят уберечь евреев от погромов!
— «Двуглавый орел» зовет народ начинать погромы, не дожидаясь приговора! И так все ясно!
— Градоначальник срочно пригласил к себе Голубева, предводителя «Двуглавого орла»!
— В связи с визитом в Киев Государя Императора градоначальник просит Голубева отложить еврейские погромы...

Председатель и Прокурор спешно возвращаются.

Судебный пристав: Встать! Суд идет!

Председатель смотрит на карманные часы.

Судебный пристав: Садитесь.
Председатель (скороговоркой): Эксперт Тихомиров, ваша очередь. Что вы можете сказать по вопросам, заданным вам и другим экспертам? Если можно, отвечайте вкратце и по существу, время крайне дорого.

Тихомиров: Я должен сказать, что к заключению профессоров Троицкого и Коковцова я вполне присоединяюсь. По моему мнению, их речи исчерпали весь материал. Должен сказать, что из допроса профессора Троицкого для меня выяснилось, что здесь придается какое-то особое значение толкованию 13-го стиха 13-й главы книги Исход, где говорится, что первенца от человека выкупают. Пытаются вывести заключение, что это означает — приносят в жертву, и при этом подчеркивают: 13-я глава — 13-й стих. Я удивляюсь тому, что можно придавать значение совпадению: 13 и 13. Это чистое недоразумение. Ведь нужно знать, что разделение Библии на главы и стихи — явление очень позднее, и говорить о том, что это намеренно соединено — 13 и 13, — об этом не стоит и толковать. Это чистое совпадение, что текст, который нужен для настоящего дела, оказался в главе 13. И я, конечно, вполне согласен с тем, что профессора Троицкий и Коковцов говорили относительно того, что посвящение первенцев вовсе не обозначало принесения в жертву.

Или вопрос «Что такое Талмуд, Шулхан-Арух, Каббала и заключаются ли в них указания на употребление евреями христианской крови?» По этому вопросу я тоже присоединяюсь к тому, что говорили профессора Троицкий и Коковцов. На меня Талмуд всегда производил впечатление чего-то очень пестрого, калейдоскопического, где можно встретить массу противоречий. Можно сказать, что в этом отношении еврейское законодательство напоминает законодательство английское. Там тоже ничего не отделено — старое от новейшего, и вследствие этого получается куча материала весьма противоречивого, а поэтому можно выбрать из Талмуда что угодно. Многие постановления давно устарели и явно не исполняются. Так, есть постановление: «если у еврейки родится ребенок, то еврейка может его принимать, а если у акумки — то принимать не может», а между тем разве мы не знаем, что у нас почти все акушерки еврейки и пользуются ими все.

Председатель: И все-таки, какое значение имело число 13 в Талмуде и Каббале?

Тихомиров: Я вполне согласен с тем, что — никакого. Мне кажется, что самый вопрос о значении числа 13 — чисто случайный. Я знаком с еврейской историей, там имеют значение числа 7, 10, а 13 — этого никогда не встречал. Я полагаю: не вытекает ли это из нашего суеверия, ведь это у нас боятся числа 13, и самая постановка этого вопроса, не продиктована ли она нашим суеверием?

Председатель: Из какого места тела, по толкованию Талмуда и Каббалы, выходит по преимуществу душа вместе с кровью?

Тихомиров: Можно сказать так: когда человек ранен, то из этого места, когда он умирает, выходит душа. Здесь я должен сказать, что у древних евреев казнь совершалась без пролития крови — побиванием камнями, удушением, заливанием рта. Относительно же позорной казни, распятия на кресте, — это римская казнь, которой евреи не знали; что же касается усечения головы мечом, то это было прерогативой римских граждан.

Председатель: Где по преимуществу распространилось среди евреев учение неохасидов и кто из учеников основателя его наиболее известен как основатель нового хасидского толка?

Тихомиров: Могу сказать, что играющие столь большую роль у хасидов цадики являются просто уважаемыми лицами, которые избираются хасидами в качестве нравственных руководителей. Нечто подобное тому, как в монастыре избирают какого-нибудь старца, которому доверяют свои души. Самое слово «цадик» значит «праведник», и ничего страшного для христиан в нем не заключается. Так, мы даже в Киеве видим в Троицком монастыре одну надгробную надпись на нескольких языках, между прочим, и на еврейском, где к покойнику (несомненно, христианину) прилагается эпитет «цадик». Еще могу указать на историю музыки: Мусоргский использовал...

Председатель: Этого не касайтесь. Послушайте вопрос. Были ли в Средние века и в наше время случаи осуждения евреев по обвинению их в убийстве христиан с религиозными целями, причем евреи бывали изобличены и собственными сознаниями, и нахождением по их указанию останков замученных ими жертв?

Тихомиров: Вы ставите вопрос о Средних веках, но в Средние века было много таких своеобразных явлений, с которыми мы совершенно не знакомы. Тогда были процессы о ведьмах, были даже суды над животными. Мне приходилось кое-что читать по этим средневековым обвинениям евреев. В процессах действительно получалось сознание, но ведь это сознание получалось при посредстве пытки, а пытка способна довести до сознания и в том, чего не было. Под пыткой еврей сознавался даже в том, что у мужчин бывает месячное очищение. Ясно, что до такого абсурда может довести только полное отчаяние. Мне кажется, что не одно только сознание, но лишь нахождение по указанию сознавшегося останков убитого человека может иметь доказательное значение. Но мне не приходилось читать о нахождении, по признанию обвиненных евреев, тел убитых. Вообще, эти обвинения евреев появились только в XII веке, и выходит, что целых 11 веков у евреев не было случаев, когда бы им нужна была христианская кровь, а в XII веке — зачем-то понадобилась? На самом деле эта эпоха совпадает с Крестовыми походами, когда вспышка христианского фанатизма вызвала нападки на евреев как на врагов христианства. В сущности, католическая церковь и католическое духовенство выдвинули это обвинение, а потом это сделалось достоянием нашего русского Запада, польско-католического края. Что же касается до православной церкви, то она активного участия в поддержании этого обвинения не принимала. Ссылка на православную церковь может быть поддержана только примером младенца Гавриила, якобы замученного в конце XVII века евреями, и примером мученика Евстратия, мощи которого почивают в Киево-Печерской лавре и про которого известно, что он был взят в плен и продан евреями, был убит, то есть распят на кресте, но потом своими чудесами обратил многих в христианство. Из этих двух примеров первый, то есть младенец Гавриил, не может быть показателем, поскольку единственным источником, по которому мы знаем о мученике Гаврииле, является польская надпись на его гробе. Только и всего. В списке православных святых он не значится, а считается лишь местным святым у униатов, и как святой не признан Русской православной церковью. Что касается замученного Евстратия, то, несомненно, он был замучен евреями. Но ведь с миссионерами часто это случается: когда они попадают, например, к дикарям, то дикари их нередко даже съедают.

Председатель: Содержатся ли в Талмуде противонравственные учения?

Тихомиров: Я думаю, что не содержатся, по тем же основаниям, которые были здесь уже приведены. По поводу характеристики талмудической морали Гилелевой формулой «Не делай другому того, что тебе неприятно» надо сказать, что ей вполне соответствует евангельская формула: «Якоже хощете, да творять вам человецы, и вы творите им такожде».

Председатель: Наконец последний вопрос: имеются ли данные и какие именно, которые указывали бы на то, что убийство Андрея Ющинского совершено из побуждений религиозного изуверства, вытекающего из вероучений еврейской религии или ее сект, и в последнем случае каких именно?

Тихомиров: На этот счет я должен сказать, что вероучение евреев очень кратко, из него ничего не вытекает. У них кратко сказано: Един Бог; затем верят в то, что придет когда-то Мессия. Весь этот символ веры в трех строчках можно уместить. Так что о вероучении в этом смысле говорить нельзя. Догматов у них нет, соборов вселенских, которые бы устанавливали эти догматы, не было. Если здесь говорится о еврейском вероучении, то это просто недоразумение, ибо их вероучение чрезвычайно кратко. Постановления же религиозные, моральные, ритуальные — это другое дело. Я думаю, что они-то и разумелись, когда ставился этот вопрос о вероучении. На это я отвечу, что из вероучения еврейской религии никаких таких данных почерпнуто быть не может. Что же касается толков, то обыкновенно, как и в настоящем случае, внимание направляется на хасидов. Но у того, кто знает хасидов, с большим трудом укладывается подобное подозрение. Мы, в сущности говоря, слышим ссылку на популярную среди хасидов книгу Зогар, знаем, что там говорится о числе 13, знаем, что это число 13 может быть оттуда извлечено, но отсюда едва ли может быть сделано указание на употребление евреями крови. Эксперты уже дважды выяснили значение этих указаний и то, что из них нельзя заключить о ритуальных убийствах. Между тем, насколько я слышал на судебном следствии, обвинение главным образом базируется на числе 13, что было сделано 13 уколов для обескровления Андрея Ющинского. Поэтому, нисколько не колеблясь, должен сказать, что никаких данных для подобного обвинения я не нахожу.

Прокурор: Вы отметили, что обвинения евреев в ритуальных убийствах начинаются еще с XII века, с Крестовых походов. А вам известно, что книга Зогар, откуда вышел хасидизм, появилась в XIII веке? Зогар вышел из каббалистического учения. Вам известно, что после изгнания евреев из Испании и других мест, когда они переселились в Россию и Польшу, тогда и появились эти обвинения?

Тихомиров: Эти обвинения, если угодно вам знать, были вызваны социальными и политическими причинами.

Прокурор: Мы не касаемся значения таких причин. Мы главным образом сопоставляем такие факты, как выселение евреев из Европы. Затем вы сказали, что в протестантских странах не было обвинения евреев. Вы с этим вопросом не особенно знакомы?

Тихомиров: Я сказал, что историю этих процессов я не изучал.

Шмаков: Вы изволили сказать, что дела о ритуальных убийствах стали возникать с XII века, а не известно ли вам дело об убийстве в Малой Азии до XII века?

Тихомиров: Эти сведения об убийствах христиан евреями до XII века по большей части настолько не проверены, что церковными историками не считаются достоверными.

Шмаков: Не было ли там содеяно евреями того, о чем здесь говорили, не был ли убитый распят и не сопровождалось ли это мучением, не надругались ли тогда над христианской религией?

Тихомиров: Думаю, что этого не было, а подозрение на евреев могло явиться.

Шмаков: Вы занимаете кафедру еврейского языка?

Тихомиров: Нет, философии в историко-филологическом институте в Нежине.

Шмаков: Вы говорили о мощах Гавриила и сказали, что там есть надгробная надпись. Вы не знаете этой надписи?

Тихомиров: Я только приблизительно знаю. Одна женщина пошла в поле снести хлеб своему мужу и взяла с собой мальчика Гавриила, 6 лет. По дороге у нее этого мальчика не то выхватили, не то обманом взяли и куда-то увели. Все поиски ее потом были тщетны, а мальчика нашли убитым в поле с многообразными ранами. Отдельные лица потом говорили, что собаки охраняли труп от зверей и птиц, и в этом было усмотрено, что мальчик невинно пострадал...

Шмаков: А не написано ли так: младенец Гавриил, умученный от жидов?

Тихомиров: Да, кажется, написано.

Шмаков: А если бы в Киеве заказать молебен ему, то будут служить?

Председатель: Это никакого отношения к делу не имеет.

Шмаков: Тогда другой вопрос. Кроме евреев, существуют ли еще какие-нибудь цивилизованные народы, где бы резник был духовным лицом?

Тихомиров: Не знаю, но и у евреев это не духовное лицо.

Карабчевский: Скажите, известны ли вам из литературы такие случаи, чтобы был прямо констатирован факт подделки под ритуал, то есть не подделки, так как раз ритуала нет, то нельзя и подделать, но случаи нанесения ранений с целью ложного обвинения евреев?

Тихомиров: Точно я не помню, но мне припоминается случай, что в Испании еврея обвинили в похищении и убийстве одного человека. Еврея осудили и казнили, а виновный преспокойно жил и потом нашелся.

Карабчевский: А не было ли случая в 1753 году, что один отец ранил собственную дочь и спрятал ее в погреб, обвинили в этом евреев, а потом, по расследовании кардинала, это дело было обнаружено?

Тихомиров: Не знаю.

Карабчевский: А не известно ли вам, что о подобных же случаях говорится в булле папы Григория X?

Тихомиров: Не помню.

Карабчевский: А не случится ли то же самое на этом процессе?

Председатель: Вопрос не имеет отношения к эксперту. *(Поглядев на часы.)* У суда больше нет вопросов. *(Смотрит на Прокурора.)* Ваше слово.

Прокурор (подойдя к рампе, в зал): Господа присяжные заседатели! Безжалостность, жестокость этого преступления настолько велики, что весь мир, не только христианский, но весь мир, который верит в Бога, должен был бы содрогнуться. Но оказывается, мир занят своими делами, и для мира Андрюша Ющинский — чужой. Для мира гораздо важнее Бейлис, потому что мы имели смелость обвинять его и его соучастников в том, что они совершили злодеяние из побуждений изуверства. Вы, мол, посадили не Бейлиса на скамью подсудимых, а все еврейство. Однако если бы обвинялся в этом преступлении не еврей, а русский — разве было бы такое волнение? Говорили бы в таком случае о «кровавом навете»? Ничего подобного! Между тем уже с того момента, когда был найден исколотый труп Андрюши Ющинского, какая-то невидимая рука, вероятно, сыплющая много золота, запутывает дело настолько, что в течение двух лет судебный следователь не в состоянии был распутать те версии, которые в этом деле предлагались. Возбуждали обвинение в убийстве сначала против родственников, потом против воров, снова против родственников и снова против воров. Одной из таких версий, изволите ли видеть, было даже, будто шайка преступников, опасаясь, что мальчик может донести об их разбойных делах, совершила это ужасное дело, причем совершили «под жидов», то есть симулировали ритуальное убийство, чтобы вызвать погром, а во время погрома поживиться. Но это все фантазии: мы не можем предположить, что воры убивают мальчика и держат труп где-то в квартире, окруженной со всех сторон соседями, где масса глаз. И разве воры подвергают детей таким истязаниям, таким мучениям?

Между тем еврейские круги продолжали волноваться. Они до такой степени уверены, что захватили в свои руки главный рычаг общественности — прессу, что не могут себе представить, чтобы кто-нибудь посмел возбудить против них такое обвинение. В их руках капитал, и хотя юридически они бесправны, но фактически владеют нашим миром. Мы постоянно чувствуем себя под их игом. Я, как прокурор, даже скажу открыто, что я лично постоянно чувствую себя под воздействием еврейской прессы. Ведь наша «русская» печать — только кажется русской, в действительности же почти все органы печати в руках евреев. И выступать в каком бы то ни было деле против евреев — означает немедленно вызвать упрек, что вы — черносотенец, мракобес и реакционер.

Однако что же говорят нам факты? В деле есть показания детей — друзей покойного Андрюши Ющинского. Они сообщили, что постоянно ходили играть на мялу, которая находится во дворе кирпичного завода Зайцева. И что Бейлис, который работает на заводе приказчиком, их постоянно гонял с этой мялы, а однажды, судя по их разговорам, схватил Андрюшу Ющинского и потащил его в сторону печи для обжига кирпича. Теперь позвольте обратить ваше внимание на усадьбу Зайцева, где произошла эта драма. Доходы с кирпичного завода Зайцева, построенного его отцом, набожным хасидом, идут на еврейскую лечебницу, тут же на заводе. Дети старика Зайцева строят богадельню, но столовая этой богадельни превращается в молельню, рассчитанную на 100 человек, — это настоящая синагога, у нее и фундамент особый, и фасад особый, и ниша со свитками Торы, и печать Соломона. Удивительное совпадение: закладка этой синагоги произошла 7 марта 1911 года, а 12-го происходит ритуальное убийство христианского мальчика.

Теперь кто же живет на территории этого завода? Вот вам 3 еврея: Бейлис, Шнеерсон и некий Чернобыльский, далее там еще проживает управляющий, и его брат, и еще еврей Заславский. Другими словами, 6 евреев живут на территории завода...

Кто же совершил это преступление? Оно совершено Бейлисом, он сидит на скамье подсудимых, но один Бейлис совершить это преступление не мог, а других участников обнаружить не удалось, о них можно только догадываться. Ведь в то же время как раз закладывалась молельня, и приезжали раввины, и в конце февраля на заводе видели резника, который сюда приезжал...

Все эти данные всегда наводили на мысль, что именно евреи причастны к этим преступлениям. Однако евреи не желают прийти на помощь судебным властям. Они боятся, что если хоть один изувер будет изобличен, то тень падет на все еврейство. Но эта боязнь — какая-то странная, загадочная для меня: неужели от того, что будет изобличен какой-то изувер, это коснется всего еврейского народа? Ведь русский народ — милостив и великодушен. Я имею право это говорить, ибо я сам — нерусский, хотя и родился в России, как и мой отец, прокурор Виппер, — мы немецкого происхождения.

И вот, изучая этот вопрос, я прихожу к следующему выводу: относительно кровавых жертв мы во всей Библии постоянно встречаем уклонение евреев от их собственного закона. Во втором веке некий ребе Исаак — согласно Талмуду — говорит: храма нет, а жертвы приносятся и возлияния совершаются, хотя жертвенник разрушен. От-

303

сюда мы вправе сделать вывод, что жертвы и после разрушения Иерусалимского храма приносились, несмотря на запрещение. В XII веке появляется у евреев книга Зогар, основанная на каббалистике. В ней есть тексты относительно 13 уколов, а число 13 и в данном деле играет большую роль, ибо на правом виске у убитого мальчика Андрюши было обнаружено именно 13 ран...

Меня же удивляет следующее: если бы евреи желали действительно защитить Бейлиса, то должны были бы сказать — пусть правосудие решает этот вопрос, ведь улик немного, кроме теоретических соображений следователя, и суд присяжных, которому евреи все-таки, по-видимому, верят, мог бы увидеть, что улик мало и что можно человека оправдать. Но любопытно то, что евреи, сознавая, очевидно, что Бейлис действительно виновен, стараются запутать дело, помешать правосудию.

Господа присяжные заседатели! Я хорошо сознаю всю трудность предстоящей мне задачи и ту огромную ответственность, которую я несу в качестве представителя государства. Настоящее дело, как вы сами видите, — дело неслыханное, небывалое. Мы еще недавно пережили тяжелую эпоху революции, отмеченную кровью. Кровь лилась в России повсюду, убивали должностных лиц, истребляли народ. И вот здесь, среди бела дня, в большом древнем русском городе... хватают ни в чем не повинного мальчика, подвергают его невероятным мучениям и истязаниям, его закалывают, как жертву, источают из него кровь... и, наконец, наглумившись над его телом, бросают в пещеру...

Я не отрицаю, может быть, еврейству очень неприятно, что если Бейлис будет осужден, то, несомненно, падет тень и на все еврейство, могут произойти эксцессы. А заправилы еврейского народа, те люди, которые шумят вокруг этого дела и делают его мировым, возбуждают еще

304

большую ненависть по отношению к евреям. Но вы знаете, господа присяжные заседатели, что правительство одинаково оберегает всех своих подданных и принимает все меры к тому, чтобы не было никаких эксцессов, чтобы не было погромов.

И потому я призываю вас вынести изуверу-убийце Бейлису приговор, соответствующий этому гнусному ритуальному убийству. *(Председателю.)* Я закончил, ваша честь.

Грузенберг (подойдя к рампе, в зал): Ритуальное убийство... употребление человеческой крови... Страшное обвинение. Дело ваше, верить мне или не верить, но если бы я хоть одну минуту думал, что еврейское учение позволяет, поощряет употребление человеческой крови, я бы больше не оставался в этой религии, не считал бы возможным оставаться евреем. Но я глубоко убежден, у меня нет ни минуты сомнения, что этих преступлений у нас нет и не может быть. Подумайте: более 3000 лет назад евреи воевали с какими-то амаликитянами и обращались с ними жестоко, и вот теперь Бейлис сидит на скамье подсудимых и ему хотят назначить роль козла отпущения, который отвечает за все то, что было на протяжении трех тысяч лет среди миллионов евреев. Быть может, какой-либо безумный, дерзкий или обиженный сказал какое-нибудь резкое слово про иноплеменников или христиан — за все это отвечает Бейлис. Если взяли несчастную женщину, мать убитого мальчика, и держали под арестом, подозревая в этом преступлении, — виноват Бейлис. Если шайку преступников томили под арестом — виноват Бейлис, он за все отвечает...

Теперь вы слышали, что говорил прокурор: там имеется молельня, так не нужна ли человеческая кровь, чтобы поставить на ней эту молельню? *(Прокурору.)* Но если вы считаете, что молельня должна строиться на христианской крови, что именно для молельни принесли в жертву и замучили несчастного мальчика, тогда ищите того, кто строил эту молельню. Почему он не сидит здесь, строитель этой молельни, почему не сидят те, которые пожертвовали на нее деньги, которые нанимали убийц? У вас, русской власти и правительства, достаточно мощи, чтобы не останавливаться перед богатством, перед положением, ни перед чем. Но вы этого не сделали потому, что этому нет никаких доказательств, кроме одного факта, что люди хотят молиться в своей синагоге, а вы считаете, что для этого им нужна кровь...

Теперь попробуем подойти к делу. Вы знаете, что 9 марта 1911 года некоторые из воров были арестованы — друзья Александры Чеберяк, ее гости. На другой день приходит к Чеберяк полиция и делает обыск. И вот, господа, как ни казалась прокурору и гражданским истцам смешной версия относительно опасений этих воров разоблачений со стороны Андрюши Ющинского, но, по-моему, это — правда. Потому что есть в деле показания о том, как Андрюша сказал своему другу Жене Чеберяку: «А я расскажу, что, когда я приходил ночевать к вам, я видел, как приносили ворованные вещи и кассу...» И вот Женя прибегает домой и об этом рассказывает. Тут приходит к Чеберякам Андрюша, и в это же время являются Рудзинский, Сингаевский и Латышев по своим воровским делам. Застают Андрюшу, хватают, ударяют швайкой по голове, может быть, даже без намерения убить, просто со злости: «Ах ты, байстрюк, ты нас пришиваешь!» Андрюша теряет сознание, падает, ему наносят удары сначала в голову, а когда он падает, ему наносятся удары в шею. Им кажется, что мальчик скончался, но в это время он опять зашевелился, вздрогнул. Они опять бросаются и опять наносят удары швайкой. А потом уже, глухой ночью, переносят труп в пещеру. Не странно ли, что в тот же день исчезают дети Чеберяков? Почему на другой день после убийства детей отсылают к бабушке? Очевидно, обставляют дело так, чтобы они не выдали... Убийцы хотели, чтобы труп был найден, чтобы нашли исколотого мальчика и чтобы всякий сказал: какие же это воры, это — не воры, в этом виноваты евреи...

Нам говорят, что судебно-медицинский эксперт высказался, будто убийцы собирали кровь. Вспомните, я обратился к нему, этому эксперту с вопросом: «Знаете ли вы, где было совершено убийство?» Он ответил: «Нет, не знаю». — «Ну, а место, где был найден труп, — это место убийства?» — «Нет». — «Так, может быть, кровь осталась на месте убийства?» Он на это сказал: «Да, конечно, утверждать не могу, может быть, кровь осталась на месте и там была замыта». А свежезамытые места есть в квартире Чеберяков, почему, вполне возможно, эксперты и не нашли там следов крови. Зато вместо этого нам предъявили экспертизу профессора Сикорского. Но в ней не было ничего медицинского. Когда врач вместо медицины начинает говорить о ритуальных убийствах, о том, какие были процессы в Средние века, как судили в Саратове, то это уже все, что хотите, но не судебная экспертиза, не наука. К тому же с этими обвинениями связаны самые мучительные для евреев столетия. Восемь веков они платили за это тысячами людей, и вы знаете, как шло дело: появлялся кровавый навет, и тут же являлись католические монахи, хватали этих людей, обвиняли их, пытали, жгли и казнили, а имущество отбирали. А потом? А потом приходили те же монахи и клеймили чело их детей, клеймили их внуков позором отчуждения, позором того, что они употребляют человеческую кровь. Когда господин обвинитель стал поддерживать это обвинение, он заявил: я плохо знаю еврейские книги, я плохо знаю весь этот вопрос. Но он верит в ритуальные убийства. Господа, верить можно в добро, в красоту, верить можно в небо; а там, где **должно** знать, там вере нет места, **я обязан** знать. И я вправе сказать: вот уже 800 лет тяготеет это обвинение над евреями, и что же сделали для проверки его?

Вам говорил здесь господин прокурор, будто недавно в Австрии был процесс и что в Европе также было предъявлено такое обвинение. Я утверждаю, что это не так, я утверждаю, что обвинений в ритуальных убийствах в той форме, в какой оно поставлено по делу Бейлиса, это обвинение нигде в мире не ставилось, нигде и никогда. Я утверждаю, что за 200 лет нигде на земном шаре такого процесса не было. Откуда эксперты обвинения брали эти процессы? Из Средних веков, из этой тьмы, где были пытки, были процессы ведьм. А разве вы не знаете, что в Средние века судили животных и посылали повестки крысам и собакам? И люди занимались этим вздором...

Сюда вызывают экспертов и три дня разбирают еврейскую религию. Вы слышали, как присяжный поверенный Шмаков, допрашивая экспертов, ставил целый ряд вопросов из Библии, изобличая ее в жестокости, в нелюбви к человеку, в пролитии человеческой крови. И я думал: Боже, что же здесь происходит, неужели тут идут с облавой на Библию, на священные книги? Господа присяжные, еврейская религия не нуждалась бы в моей защите, но вы слышали, как ее здесь перед вами обвиняли. И когда я слышал все это, я говорил себе с гордостью: какое счастье, что среди православных священников, среди православных ученых не было ни одного, который явился бы сюда и своим именем священника, или православного христианина, или русского ученого поддержал бы эти ужасные, мучительные сказки, этот кровавый навет. Это счастье: ни одного не было...

Господа присяжные заседатели, что мне защищать еврейскую религию, ведь еврейская религия — это старая наковальня, о которую разбились всякие молоты, тяжелые молоты врагов, но она вышла из этих испытаний чистой, честной, стойкой. Господин председатель объяснил мне, что еврейская религия и еврейские богослужебные книги ни в чем не обвиняются, что еврейскую религию никто не заподозревает, а имеют в виду одних изуверов. Значит, мы три дня занимались здесь ненужным делом. Ведь мы говорили не об изуверах, а разбирали Библию, Зогар, Талмуд — это ведь еврейские книги, это не книги изуверов, а книги церковные. Но мы это делали...

Я больше о религии говорить не буду. Я твердо надеюсь, что Бейлис не погибнет. Но что, если я ошибаюсь? Что, если вы, господа присяжные, пойдете вопреки очевидности за кошмарным обвинением? Что ж делать?! Едва минуло 200 лет, как наши предки по таким обвинениям гибли на кострах. *(В зал, к сидящим в первом ряду.)* Чем вы, Бейлис, лучше их? Страшна ваша гибель, но еще страшнее сама возможность появления таких обвинений здесь, под сенью разума, совести и закона. А если вас охватывает отчаяние и горе — крепитесь! Чаще повторяйте слова отходной молитвы: «Слушай, Израиль! Я — Господь Бог твой, единый для всех Бог! Барух Ата Адонай...»

Судебный пристав (подойдя к рампе, в зал): Владимир Галактионович Короленко, «Приговор». Корреспонденция от 29 октября 1913 года в «Русских ведомостях» и в газете «Речь». «Среди величайшего напряжения заканчивается дело Бейлиса. Мимо суда прекращено всякое движение. Не пропускаются даже вагоны трамвая. На улицах — наряды конной и пешей полиции. На четыре часа в Софийском соборе назначена с участием архиерея панихида по убиенном младенце Андрюше Ющинском. В перспективе улицы, на которой находится суд, густо чернеет пятно народа у стен Софийского собора. Кое-где над толпой вспыхивают факелы. Сумерки спускаются среди тягостного волнения. Становится известно, что председательское резюме резко и определенно обвинительное. Присяжные ушли под впечатлением односторонней речи. Настроение в суде еще более напрягается, передаваясь и городу. Около шести часов стремительно выбегают репортеры. Разносится молнией известие, что Бейлис оправдан. Внезапно физиономия улиц меняется. Виднеются многочисленные кучки народа, поздравляющие друг друга. Русские и евреи сливаются в общей радости. Такой поток радости, что в нем прямо потонуло впечатление от тысяч черносотенцев, собравшихся темным пятном у Софийского собора, почти рядом с судом. Погромное пятно у собора сразу теряет свое мрачное значение. Кошмары тускнеют.

Желательно, чтобы при выходе зрителей из зала в фойе театра все листовки и газеты были сняты со стен или стендов и, смятые, валялись на полу под их ногами.

Конец

Москва—Принстон, 2008—2009

Повесть о настоящем

Очерк

«Известия», 20 марта 2009

Даже когда он не спит и слышит, как Лена проснулась, разбудила сына и стала собирать его в школу, он не встает. Он лежит и слушает, как они тихо шепчутся на кухне, обсуждая дела и планы Дениса на день, и как потом Денис бесшумно, в одних носках идет в прихожую обуваться.

Темная зимняя ночь еще стоит за окном, он закрывает глаза и проваливается то ли в сон, то ли в прошлое...

Чечня, ущелье Керего, июль 2002

— «Лагуна», я «Сибирь», мы готовы.

— С Богом! — ответил командир.

Такое он слышал в первый раз. За полтора года его службы в погранотряде всегда было только: «Вперед!», «Выполняйте задачу!», «Быстрей, твою мать!». А тут — «С Богом!» И ведь полковник Агеенко профессионал до мозга костей, он не верит ни в Бога, ни в черта и сентиментален как автомат Калашникова. Но выходит, даже «калашников» понимает, куда они летят.

Ладно, поехали! Кивок головы, и вот уже летуны поднимают вертолеты со штурмовой бригадой из сорока десантников и группой спецразведки — в каждой десятке расчет «ПК» и два снайпера.

Четыре «Ми-8», хищно наклонясь, наполнили ревом Итум-Калинские горы. Время подлета к цели — 12 ми-

313

нут, а месяц назад он со своей разведгруппой шел тут двое суток. Тогда стали поступать сведения, что «чехи» готовят крупную диверсионную акцию. Но какую, где? По всему получалось — только из Грузии, из Панкийского ущелья. Хотя казалось — все уже перекрыто, все тропы блокированы постами, все склоны простреливаются с десятка НП, не зря три года назад именно за этот «замок на границе» он получил свою первую боевую награду — медаль Суворова. Но длина грузинской границы 88 км, а горы есть горы, и «чехи» здесь как дома. Он взял ОГСР — отдельную группу специальной разведки, 15 супердесантников, накачанных, как Шварценеггер, и ушел с ними в сторону Грузии таким маршрутом, который даже с точки зрения «профи» был абсолютно непроходим. Командир считал, что если он, Вахренев, пройдет этот маршрут, то и «чехи» пройдут. И оказался прав, как всегда: переночевав на скалах, съев весь сухой паек, они все же вышли на скрытый от глаз высокогорный перевал и на высоте 3300 метров обнаружили развалины старинной крепости, а среди них — чайник, несколько пластиковых стаканов, патроны 7,62 мм, окурки «Мальборо» и следы альпенштока, пришедшие из Грузии и уходящие обратно. И понял, что кто-то проводил такую же рекогносцировку маршрута, только с грузинской стороны. Он оставил там заставу — две засады во главе с майором Шадриным и майором Поповым — и вернулся на базу ждать сигнала. И вот час назад Шадрин доложил: «Наблюдаем концентрацию противника. 30 "чехов" расположились на отдых, еще одна группа подтягивается снизу. Вооружение — пулеметы "ПК" и "ПЗРК", то есть наша "Игла"».

Агеенко тут же дал Шадрину команду при появлении вертолетов обнаружить себя пулеметным огнем и связать «чехов» боем, чтобы не ушли в «зеленку» до высадки десанта.

И вот они летят. Борттехник открывает боковую дверь, пулеметчик пристраивает пулемет на специальные лапки турели. За очередным крутым поворотом «Ми-8», вынырнувшему из-за скал, разом открылась картина боя. Сквозь шум винтов не слышно грохота автоматов, но ясно видно: внизу первая засада плотным огнем накрыла расположившихся на привале «чехов», а вторая, повыше, давит их гранатометом. Только секунды «чехи» растеряны, затем мощный ответный огонь, вспышки выстрелов и трассирующие пулеметные очереди вверх, прямо по вертолетам. (Потом на базе авиагруппы летчики насчитали у себя больше десятка пулевых пробоин.)

Конечно, из «Ми-8» пулеметчик отвечает огнем на огонь, однако поражение цели из стрелкового оружия с летящего вертолета — это из разряда фантастики. А внизу яркая вспышка и шлейф ракеты, летящей в небо! Куда ракета, по какому из четырех бортов? Борттехник хватается за голову, губы шевелятся, слов не слышно, но и так ясно: «ПЗРК» — переносной зенитно-ракетный комплекс, то есть наша же «Игла», которая похлеще «Стингера», вероятность поражения цели — 95%.

Ему уже доводилось видеть сбитый вертолет. Костя Оганов, его друг и сослуживец, погиб, изрубленный винтами «Ми-8», который падал штопором. Экипаж собирали по частям по всему ущелью, затем привезли на вертолетную площадку отряда и складывали, как конструктор «Лего», разбирая, где и чьи руки и ноги. А над разрубленными телами кружили жирные мухи. И он еще долго видел перед сном Костю — живого и мертвого, сложенного на травке взлетного поля. Думал, что этот глюк останется с ним на всю жизнь и сведет с ума. Но Костя ушел и больше не приходил по ночам. Потому что пришли другие...

Отстрел тепловых ловушек, удар. Подкинутый, как пинком, вертолет истошно взревел двигателем, пытаясь выровняться. Огромная перегрузка на винты и людей. Замерло сердце, остановилось дыхание — попадание?! Нет, слава Богу, борт выравнивается. Ура нашим сталеварам, ура летчикам-асам! Сработала тепловая ловушка, и ракета взорвалась в 20 метрах от борта.

Новый разворот и вдруг — что это? «Ми-8» берет курс в обратном направлении!

Вахренев рванулся к кабине:

— В чем дело?

Командир экипажа кричит ему в ухо:

— Садиться нельзя!

— Ты охренел?! У меня там люди!

— При втором заходе нас собьют.

— Там пятнадцать моих пацанов! Банда их уничтожит!

— Они стрельнут в нас сразу двумя ракетами! Будем трупами валяться по всему ущелью...

И это было истинной правдой. Никакие тепловые ловушки не спасают при спаренном ударе наших «Игл». Но у него не было выбора. Он четко представил, что будет, если борта уйдут сейчас на базу. Пятнадцать трупов, с выколотыми глазами и вырезанными на груди звездами, — вот что будет.

И он красноречиво сдвинул ствол своего АКМ сверху вниз.

— Я приказываю садиться, блин!

Последнее слово грянуло сильнее выстрела, летчик посадил вертолет в километре от боя. Рядом сели другие. Высадили ДШМГ, десантно-штурмовую маневренную группу. Все собранны до предела. Не нужно надрывать голос в приказах. «Выдвигаемся броском, но держим боевой порядок. Головной дозор, основная группа, два боковых дозора. Вперед! Бегом!» Если учесть, что на каждом по 40—60 кг боезапаса и оружия от АКМ до минометов, то олимпийских рекордов не жди. Однако — бегут все, не зря ДШМГ — это элита элит, штучное производство супербойцов.

Через пятьсот метров четко слышен грохот автоматического оружия разного калибра. А вот рев и последующий удар противотанковой гранаты. Хлопки разрывов один за другим. Что ж, такая музыка даже радует — значит, банда завязана боем и наши целы. Остается метров триста. Слава Богу, эту местность он знает прекрасно — именно здесь они, как черепахи, ползли на рекогносцировку, опасаясь старого минного поля. Тогда у саперов ноги тряслись от опасности...

По счастью, «духи» в невыгодных условиях. Во-первых, они внизу ущелья, а в горах кто выше, тот и прав, и движение «духов» назад по ущелью уже перекрыто нашей заставой и здоровенной осыпью. А во-вторых, по ущелью течет речушка Керего шириной всего метра четыре, но в переводе ее название означает не то бешеная, не то сумасшедшая, и пересечь ее можно только по веревкам в спокойной обстановке. То есть «чехи» в ловушке. Однако сдаваться не собираются, и боеприпасов у них немерено, о чем говорит их плотный огонь и частые, прямо-таки сливающиеся удары осколочных «РПГ».

Сто метров до района боя, головной дозор ДШМГ вышел из «зеленки» в зону огневого контакта. Он видит Шадрина, тот знаками показывает: дальше двигаться опасно, открытый участок хорошо простреливается.

Но ему нужно вперед! Он выставляет пулемет прикрытия и короткими перебежками двигает группу дальше. Выстрелов не слышит, но чувствует, как по скальнику над головой звонко цокают пули. Заработал наш пулемет — прикрывают. Добрались. Он принимает доклад Шадрина, ставит миномет. Первая пристрелочная мина пошла! И легла так точно, что боевики заткнулись. Не нравится, шакалы?! Получайте еще восемь и плотненький огонь всей группы по «зеленке».

После минометного обстрела — мертвая тишина. Убиты или уходят? Уходят, и, значит, нужно преследовать, то есть идти за ними в «зеленку», где дистанция боя сократится до десятка метров, а может, до рукопашной.

Что ж, настало время настоящих мужчин. Он собирает офицеров — командиров боевых групп. Руслан Кокшин, Дима Бабошкин, Рыспек Мамыров, Володя Невзоров. Ставит задачу: две группы — сверху с проверкой местности, одна непосредственно по следу «духов», еще одна — наперерез. Небольшой резерв во главе с ним самим разворачивает командный пункт и прикрывает действия всех остальных.

— Все! Вперед! Понеслись!

Внизу, в районе первого боя, бойцы осмотрели район привала «духов» и докладывают о трофеях — четыре трупа, десять автоматов, гранатометы, фирменные рюкзаки и самое главное — шесть ПЗРК «Игла», из них пять целеньких, прямо с наших же бывших складов оружия в Грузии. Не успели «чехи» в запарке бегства прихватить с собой здоровенные трубы ракет. Это радует — значит, авиация может работать спокойно.

Вдруг там, в «зеленке», группа погони дружно падает и начинает сжимать кольцо вокруг чахлого кустарника. Двухметроворостый алтаец Серега Попов бросается вперед, тройка бойцов грамотно прикрывает его, мелькание приклада, русский мат, и через несколько минут они уже волокут на командный пункт двух боевиков — у одного прострелена нога, у другого кончились патроны, оба с черными повязками смертников, на повязках арабской вязью написано: «Нет Бога, кроме Аллаха, и Мухаммед пророк его». Возраст 25—30 лет, обветренные лица, взгляды как два пулеметных ствола, раскаленных горячкой боя.

Однако на взгляды ему наплевать, и на чужого Бога он не посягает. А вот информация о банде нужна как воздух, и потому допрос короток. Стоя на коленях и держа в зубах автоматные стволы, «чехи» понимают, что жестокий русский командир им и прокурор, и Аллах в одном лице. И через тридцать секунд, шепеляя разбитыми губами, «смертники» начинают колоться наперегонки. Боевиков 45 человек, группа спецназа Гелаева, принадлежат к батальону особого назначения «Республики Ичкерия», кодовое название «Эдельвейс» (косят, собаки, под знаменитую дивизию фюрера). Задача — пробить безопасный маршрут для батальона численностью три сотни человек, который ждет на той стороне границы, затем выйти всей группировкой под Грозный и устроить переворот с последующим диктатом условий русскому правительству. Не хилая, однако, задача, и группа совсем не подарок — такие будут биться до последнего. Радует одно — что первую задачу они уже провалили, хотя этого скорее всего еще не поняли, ведь двинули, гады, в сторону Грозного.

Он по радио докладывает Агеенко результат допроса и расстановку сил. Командир направляет еще два борта с резервом. Это ДШМГ подполковника Ладыгина плюс минометный взвод и саперы. ДШМГ Ладыгина он ставит на пути движения боевиков. Минометный взвод и саперы разворачиваются в районе посадочной площадки, но вести артиллерийский огонь уже нельзя, ведь в «зеленке» площадью всего квадратный километр работают наши ребята.

Тишина.

Нервы на пределе.

Пальцы на спусковых крючках (не путайте их, граждане, с курками и не называйте дулами стволы!).

Тянутся часы поиска, волнуется Агеенко, выходя на связь каждые пятнадцать минут. А на него, конечно, давят из округа: мол, не упустил ли банду из-под самого носа.

— «Сибирь», я «Ворон», у меня чисто, — докладывает Дима Бабошкин.

— «Сибирь», я «Памир», у меня тоже чисто, — это Рыспек.

— «Сибирь», я «Корона», вышел в исходную точку, — докладывает Ладыгин.

— «Сибирь», я «Аврора», иду по следу, четко видим следы, кровь, бинты, шприцы, ампулы с кетамином. В районе развалин старой крепости обнаружил три трупа, у всех осколочные ранения, одному вообще прямо в башку миной попало, но она не разорвалась, а прибила его, как камнем!

Так вот почему замолкли «чехи» после минометного обстрела! При очень малом количестве боеприпасов работа артиллериста Шадрина оказалась ювелирной. Руслан Кокшин, тоже артиллерист по образованию, в восторге от точных попаданий своих коллег. Вообще-то он весельчак и раздолбай, пару раз получал взыскания от командира за драки, но сейчас командует боевой группой, ведет ребят в бой и от него зависит, будут они жить и победят или погибнут (через сутки он станет Героем России и, что удивительно, живым!).

И еще радует, что «чехи» побросали своих раненых и убитых. Это совершенно не в их повадках. При всей его к ним враждебности он отдает им должное: воины они настоящие. И всегда забирают своих убитых и раненых с поля боя, оставить труп непохороненным до заката солнца — тяжкий грех. Значит, это действие кетамина, который, как говорят врачи, напрочь подавляет все чувства — страх, голод, усталость и боль даже при пулевых ранениях. Плюс, очевидно, совесть и чувство боевого братства...

Внезапно мертвую тишину ущелья разрывает очередями сразу нескольких десятков автоматных и пулеметных стволов, затем — удары «РПГ», еще и еще. Да сколько же у них боеприпасов?!

— «Сибирь», я нашел их! — Голос Кокшина сечется от ощутимого даже по радио страха кружащей рядом смерти.

— Сколько их?

— Их тут до х..., командир!

Что ж, в бою не место воспитывать чистоту русского языка, но беспокоит паника — если, не дай Бог, ребята побегут, боевики перестреляют их, как кур.

— Успокойся, «Аврора»! Доложи, сколько их и район местонахождения. У тебя есть раненые, потери?

Но в ответ в динамике лишь сдавленное от перебежки дыхание, автоматная очередь и только потом:

— У них порядка тридцати стволов. У меня двое раненых. Находимся на повороте реки, метров 700 до слияния Керего с ручьем, позиция невыгодная, блин, они выше и лупят так, что головы не поднять.

— Держись, направляю группы на помощь.

Но группы уже и сами услышали бой, по очереди доложили о готовности и двинулись на грохот автоматных очередей — пошли убивать и умирать.

— «Сибирь», я «Памир», вступил в бой.

— «Сибирь», я «Ворон», вступил в бой.

— «Сибирь», я «Корона», выдвигаюсь, еще немного — и будем на месте.

Именно здесь, в бою втройне приятно слышать эти спокойные, сильные голоса и знать, что твои офицеры понимают тебя с полуслова и знака.

Но что кроется за фразой «вступить в бой» — в «зеленке», на резко пересеченной местности, на скользких, обрывистых склонах? Тут не годится обычная тактика, когда атака ведется цепью под прикрытием бронетехники. Дальность огневого контакта не больше 20 метров, дальше ничего не видно. Управлять в такой ситуации можно лишь десятком бойцов, не больше. Остается медленное, аккуратное движение вперед, а броски только на открытых полянках и обязательно заходя на противника сверху вниз. Потому что сверху лучше обзор, и двигаться на противника легче сверху, и гранату можно бросить, не рискуя, что она покатится на тебя.

Группы плотно сжимают «чехов» в кольцо. Однако обколотые транквилизаторами боевики с криками «Аллах акбар!» бросаются в одну атаку за другой — им нечего терять, они же смертники.

И теперь он обязан личным примером поддержать своих.

Медленно, шаг за шагом он вместе с бойцами движется вперед и вниз, стволы на изготовку, патрон в патроннике, автомат с предохранителя снят. Держат интервал метра два-три, чтобы видеть друг друга и дабы не вылез никто вперед, попав под свои же пули. Прошли десяток метров, взмах руки командира, остановились, осмотрелись. Еще один взмах, и молча, без всяких команд — еще десять шагов по «зеленке». Впереди шум, шелохнулись кусты — замерли, упали за деревья. Вверх, роняя пену с губ, ползут два «чеха». Без команды — огонь! Два трупа. Снова десять шагов вперед, Вахренев на ходу осматривает еще теплые трупы, вытаскивает документы и боеприпасы, отмечая про себя — классные ботинки, нам бы такие. И снова впереди шум, еще одна группа «чехов». По движению в «зеленке» он с высоты своего метр девяносто определяет — трое. Молча показывает три пальца соседям и знаками распределяет двоих, а себе оставляет среднего.

322

Но и «чехи» — профи. Крайний справа начинает густо чесать «зеленку» пулеметом. 7,62-миллиметровые пули величиной с огурец рвут листья прямо над головой. Ребята вжались в землю, жить хочется всем. Секунда затишья, затем бойцы осторожно выглядывают из-за деревьев и буквально в трех шагах от себя видят здоровенного боевика с гранатометом. Крик «Аллах акбар!», вспышка, удар! Это боевик в упор выпустил противотанковую гранату и под прикрытием пулемета тут же бежит обратно. Оглохшие и ослепшие, они провожают его неприцельными очередями автоматов. Но именно по этим их автоматам тут же и заработал третий «чех» — снайпер, который грамотно высматривает, не выпадет ли из-за укрытия раненый, не высунется ли в горячке боя командир или кто-нибудь еще. Пули снайпера ложатся впритирку, от них тоненькое дерево над Вахреневым вот-вот рухнет. Толково, ничего не скажешь. Но и мы не лыком шиты, «Аллах акбар!» кричать не будем, зато метнем по гранате — как вам, господа, «Ф-1» или «РГО» с двухсотметровым радиусом разлета осколков?

Грохнули взрывы, и вот уже ДШМГ расстреливает оглушенных «чехов».

Но — первая потеря.

— «Сибирь», я «Ворон». Потерял бойца, — докладывает Дима Бабошкин.

— Осмотрись, поищи рядом, без него не двигаться.

— Я в плотном огневом контакте, но сейчас попробую.

Однако поиски безуспешны, и только позже, после боя они нашли его — рядового Донцова. И ясно восстановили картинку боя. Он получил пулю в живот и, не пикнув, замаскировавшись в плотном кустарнике, продолжал вести огонь. Он просто истек кровью и не смог ползти вперед, когда группа, медленно атакуя, ушла ниже на «духов». Он погиб смертью храбрых! Вечная слава герою!

Через пять — пять! — часов боя плотно окруженные «чехи» потеряли выдержку и стали небольшими группами рваться в разных направлениях, чтобы просто остаться в живых. Однако и у группы Вахренева уже не хватало сил добить их.

— «Сибирь», я ранен в голову! — доложил начавший этот бой Серега Попов, вахреневский земляк с Алтая, двухметроворостый умница и красавец. И сколько Вахренев ни надрывался у радиостанции, на вопросы больше не отвечал. А затем на связь вышел солдат из группы Попова — санинструктор Ринат Гафуров:

— «Сибирь», начальник «двухсотый» — пулевое в голову. И еще двое раненых в нашей группе.

— Укрыть тело, раненым оказать помощь, и аккуратно выходите из боя.

Но выйти из боя им не дали. Тот же снайпер, который застрелил Попова, при попытке приближения к его телу убил еще двух — Рината Гафурова и Алексея Мырлаева. Так и лежали потом трое наших ребят рядком, как будто обняв друг друга в попытке закрыть от смерти. Только на следующий день ребята достали этого снайпера и злобно пинали его труп, не в силах убить его еще и еще раз.

— «Сибирь», старший тяжело ранен. Пулевое ранение — похоже, задет позвоночник. Пытаемся помочь.

Старший — это подполковник Ладыгин. Опытный снайпер специально не добивал его, хотя раненый офицер лежал на открытом месте. Кровь фонтаном била из открытой раны на груди, перебитый позвоночник не позволял двигаться. Снайпер ждал, когда солдаты из группы пойдут на помощь командиру. И они пошли. Под прицельным огнем, прикрывая друг друга, они сумели достать и убрать снайпера, но помочь командиру уже не успели — Ладыгин умер от потери крови.

...К вечеру, когда пошел дождь, они уничтожили пятнадцать «чехов», но остальные и не думали сдаваться. А ночью бой опасен не только тем, что покров темноты дает противнику возможность скрытных и внезапных действий, но и риском самим потеряться в диких горных расщелинах, сорваться в пропасть или в нервном напряжении расстрелять своих же людей, обознавшись в темноте.

— Я «Сибирь»! Приказываю всем выйти из «зеленки», занять оборону по ее периметру.

Замысел был прост — вывести всех из «зеленки», а потом ударом артиллерии по квадрату смешать эту «зеленку» с землей вместе с боевиками, долбанув туда пару сотен 152-миллиметровых снарядов.

Однако команду выполнили все, кроме Кокшина. Руслан доложил, что выйти не сможет, поскольку у него двое раненых, а над ним сидят «чехи», и при попытке выхода он может нарваться на пулеметную очередь, потерять половину группы. Что же, в его словах есть резон, с такими потерями никакая победа не будет оправдана. Хотя — смотря с чем сравнивать. Если хоть треть этих «духов» прорвется в мирный город к школе с детьми, то потери пойдут совсем другие...

Но артобстрел пришлось отменить. И ждать. Ждать в шепоте дождя и в полной темени, зная, что там, на склоне, где весь день шел бой, лежат холодные тела пограничников. Ждать, гадая, где и как «чехи» попытаются перегруппироваться, чтобы пойти на новый прорыв.

Опасная тишина.

Заняв удобные позиции, бойцы тихонько чистят перышки. Война войной, но не мешает подкрепиться. Правда, лишь сухим пайком, и обсушиться уже не получится. Огонь развести — себе дороже. Курят втихаря, продев сигарету сквозь дырочку в форменной кепке, — только так тлеющий огонек не окажется на галочке снайперского прицела. Но спать нельзя — во всяком случае, ему, командиру. Бой — это не та атака, которую показывают в кино, бой — это порой многодневная изнурительная работа со смертельным исходом именно тогда, когда ты расслабился или зазевался...

Четыре часа. Промежуток между тремя и четырьмя часами здесь называют часом волка, потому что в сумеречной мгле, когда все живое спит, именно эти хищники выходят на охоту. Волки и те, кто носит на рукаве шевроны с изображением этого оскаленного зверя.

Дождались — тишина взрывается пулеметными очередями, ударами ручных и подствольных гранатометов. Эта «музыка», усиленная многократным эхом узкого горного ущелья, способна заставить дрогнуть даже психически неслабого человека.

— «Сибирь», — докладывает Руслан Кокшин, — отражаю нападение.

«Чехи» пошли на прорыв и выбрали для этого как раз ту тропу, на которой осталась группа Руслана. Тропа вела по «зеленке» к государственной границе России, боевики пытались вернуться туда, откуда пришли. Если посчитать, что это как минимум 25 опытных головорезов, то в полной темноте, при двух раненых бойцах, которых ни бросить, ни поднять, шансов на спасение у Руслана практически нет.

И все это понимали — и Кокшин, и вся его группа, и, конечно, «духи», на то и был их расчет.

Но не зря же командир сказал им «С Богом!».

На двадцать метров выше группы Руслана стоял пулеметный расчет — два пацана-первогодка. Даже не услышав, а только почувствовав движение в ближайшей «зеленке», ребята замерли, соблюдая закон маскировки. И через секунду показались «чехи», их головной дозор — первая тройка. Огромного роста лысый боевик с окладистой, как у Хаттаба, бородой мягко шел первым. По властным жестам, осанке и экипировке — командир высокого ранга. В метре за этим двойником Хаттаба, прикрывая его с флангов, кошачьим шагом двигались пулеметчик и снайпер. Стандартная и очень эффективная связка. Предупредить основную группу пацаны уже не успевали — малейшее движение выдаст их с головой. Старший расчета взял «Хаттаба» на мушку, сопроводил его до сокращения дистанции на 10 метров, а затем нежно, как учили, нажал на спусковой крючок.

Сломанные пополам «духи» еще падали, а из «зеленки» боевики уже открыли шквальный огонь. Пацаны-пулеметчики, раненные по нескольку раз, продолжали вести огонь, но боевики, швырнув гранаты, с яростными криками ринулись вперед. Когда в их руки попали тела наших ребят, те уже были мертвы. Однако озверевшие «чехи», даже не экономя драгоценное для них время, продолжали убивать мертвых, тыча ножами им в головы, в глаза, отрезав уши и вырезав звезды на груди.

Это длилось не больше трех минут, но эти минуты спасли жизнь остальным бойцам группы Руслана, дали им возможность взбежать повыше и открыть огонь по «чехам». Так и не смогли «чехи» тихо уйти, растворившись в ночных горах. Вынуждены были оставить десяток своих на верную смерть — на прикрытие, чтобы сковать боем пограничный наряд. Ушли не больше десятка, да и то, спешно форсируя реку, еще двоих потеряли утопшими.

Так был сорван рейд бригады «Эдельвейс» на Грозный, за что Вахренев получил орден Мужества и звание полковника, а сослуживцы сделали ему сюрприз — подарили полковничьи погоны со звездочками из чистого золота. И блестящая военная карьера открывалась перед ним, 31-летним полковником...

Голицыно, 8.15 утра, сегодня и каждый день

Лена заходит в комнату, гладит его по лицу — будит. Он открывает глаза.

— Доброе утро. Как спал?

— Как всегда... А ты?

У нее усталые глаза, но она улыбается:

— Все хорошо. Подъем.

— Да... — отвечает он, не шевелясь.

Лена двумя руками берет его левую руку за локоть и за кисть, медленно поднимает и опускает, поднимает и опускает. Он пытается помочь ей, он приказывает руке подниматься вместе с ее усилием, он мысленно кричит своим мышцам: «Подъем! В атаку! Подъем!»

Но мертвая рука не слышит команд полковника.

Однако они не сдаются. Каждое утро — двадцать минут разминка обеих рук, пальцев, ног и спины.

Затем Лена берет его под спину и сажает в кровати. Это не так-то легко, в нем больше 90 кг живого веса плюс 7 титановых позвонков и штырей в шейном отделе. Но за четыре года ежедневных процедур у Лены появилась сила в руках и исчезли слезы в глазах, даже когда он просит ее выплакаться, она отрицательно качает головой.

Теперь предстоит операция посложней высадки парашютного десанта — пересесть с кровати в инвалидное кресло. Лена кладет себе на плечо его правую руку, в которой за четыре года тренировок удалось возродить жизнь в пальцах и в кисти, обнимает его за талию и — поскольку он уже может стоять на ногах от трех до семи секунд —

поднимает на ноги, тихонько разворачивает и медленно, очень медленно сажает в кресло.

Выдох!

— Поехали...

Лена везет его в туалет и в душ. Душ он принимает, сидя в кресле, — Лена трет его мочалкой и моет, чистит ему зубы и бреет щетину на щеках и на голове.

Затем вытирает, одевает, пересаживает в инвалидное кресло с электромотором и — пока он смотрит по телику новости — готовит завтрак: кофе и тостики с сыром.

Сам он есть еще не может — левая рука не поднимается вовсе, а правая только сантиметров на 15, и Лена кормит его, как малого ребенка.

Но в 9.40 он кладет правую руку на пульт управления инвалидным креслом и катит в этом кресле к своему рабочему столу, к компьютеру. Он включает компьютер, и ровно в 9.45 через Интернет выходит на работу.

Первую половину дня полковник Вахренев работает бизнес-аналитиком по заказам крупной аналитической фирмы.

Алтай, июнь 1993

Ленина мама и отец Сергея — одноклассники, и летом 1993-го, когда выпускник Московского высшего пограничного училища Сергей Вахренев приехал с отцом-генералом на побывку к бабушке в алтайскую деревню Майма, полдеревни были званы за праздничный стол, в том числе вся Ленина семья. С этого дня стройная карег лазая красавица и статный молодой офицер еще год переписывались, а потом Лена решилась — прилетела к Сергею на Камчатку, на его первую погранзаставу, и стала его женой.

Через год, в 1995-м, родился Денис, а еще через несколько месяцев они — уже втроем — уехали в Москву, в Академию федеральной пограничной службы России.

Чечня, 1999 год

Аналитика — это его призвание, не зря сразу после академии его направили в оперативный отдел Штаба Северо-Кавказского военного округа. В ту пору граница Чечни с Грузией была огромной — на 88 км — дырой, и через эту дыру оттуда, из Грузии, потоком шли в Чечню наркотики и оружие, а из Чечни в Грузию — рабы, проститутки, нефть и золото. Под руководством начальника штаба Вахренев стал одним из основных разработчиков строго секретной операции «Аргун», призванной законопатить эту дыру, зашить ее и задраить.

Операция готовилась не один месяц, нужно было с воздуха и с земли определить все до единого маршруты боевиков, координаты их высокогорных баз и складов. И только после этого по всем этим точкам был нанесен ракетный удар. А вслед за этим массированным зубо- и горно-дробительным ударом на высокогорные базы и на головы опешивших боевиков были с помощью «Ми-8» и «Ми-24» выброшены 400 десантников, и половиной этих штурмовых групп командовал майор Вахренев. «Чехи» яростно защищались, но были просто смяты элитными ДШМГ и позорно бежали, оставив все ключевые высоты и перевалы, тонны оружия, снаряжения и наркотиков. Операция прошла настолько успешно, что все 88 км границы перешли под контроль российских войск, за что Хаттаб собственноручно расстрелял несколько чеченских полевых командиров, а Вахренев получил свою первую боевую награду — медаль Суворова.

Но это было лишь началом самой главной и самой трудоемкой работы — развертыванию погранслужбы на всех этих 88 километрах скал, ущелий, высокогорных зарослей и пропастей. Взвалив на себя по 40 кг экипировки плюс пулеметы, автоматы, гранатометы, средства связи и сухой паек, они уходили на заснеженные высокогорные перевалы, где сооружали свои блокпосты и заставы, жили в палатках при 20-градусном морозе, кормили вшей, спали по 4 часа в сутки и отражали попытки боевиков отбить границу...

Голицыно, сегодня и каждый день

Да, аналитика — это его призвание, и теперь, когда во всем его большом и молодом теле ему подчиняется только мозг и кисть правой руки, это еще очевидней. К сожалению, секретность заказов на аналитику крупных фирм сродни секретности армейских операций, и потому я не имею права рассказывать о том, чем конкретно он занимается первую половину дня. Зато...

— Здравствуйте! Я администратор компании «Ваш репетитор». Как у вас прошло занятие с учителем?

— Знаете, мы не очень довольны...

Да, после обеда Вахренев включает «Skype» и выходит на свою вторую работу.

— Пожалуйста, уточните, в чем проблема.

— Понимаете, репетитор — студент МВТУ, он очень молод, и наша дочь в него влюбилась. Сделайте что-нибудь.

— Понял. Не огорчайтесь. Я переведу его на другой заказ. А вам пришлю репетитора-женщину.

Или:

— Сергей Васильевич, дорогой, это профессор N. Вы меня назначили репетитором к пацану, который беспрерывно сует в нос все, что попало! Палец, карандаш, свечку! А сегодня засунул степлер, и этот степлер сломался! Переведите меня от него...

...Будь я хозяином телеканала, я бы сделал Вахренева телевизионным репетитором всех детей России...

Но в 16.00 в комнату снова заходит Лена и говорит, что все, рабочий день окончен. Да он и сам чувствует, что устал немерено, спина задубела и саднит, а голова гудит. Он выключает компьютер и поворачивает свое кресло к кровати. Лена опять поднимает из этого кресла все 90 кг любимого мужчины, тихонько разворачивает, осторожно сажает на кровать и укладывает на отдых.

В это время приходит Денис — после школы и секции рукопашного боя. Высокий и стройный пацан с выправкой потомственного, в третьем поколении, офицера первые навыки самбиста получил от отца еще в семилетнем возрасте и собирается тоже стать пограничником. Потому что граница — это и у деда-генерала, и у отца-полковника нечто святое, почти сакральное.

Хинган, Дальний Восток, китайская граница, 9 июня 2005 года

С ночи зарядил проливной ливень, просто стена дождя.

Но встреча с китайскими пограничниками была назначена загодя, и не может командир русского погранотряда из-за какого-то дождичка звонить китайским коллегам и переносить встречу.

Служебный «уазик» полковника Вахренева выехал из военгородка на рассвете и, тараня ливень, покатил в горы. По дороге Вахренев планировал проверить несколько таежных погранзастав — в его подчинении на 650 км русско-китайской границы было почти 3000 солдат и офи-

332

церов. Он сам сидел за рулем, водитель с биноклем и оружием сидел рядом, сзади ехали его штабные офицеры.

Дорога, как вы понимаете, не асфальт и даже не щебенка, а размокшая колея, проложенная вдоль границы по таежному бурелому, горным осыпям и скальнику. Местами потоки дождевой воды превратили ее в бурые реки, полные мусора и грязи. По этим потокам «уазик», натужно ревя, карабкался все выше и выше, полз от одной заставы к другой. Набросив плащ-палатку, Вахренев принимал рапорты начальников застав, бегло осматривал караульные помещения и катил дальше — время поджимало.

На очередном перевале переднее колесо «уазика» попало в яму, закрытую водой, и машина, кувыркаясь, сорвалась с обрыва в двадцатиметровую пропасть.

Упали на крышу, но боли он не почувствовал никакой, поскольку при переломе шейного отдела позвоночника пресекаются все нервные каналы, связывающие мозг с телом. Просто понял, что не чувствует ни рук, ни ног и не может шевельнуться, поскольку тела уже не ощущает. А затем и вообще потерял сознание — легкие перестали подавать в мозг кислород.

Но слава Богу, водитель отделался ушибами, а его штабные офицеры вызвали вертолет, и он очнулся уже в Хабаровском госпитале, в реанимации. Очнулся и понял, что не может даже пальцем шевельнуть, не то что головой.

— Практически от меня остались только мозги, все остальное было уже не мое. В горле трубка, через которую аппаратом качали в легкие воздух, в плече, под ключицей тоже трубка, через нее подавали в сердце дофамин, чтобы оно продолжало работать. Ну и в животе катетер с мочеприемником. При таких травмах уже не живут, доктор Сахно, начальник реанимации, мне так и сказал: ты, говорит, меня слышишь? Я ответить не могу, только реснiцами моргаю. Он говорит: пока живой, поспеши выбрать квартиру для жены и сына, у тебя, говорит, есть на это пару недель. А сам жену ко мне не пускает — зачем, мол, ее травмировать, все равно я уже не жилец, так пусть она меня помнит молодым и красивым, а не овощем на каталке. Ну вот, я лежу один, а это реанимация — каждый день то справа кто-то умер, укатили в морг человека, то слева. И соответственно, места у стенки освобождаются. А я в центре, посреди палаты — эдакая голова профессора Доуэля, все вижу и понимаю, а тела как бы и нет. Медсестры: давай мы тебя к стеночке передвинем. А я мычу: нет, у меня место счастливое, я же тут не умираю. Смотрю — на соседнюю койку девушку привезли после автомобильной аварии, у нее перелом шейных позвонков еще хуже, чем у меня, — у нее еще и зрение отказало. То есть она лежит, как и я, не шевелясь, но в темноте, ничего не видит. Я смотрю на нее и думаю: так мне же повезло! Я — зрячий! Короче, врачи знали, что у меня нет шансов выжить, но я-то этого не знал! И стал бороться за жизнь, как лягушка на дне кувшина, которая воду в сметану сбивала, чтобы выбраться. Не знаю, что помогло — то ли, как у Джека Лондона, жажда жизни, то ли то, что я мастер спорта по рукопашному бою, призер армейских олимпиад и не привык сдаваться. И вот неделя проходит — я не умираю, вторая, третья. Через месяц Сахно говорит: «Ты, мужик, чего, жить собрался?» Я ему ресницами — мол, ага, конечно. А он такой: «Ну тогда запомни: если не заставишь сердце и легкие самостоятельно работать, то через три недели они напрочь атрофируются, и ты навсегда овощем останешься, на искусственном дыхании и дофамине, ты меня понял?»

Вахренев понял. Но как заставить сердце работать, а легкие дышать? Он стал пытаться шевелить плечами — по тысяче попыток каждый день. Врач посмотрел-посмотрел на это и стал отключать аппарат искусственного дыхания — для начала только на 30 секунд, пока Сергей не начинал задыхаться. Потом чуть дольше, дольше...

Так они принудили легкие работать и, как заржавевший мотор, с тысячной попытки запустили сердце.

А Лена...

В тот день, когда случилась беда, она на штабной машине примчалась с китайской границы в Хабаровск, в госпиталь, но Сахно не пустил ее к мужу, сказал, что Сергей не хочет ее видеть. Конечно, она не поверила и несколько дней провела в регистратуре, пока доктор не понял: такая мужа не бросит. Позже он объяснил ей, что если жена, поглядев на увечья мужа, больше к нему не приходит, то такие пациенты через несколько дней угасают и умирают.

После недельной осады Лена пробилась к Сергею — сначала ее пустили к нему буквально на несколько минут.

Она поселилась рядом с госпиталем (благо сын проводил летние каникулы на Алтае у бабушки), уволилась с работы («Все равно в банке все смотрели на меня, как могильными венками засыпали») и на два с половиной месяца превратилась в больничную сиделку при муже. Хотя он не чувствовал своего тела, его стали мучить фантомные боли — так у человека с ампутированными ногами вдруг возникают боли в ногах. Его мучили боли в спине, и, помимо стандартных процедур по уходу за лежачим, нужно было постоянно переворачивать его в кровати со спины то на один бок, то на другой.

— Я лежал бревном весом под сто кило, она бралась двумя руками за край простыни, упиралась ногой в кровать и тащила простыню на себя...

Через три месяца даже скептик доктор Сахно решил, что с такой женой и при такой силе воли он — черт возьми! — может выжить. И отправил их обоих в «Голубое» — Центральную клиническую больницу по восстановительному лечению под Москвой.

«Голубое», Московская область, 2005—2007

Я считаю, что для таких жен правительство обязано учредить особый орден «За милосердие» или просто «За героизм». Потому что медаль «За отвагу», орден Мужества или звезду Героя мужчина может получить за короткий, порой даже минутный подвиг, за отчаянный порыв смелости и спонтанную храбрость. Но как оценить подвиг женщины, которая годами и круглосуточно привязана своей любовью к мужу, прикованному к постели или к инвалидному креслу?

Я где-то слышал о курсах подготовки молодых мам к рождению ребенка. На них девушке дают в руки пятикилограммовую куклу, которую невозможно отложить ни на минуту — кукла начинает орать и пищать, как дитё. Те, кто смог 24 часа продержать эту куклу на руках, получают сертификат «будущей мамы» и уверенность в том, что справятся с обязанностями матери.

Лена уже четыре года неотлучно ухаживает за Сергеем, она буквально достала его с того света, выносила и выходила на своих руках, и в «Голубом», помимо ритуального ухода — умыть, накормить, убрать, — с первого дня и на протяжении полутора лет ежедневно возила его из палаты в спортзал. Там вместе с опытными инструкторами она часами занималась с ним лечебной физкультурой — поднимала и опускала ему руки и ноги в надежде вызвать в них хотя бы пассивный импульс, чтобы потом этот импульс перешел в активную форму. По тысяче раз *каждый* день, даже когда у нее самой был грипп и температура.

И через полтора года правая рука Сергея ответила, стала шевелить пальцами!

— А еще у меня была беда — голос. Трубку из горла вытащили, пробую говорить, а голос писклявый, как у девочки! Ужас! Полковник с голосом педика! Что делать? И стал я на все «Голубое» песни петь. «Броня крепка и танки наши быстры!», «Взвейтесь кострами, синие ночи, мы пионеры, дети рабочих», «Вставай, страна огромная!». Такие песни, как вы понимаете, невозможно петь педерастическим голосом. И голос вернулся...

А еще через два месяца Лена позвонила в Хабаровск доктору Сахно:

— Дорогой Александр Всеволодович, Сережа встает!

И он действительно начал вставать — опершись на Ленино плечо и на плечо инструктора, он даже смог пройти от одной стены палаты до другой!

И тогда к нему стали возить «спинальников» и «колясочников» из других палат. Тех, кто сдался, впал в депрессию, махнул на себя рукой. Одним из таких был дагестанец-спецназовец старший сержант МВД Ибрагим N., кавалер ордена Мужества, получивший в бою такую же, как у Сергея, травму позвоночника. Пылкий кавказец, он сказал Сергею в упор:

— Я нэ буду жить! Я был тигр по жизни! А теперь я никто. Нэ хачу жить!

— Если ты по жизни тигр, — ответил ему Сергей, — то ты и в инвалидном кресле будешь тигр. А если ты по жизни осел, то и на двух ногах будешь осел.

Эта простая мысль так глубоко поразила Ибрагима, что он тут же позвонил родственникам в Дагестан и объявил, что он был, есть и будет тигром! И сегодня у него уже работают обе руки, и там, в Дагестане он строит дом, растит с женой их дочку и даже в инвалидном кресле «строит» всех своих родственников!

— Знаете, в «Голубое» каждый день поступали тяжелые, — рассказывает Вахренев. — Кто с поломанным позвоночником, кто без ног. Я их проверял на прочность таким анекдотом. В реанимации пациент говорит врачу: «Доктор, я ходить буду?» Доктор: «Под себя будешь». — «А плавать буду?» — «А это уж как будешь ходить...» Ну, кто смеялся, тот, я считал, будет бороться за жизнь, а кто кривился...

Еще одним «коллегой» и другом Сергея и Лены стал в «Голубом» старший лейтенант Z. из Краснодара. 31 декабря 2004 года в Чечне, в бою с боевиками он во время атаки получил пулевое ранение — пулеметная пуля калибра 7,62 мм прошла через челюсть в позвоночник. То есть состояние такое же, как у Вахренева, — все тело парализовано, кровь заливает горло. А вокруг — бой не на жизнь, а на смерть.

— Лежу на земле, все вижу и слышу, — рассказывал он Сергею и Лене, — а ни позвать кого, ни шевельнуться не могу. Тут кто-то из наших мимо бежит, видит меня на земле и говорит: «Да, плох ты, братан! Но потерпи, счас мы их сделаем и вернемся». Шарах мне антишоковый укол пентанола и дальше побежал. Ну, у меня от пентанола крыша поехала, а вокруг народ все воюет, пулеметы грохочут, гранаты рвутся. Тут второй бежит: «Ты как? Худо тебе? Потерпи, братан!» Шарах мне второй укол пентанола и дальше побег, в атаку. Я лежу, думаю: третья доза пентанола смертельна, но как им сказать?

Старлея, как и Вахренева, выходила, вынянчила и вернула к жизни его жена.

— Она у него маленькая, хрупкая. Как она 100-килограммового мужа на себе таскала — это надо было видеть! — говорит Елена Вахренева. — Два года мы с ней в «Голубом» за своих мужей боролись, потом она его в Краснодар увезла, но мы до сих пор созваниваемся — и с ними, и с Ибрагимом. У старлея тоже левая рука еще не работает, но правой он уже может сам и есть, и телефонную трубку держать...

Когда-то, лет сорок назад в очерке Василия Пескова об одном сибирском, кажется, охотнике-инвалиде меня поразила и на всю жизнь запомнилась простая мысль. Песков писал, что когда рядом с нами живут *такие* люди, то можем ли мы — зрячие, здоровые, с двумя руками и на двух ногах — жаловаться на жизнь, скулить, предаваться отчаянию или укорять судьбу за какие-то трудности или кризисы!

И до тех пор пока в России есть такие женщины, как Лена Вахренева и ее подруги из Краснодара и Дагестана, все мужчины-иностранцы должны и будут завидовать российским мужчинам и... увозить отсюда русских жен. Да, это никакая не новость, сотни лет иностранные короли и принцы увозили из России русских невест, а теперь это приобретает и массовый характер — может быть, потому, что мы недостаточно их ценим, даже Президент выделил таким женам-подвижницам аж 1200 рублей в месяц — *президентское* пособие по уходу за их героями-мужьями!

Уважаемые Дмитрий Анатольевич и Светлана Владимировна, вдумайтесь: кавалер ордена Мужества, старший лейтенант и боец специального назначения, выполняя приказ своего Президента и Главнокомандующего по защите Отечества, отдал Родине ровно половину своего тридцатилетнего тела, парализованного теперь от груди до пят. Его молодая жена, выполняя обязанности круглосуточной, без выходных и отпуска, сиделки по уходу за Героем, не может отлучиться от него ни на час, то есть не может устроиться ни на какую работу — разве что бросить его и уйти к другому, здоровому. И вот за эту, повторяю, жертвенную вахту до конца своей жизни она получает 1200 рублей в месяц, то есть сорок рублей за 24 часа круглосуточной работы или меньше двух рублей в час!

Нет, я понимаю, что Родину, Президента и мужа любят не за деньги. И все-таки 1200 рублей *президентского* пособия — это не слишком ли скромно для Президента-то России?

СОДЕРЖАНИЕ

КНИГИ ЭДУАРДА ТОПОЛЯ

КРАСНАЯ ПЛОЩАДЬ — 1982 год. Расследование загадочной гибели первого заместителя Председателя КГБ приводит к раскрытию кремлевского заговора и дает живую и достоверную панораму жизни советской империи. Роман предсказал преемника Брежнева и стал международным бестселлером и классическим политическим триллером.

ЖУРНАЛИСТ ДЛЯ БРЕЖНЕВА — Исчезновение известного журналиста «Комсомольской правды» ведет следователей в самые теневые области советской экономики, коррупции и наркоторговли. Лихой детектив с юмористическими эпизодами, перекочевавшими в фильм «Черный квадрат» и др.

ЧУЖОЕ ЛИЦО — Романтическая любовь русского эмигранта и начинающей американской актрисы, заброшенных в СССР со шпионской миссией. Трогательный и захватывающий триллер на фоне последней декады «холодной войны», создания суперсекретных вооружений и совковой жизни.

КРАСНЫЙ ГАЗ — Череда загадочных убийств в Заполярье ставит под угрозу открытие транссибирского газопровода. Классический детектив на фоне леденящей заполярной экзотики и горячих сердечных страстей.

ЗАВТРА В РОССИИ — Покушение на Генерального секретаря ЦК КПСС ставит под угрозу будущее всей России. Роман, опубликованный в США в 1987 году, с точностью до одного дня предсказал путч ГКЧП и все перипетии антигорбачевского заговора, вплоть до изоляции Горбачева на даче. Политический триллер, любовный треугольник и первая попытка предугадать судьбу перестройки.

КРЕМЛЕВСКАЯ ЖЕНА — Получив предупреждение американского астролога о возможности покушения на президента СССР, его жена и милицейский следователь Анна Ковина пытаются спасти президента и раскрывают очередной кремлевский заговор. Политический детектив в сочетании с романтической любовной историей.

РОССИЯ В ПОСТЕЛИ — книга-шутка, ставшая классикой эротической литературы о сексе в СССР.

РУССКАЯ СЕМЕРКА — Две американки приезжают в СССР, чтобы с помощью фиктивного брака вывезти последнего отпрыска старого дворянского рода. А он оказывается «афганцем»... Суровая правда о солдатах-«афганцах» в сочетании с неожиданной любовью и чередой опаснейших приключений.

ЛЮБОЖИД — роман о русско-еврейской любви, ненависти и сексе. Первый том «Эмигрантской трилогии».

РУССКАЯ ДИВА — вариант романа «Любожид», написанный автором для зарубежного издания. От «Любожида» отличается более напряженной любовной историей. Автор ставит этот роман выше «Любожида».

РИМСКИЙ ПЕРИОД, или ОХОТА НА ВАМПИРА — Первые приключения русских эмигрантов на Западе, роковой любовный треугольник, драматическая охота за вампиром-террористом. Второй том «Эмигрантской трилогии».

МОСКОВСКИЙ ПОЛЕТ — После двенадцати лет жизни в США эмигрант возвращается в Россию в перестроечном августе 1989 года и ищет оставленную здесь женщину своей жизни. Сочетание политического триллера и типично тополевской грустно-романтической любовной драмы. Последний том «Эмигрантской трилогии».

ОХОТА ЗА РУССКОЙ МАФИЕЙ, УБИЙЦА НА ЭКСПОРТ — короткие повести о «русской мафии» в США. Документальны, аутентичны и по-тополевски лиричны.

КИТАЙСКИЙ ПРОЕЗД — сатирически-политический триллер о последней избирательной кампании Ель Дзына и его ближайшего окружения — Чер Мыр Дина, Чу Бай-Сана, Тан Эль, Ю-Лужа и др. Американский бизнесмен прилетает в Россию в разгар выборов президента, попадает в водоворот российского политического и криминального передела и находит свою последнюю роковую любовь...

ИГРА В КИНО — лирические мемуары о работе в советском кино и попытках пробиться в Голливуд. Книга по-тополевски захватывает с первой страницы и подкупает своей искренностью. В сборник включены юношеские стихи, рассказы для серьезных детей и несерьезных взрослых.

ВЛЮБЛЕННЫЙ ДОСТОЕВСКИЙ — сборник лирических повестей для кино и театра: «Любовь с первого взгляда», «Уроки музыки», «Ошибки юности», «Влюбленный Достоевский» и др.

ЖЕНСКОЕ ВРЕМЯ, или ВОЙНА ПОЛОВ — роман об экстрасенсах, сочетание мистики и политики, телепатии и реальных любовных страстей.

НОВАЯ РОССИЯ В ПОСТЕЛИ — Пять вечеров в борделе «У Аннушки», клубные девушки, интимные семинары в сауне молодых психологов и психиатров, опыт сексуальной биографии 26-летней женщины и многое-многое другое... — вот феноменальная исповедь молодого поколения, записанная автором и собранная им в мозаику нашей сегодняшней жизни.

Я ХОЧУ ТВОЮ ДЕВУШКУ — два тома драматических, лирических и комических историй о любви, измене, ревности и других страстях.

СВОБОДНЫЙ ПОЛЕТ ОДИНОКОЙ БЛОНДИНКИ — два тома захватывающих приключений русской девушки в России и Европе — роковая любовь, криминальные авантюры, нищета и роскошь, от тверской деревни и Москвы до Парижа, Марбельи, Канн и Монако...

НЕВИННАЯ НАСТЯ, или СТО ПЕРВЫХ МУЖЧИН — исповедь московской Лолиты.

НАСТОЯЩАЯ ЛЮБОВЬ — невыдуманные истории о любви.

У.Е. — откровенный роман с адреналином, сексапилом, терроризмом, флоридским коктейлем и ядом.

РОМАН О ЛЮБВИ И ТЕРРОРЕ, или ДВОЕ В «НОРД-ОСТЕ» — истории любви в роковые часы «Норд-Оста». Тайная любовь Мовсара Бараева. Жених из Оклахомы —

свадьба или смерть? Страсти под пистолетом и другие откровения и исповеди.

ИНТИМНЫЕ СВЯЗИ — пять небольших романов. Как и почему русские женщины покоряют сердца мужчин во всем мире? Как интимные связи знаменитостей влияют на возникновение кассовых фильмов и телесериалов?

Персонажей этой книги знаем мы все! Теперь мы будем знать о них всё!

НА КРАЮ СТОЮ — повесть легла в основу полнометражного художественного фильма, над которым Эдуард Тополь работал в роли не только автора сценария, но еще и продюсера и сорежиссера. В главных ролях этого фильма снялись Артур Смольянинов, Светлана Устинова и другие молодые актеры. В книгу вошли также повести «Ангел с небес», «Пластит», «Любовь с первого взгляда».

БРАТСТВО МАРГАРИТЫ — 31-я книга Э. Тополя.

КНИГИ ЭДУАРДА ТОПОЛЯ — ТАЛАНТЛИВАЯ, ВСЕОБЪЕМЛЮЩАЯ, ДРАМАТИЧЕСКАЯ И КОМИЧЕСКАЯ ЭНЦИКЛОПЕДИЯ ЖИЗНИ СОВЕТСКОЙ И ПОСТСОВЕТСКОЙ РОССИИ

Эдуард Тополь советует:

BEELINE ME!

Да, по-английски это звучало бы так: «Beeline me!» Но в переводе «Билайн мне!» в игре слов теряется флер пчелиного жужжания, и потому я скажу проще.

Я пользуюсь телефонной связью «Би Лайн» не потому, что это самая надежная, удобная, скоростная и приятная система мобильной связи, с помощью которой я из любой точки России могу позвонить куда угодно, даже домой в США.

И не потому, что «Би Лайн» предоставляет дюжину замечательных услуг: переадресовку звонков, голосовую почту, конференц-связь, доступ в Интернет, телебанк, заказ авиабилетов, вызов автотехпомощи, экстренную юридическую помощь, определитель номера вызывающего вас телефона, справочную службу и службу бытовой помощи вплоть до вызова такси, консультаций по вопросам недвижимости, ресторанного рейтинга и доставки продуктов на дом.

И не потому, что «Би Лайн» ввела льготные тарифные планы под нужды любого клиента и посекундную оплату телефонных разговоров, что значительно снижает расходы.

Я пользуюсь сотовой связью «Би Лайн», поскольку мне, как автору политических триллеров, жизненно важна полная уверенность в том, что мои телефонные разговоры никто не прослушивает и не записывает на пленку. Конечно, стопроцентной защиты нет ни от чего, но до тех пор, пока за мной не ездит

347

автобус с подслушивающей аппаратурой и надо мной не летают «Аваксы», вы можете совершенно спокойно позвонить мне по «Би Лайн» и рассказать любые секреты – от государственных до любовных.

**Итак, уверенно пользуйтесь сотовой связью
«Би Лайн» и говорите всем, как я:**

NO PROBLEM, BEELINE ME!

Welcome to Russia

ДОМОДЕДОВО
МЕЖДУНАРОДНЫЙ АЭРОПОРТ

Международный аэропорт **Домодедово** — самый современный и комфортабельный аэропорт России.

Благодаря уникальный скоростной транспортной системе **Домодедово — Павелецкий** вокзал пассажиры могут добраться до центра Москвы на суперсовременном аэро-экспрессе всего за 40 минут.

ИСТЛАЙН
ГРУППА

НАЧНИТЕ СВОЕ ПУТЕШЕСТВИЕ С ДОМОДЕДОВО

ЕДИНАЯ СПРАВОЧНАЯ СЛУЖБА
INFORMATION DESK
(495) 933-6666

РЕГИОНЫ:

- Архангельск, 103-й квартал, ул. Садовая, д. 18, т. (8182) 65-00-95
- Белгород, Народный б-р, д. 82, т. (4722) 32-53-26
- Владимир, ул. Дворянская, д. 10, т. (4922) 42-06-59
- Волгоград, ул. Мира, д. 11, т. (8442) 33-13-19
- Екатеринбург, ул. Сулимова, д. 50, ТРК «Парк Хаус», т. (343) 216-55-02
- Ижевск, ул. Автозаводская, д. 3а, ТРЦ «Столица», т. (3412) 90-38-31
- Калининград, ул. Карла Маркса, д. 18, т. (4012) 71-85-64
- Краснодар, ул. Дзержинского, д. 100, ТЦ «Красная площадь», т. (861) 210-41-60
- Красноярск, пр-т Мира, д. 91, т. (3912) 23-17-65
- Курган, ул. Гоголя, д. 55, т. (3522) 43-39-29
- Курск, ул. Радищева, д. 86, т. (4712) 56-70-74
- Курск, ул. Ленина, д. 11, т. (4712) 70-18-42
- Липецк, пл. Коммунальная, д. 3, т. (4742) 22-27-16
- Мурманск, пр-т Ленина, д. 53, т. (8152) 47-20-43
- Новосибирск, ул. Ватутина, д. 107, ТЦ «Мега», т. (383) 230-12-91
- Пенза, ул. Московская, д. 83, ТЦ «Пассаж», т. (8412) 20-80-35
- Пермь, ул. Революции, д. 60/1, ТЦ «7 пятниц», т. (342) 233-40-49
- Ростов-на-Дону, Новочеркасское ш., д. 33, ТЦ «Мега», т. (863) 265-83-34
- Рязань, Первомайский пр-т, д. 70, корп. 1, ТЦ «Виктория Плаза», т. (4912) 95-72-11
- Самара, ул. Дыбенко, д. 30, ТЦ «Космопорт», т. 8-908-374-19-60
- Санкт-Петербург, Гражданский пр-т, д. 41, ТЦ «Академический», т. (812) 380-17-84
- Санкт-Петербург, ул. Чернышевская, д. 11/57, т. (812) 273-44-13
- Санкт-Петербург, Лиговский пр-т, д. 185, т. (812) 766-22-88
- Тверь, ул. Советская, д. 7, т. (4822) 34-53-11
- Тольятти, ул. Ленинградская, д. 55, т. (8482) 28-37-68
- Тула, ул. Первомайская, д. 12, т. (4872) 31-09-22
- Тула, пр-т Ленина, д. 18, т. (4872) 36-29-22
- Тюмень, ул. М.Горького, д. 44, стр. 4, ТРЦ «Гудвин», т. (3452) 79-05-13
- Уфа, пр. Октября, д.26-40, ТРЦ «Семья», т. (3472)293-62-88
- Чебоксары, ТЦ «Мега Молл», ул. Калинина, д. 105а, т. (8352) 28-12-59
- Череповец, Советский пр-т, д. 88а, т. (8202) 53-61-22
- Ярославль, ул. Свободы, д. 12, т. (4852) 72-86-61

Широкий ассортимент электронных и аудиокниг
ИГ АСТ Вы можете найти на сайте www.elkniga.ru

Заказывайте книги почтой в любом уголке России
123022, Москва, а/я 71 «Книги – почтой»
или на сайте: shop.avanta.ru

Курьерская доставка по Москве и ближайшему Подмосковью:
Тел/факс: +7(495)259-60-44, 259-41-71

Приобретайте в Интернете на сайте: www.ozon.ru

Издательская группа АСТ www.ast.ru
129085, Москва, Звездный бульвар, д. 21, 7-й этаж
Информация по оптовым закупкам: (495) 615-01-01, факс 615-51-10
E-mail: zakaz@ast.ru

Сайты Эдуарда Тополя в Интернете:

etopol.ru
etopol. Boom.ru
etopol.com

Литературно-художественное издание

Тополь Эдуард
Братство Маргариты
Повести

Ответственный редактор О.М. Тучина
Компьютерная верстка: Е.В. Аксенова
Технический редактор О.В. Панкрашина

Общероссийский классификатор продукции
ОК-005-93, том 2; 953000 — книги, брошюры

Санитарно-эпидемиологическое заключение
№ 77.99.60.953.Д.012280.10.09 от 20.10.09 г.

ООО «Издательство АСТ»
141100, Россия, Московская обл., г. Щелково, ул. Заречная, д. 96
Наши электронные адреса: WWW.AST.RU E-mail: astpub@aha.ru

Широкий ассортимент электронных и аудиокниг
ИГ АСТ Вы можете найти на сайте www.elkniga.ru

ООО «Издательство Астрель»
129085, г. Москва, пр-д Ольминского, д. За

Издано при участии ООО «Харвест».
ЛИ № 02330/0494377 от 16.03.2009.
Республика Беларусь, 220013, Минск, ул. Кульман,
д. 1, корп. 3, эт. 4, к. 42.
E-mail редакции: harvest@anitex.by

ОАО «Полиграфкомбинат им. Я. Коласа».
ЛП № 02330/0150496 от 11.03.2009.
Республика Беларусь, 220600, Минск, ул. Красная, 23.